LANCE ET COMPTE 3

Éditeur:
LES ÉDITIONS LA PRESSE (1986)

Conception graphique de la couverture:
Katherine Sapon

Photos de la couverture:
INTERPRESS/Éric Mégret
Ron Diamond, Michel Gauthier, Roger Dufresne

Photo de l'auteur:
Pierre McCann

Dépôt légal:
Bibliothèque Nationale du Québec
1er trimestre 1989

ISBN 2-89043-992-5

ALLAN TREMBLAY

Données de catalogage avant publication (Canada)

Tremblay, Allan

Lance et compte

Vol. 1, «d'après le scénario de Louis Caron et Réjean Tremblay»,
v. 2, «d'après le scénario de Jacques Jacob et Réjean Tremblay»,
v. 3, «d'après le scénario de Réjean Tremblay et Jacques Jacob».

ISBN 2-89043-193-2 (v. 1)
2-89043-230-0 (v. 2)
2-89043-992-5 (v. 3)

I. Titre.

PS8589.R47L36 1986 C843'.54 C87-673-8rév.
PS9589.R47L36 1986
PQ3919.2T73L36 1986

Distributeur exclusif pour le Canada:
Agence de distribution populaire inc.
(Filiale de Sogides Ltée)
955, rue Amherst, Montréal H2L 3K4
(Tél.: 514-523-1182)
Télécopieur: (514) 521-4434

CHAPITRE I

«En conclusion, nous avons tous notre part à faire dans la protection de notre environnement. Il faudrait cesser d'être des prédateurs et devenir des conservateurs... Je vous laisse sur ces paroles de Marguerite Yourcenar: «Le malade est mourant. Mais il n'est jamais trop tard, tant qu'il reste un humain, un arbre, un cours d'eau.» Merci.»

Les élèves et leurs parents, entassés dans l'auditorium de l'école secondaire, se levèrent pour applaudir, mais l'un d'eux, plus ému que les autres, acclamait encore plus fort le discours de sa fille. Marie-France, fière et intimidée à la fois, salua modestement la foule en essayant d'y trouver son père. Elle l'aperçut enfin, et crut voir une larme briller dans ses yeux.

Mal à l'aise, elle tourna la tête et son regard rencontra celui d'André Pageau, son principal adversaire dans le concours oratoire, qui lui souriait en applaudissant avec plus d'enthousiasme qu'elle ne l'eût cru possible. Elle répondit à son sourire et sentit un petit frisson lui parcourir le dos.

Marc Gagnon, quant à lui, gesticulait pour attirer l'attention de sa fille. À ses côtés, Suzie Lambert, sa compagne depuis deux ans, se moquait un peu de sa frénésie.

«C'est pas parce que c'est ma fille, mais c'était elle la meilleure, lui dit-il.

— Oui, Marc! répondit-elle en riant.

— Les autres n'étaient pas aussi naturels.

— Ça va, assieds-toi maintenant!»

Elle était contente de le voir oublier ainsi ses soucis des derniers jours. L'équipe qu'il entraînait, le National de Québec, avait peu de chances de franchir les demi-finales de la coupe Stanley. Après une saison plutôt moyenne, Marc craignait de perdre son poste. Mais pour l'instant, il semblait ne plus penser qu'à la performance de Marie-France. Suzie et lui s'assirent. L'organisateur du concours s'avança et prit place devant le micro.

«Mesdames et messieurs, je vous remercie d'être venus en si grand nombre. Je ne ferai pas durer le suspense plus longtemps. Le gagnant est André Pageau, de la polyvalente Marguerite-d'Youville!»

Marc applaudit, déçu, avec une moue qui contredisait ses timides battements de mains. L'organisateur continua.

«Et, *ex aequo*, Marie-France Gagnon, de la même école!»

Cette fois-ci, Marc frappa dans ses mains avec vigueur. Il vit, d'un œil suspicieux, le jeune André s'approcher de sa fille et l'embrasser sur la joue. Elle rougit et ils saluèrent la foule.

☆

Lucien Boivin conduisait vite, et mal. Ses mains tremblaient et il ne pouvait retenir son pied sur l'accélérateur. Johanne Hébert, sa femme, le rassurait doucement: «Calme-toi, c'est pas toi qui accouche. Pourquoi tu t'énerves?»

Lulu regarda sa femme enceinte avec une lueur de panique dans les yeux et bafouilla quelque chose de complètement incohérent. Heureusement, ils arrivaient à l'hôpital. Il stationna la voiture du mieux qu'il put et se précipita vers la réception. Jojo le regardait faire sans trop y croire: il était en train de l'oublier là. Elle sortit péniblement de la voiture et marcha lentement dans la même direction que son mari.

Dans les moments de tension, le naturel distrait de Lucien atteignait des sommets inouïs. Ainsi, à la réception, il demanda où était Johanne Hébert. La secrétaire vérifia et affirma qu'elle ne se trouvait pas à l'hôpital. Il reprit alors, en partie, ses esprits et se souvint qu'elle était encore dans la voiture.

Il la rencontra dans l'allée et se laissa guider vers la salle de travail.

Hugo Lambert, enfin sorti de l'âge ingrat de l'adolescence, était installé dans le garage de Gilles, son beau-père, et répétait une pièce sur son synthétiseur. Complètement hors du monde, il n'avait plus conscience que de la musique et de ses doigts qui parcouraient le clavier. Il lui fallut une bonne dizaine de secondes pour parvenir à déterminer l'origine d'un bruit de fond inattendu: c'était Gilles Guilbeault qui lui criait de baisser le volume. Comme il ne se dépêchait pas, son beau-père coupa simplement le courant.

«As-tu pensé au job d'été que je t'ai trouvé?

— Sais-tu, à cinq dollars de l'heure... Je peux faire mieux avec ma musique en trois soirs par semaine.

— Dans mon temps, ça ne se refusait pas un job d'été.»

Guilbeault jeta un coup d'œil au paquet que sa femme Maroussia tenait sous son bras, puis aux nombreux autres qui étaient entassés sur la table et murmura:

«Il va bientôt falloir louer une remise.

— Ne t'en fais pas, après le mariage tu en seras débarrassé.

— Le mariage! J'espère que ça va pas distraire Pierre de son jeu. L'équipe a besoin de lui à cent cinquante pour cent avec les Flyers qui mènent la série 2 à 0...

— Cesse de me parler hockey.

— Toi puis le hockey, c'est tout ce que j'ai, Maroussia.

— Tu travailles trop. Pourquoi ne vas-tu pas voir le docteur Bergeron? Il t'a appelé encore deux fois cette semaine.

— Mais j'ai pas le temps! Peut-être que d'ici quelques jours... La saison va être finie. Là je pourrai aller le voir.

— Toujours des excuses! La saison finie, tu en trouveras d'autres!

— Maroussia! Est-ce que je ne peux pas avoir la maudite paix!»

La fin de saison en queue de poisson, le mariage de Pierre, le rock d'Hugo et les exhortations de sa femme pour qu'il aille se faire ausculter, tout cela était en train de venir à bout du pauvre cœur de Gilles Guilbeault. Il soupira profondément et crut avoir une autre crise quand une succession de notes sauvages frappèrent ses tympans. Il regarda Hugo, en transe devant son clavier, d'un air mauvais, et sentit la colère monter en lui. Il voulut dire quelque chose mais, découragé, préféra enfiler une veste et se rendre au Colisée.

Il se détendit dans la voiture et se sentit beaucoup mieux en pénétrant dans l'enceinte. Il observa les joueurs qui s'entraînaient et pensa à la belle époque où il gardait les buts. Mais cette sensation de bonheur tranquille le quitta tandis qu'il regardait le film du match de la veille.

Le National avait joué une excellente partie. Les joueurs n'avaient pratiquement pas commis d'erreurs, mais l'équipe avait, tout de même, subi une défaite. Marc Gagnon était sur les dents. Les deux hommes, l'un gérant, l'autre entraîneur, négligeaient leur vie de famille et ne pensaient plus qu'à une chose: le hockey.

«Les Flyers! Ils me donnent mal à la tête, gémit Gagnon.

— Demain soir, on a l'avantage de la glace, lui dit Fernand, son adjoint, pour essayer de le réconforter.

— Chez nous? Ç'a jamais été une garantie.

— Marc, t'as pas le choix! Il faut que tu fouettes les gars. Si on perd ce match-là, on peut dire adieu au reste, lui dit Gilles Guilbeault. Souviens-toi du temps de Mercier.

— Je fais ma job. Le club est en demi-finale de la coupe Stanley, puis tu sais ce que ça a pris pour y arriver, répliqua Marc. Avec Sergei Koulikov qui donne une bonne partie sur cinq, puis qui chie ses bas dans les coins de patinoire...

— Puis Lambert qui n'arrive pas à se démarquer..., ajouta Fernand.

— Gilles, il faut que tu rappelles Danny Ross de Chicoutimi, continua Gagnon, pendant que Philadelphie couvre Lambert, peut-être qu'il...

— Il est jeune. Il a de l'avenir, mais je ne suis pas sûr qu'il soit prêt, répondit Guilbeault, songeur.

— S'il est pas prêt maintenant, il le sera jamais.

— D'accord. Appelle Chicoutimi.»

☆

Lulu marchait de long en large devant une Linda Hébert qui dissimulait mieux que lui sa nervosité. Curieusement, toutes ces années de concurrence dans le monde du journalisme les avaient rapprochés. Ils avaient oublié tous les scoops qu'ils s'étaient fauchés l'un à l'autre et n'attendaient plus maintenant qu'une grosse nouvelle dont ils allaient se partager l'exclusivité: un garçon ou une fille?

Lucien avait acheté pour l'occasion une grande boîte de cigares de La Havane qu'il distribuait à tous ceux qui l'approchaient. Linda riait, sans méchanceté, de le voir se conformer aussi typiquement au rôle du nouveau père. Néanmoins, elle aussi se sentait légèrement inquiète pour sa sœur...

Une infirmière se présenta et demanda Lucien Boivin. Celui-ci se planta devant elle. Linda se leva d'un bond et fut en une seconde à ses côtés, remerciant le ciel que personne n'ait remarqué ce moment de faiblesse. Ils attendaient leur scoop.

Ils suivirent l'infirmière jusqu'à la pouponnière et contemplèrent, émerveillés, le joli petit bébé qu'elle leur présenta. Leur attention fut aussitôt détournée par l'infirmière qui leur en montra un deuxième. Lucien cligna ses paupières et tourna de l'œil.

Cela allait être une très grosse primeur, mais elle ne ferait jamais les manchettes: c'étaient un garçon... et une fille.

☆

Depuis un an déjà, Danny Ross habitait Chicoutimi. À vingt ans, grand, brun, il était le meilleur espoir du National. Il trouvait cependant difficile de se trouver aussi loin de Debbie, son amie.

Il fut réveillé par de solides coups à la porte de sa chambre. Il se leva, les yeux bouffis, et ouvrit. C'était son entraîneur.

«Marc Gagnon vient de m'appeler. Tu joues demain soir à Québec. Bonne chance et tâche de dormir. Si tu peux.»

Danny ne dormit pas.

☆

L'atmosphère, au vestiaire, était détendue bien qu'on sentît un vague pessimisme y régner. L'esprit d'équipe n'y était pas. Chacun pensait à sa petite affaire et essayait d'oublier les déboires de tous.

Robert Martin, le capitaine de l'équipe, se demandait s'il allait prendre sa retraite à la prochaine saison.

Mac Templeton imaginait la raclée qu'il allait servir à Monroe, le «policier» de l'autre équipe.

Paul Couture, le «Curé», priait pour que Dieu donne à son équipe la volonté nécessaire pour gagner et l'humilité d'accepter la défaite.

Pierre Lambert était assis sur le banc. Il essayait d'oublier sa douleur au dos et pensait à Patricia, qu'il allait bientôt épouser.

Sergei Koulikov était silencieux. La compétition l'écœurait et sa tête était à des milliers de kilomètres de là, en Russie, où un petit garçon, Misha, devait bien se demander pourquoi son père l'avait ainsi abandonné une certaine journée de février.

Marc Gagnon, lui, regardait cette bande désorientée et désespérait de trouver le moyen de motiver ses joueurs. Le match était prévu pour le soir et l'après-midi s'annonçait long. Très long. René Laberge, le boute-en-train de l'équipe, s'avança au son d'une marche nuptiale avec Nounou à son bras. Pierre sourit. Laberge demanda sa bénédiction à Couture qui la lui donna sous forme d'un seau d'eau en pleine figure.

Le vestiaire éclata de rire. Marc Gagnon soupira. Peut-être que finalement...

Sergei s'approcha de Pierre, celui qui l'avait tant aidé lorsqu'il était passé à l'Ouest, et il lui offrit ses meilleurs vœux de bonheur. Marc et Robert regardèrent le Soviétique et pensèrent la même chose en même temps: il était trop petit pour survivre dans la Ligue nationale. Lorsque Sergei se fut éloigné, Robert Martin vint parler à Pierre.

«Il faudrait peut-être lui dire de ne pas avoir peur d'aller chercher la rondelle dans le coin...

— Il fait ce qu'il peut. Il est pas gros...

— Pas souriant non plus.

— Tu le sais, Bob, son fils qui ne peut pas sortir d'U.R.S.S...

— Bon, allez-y les gars!» cria Gagnon.

Les joueurs obéirent et défilèrent sur la glace. L'entraîneur s'approcha de Sergei et lui demanda sèchement de jouer avec plus de robustesse. Marc vit alors approcher un retardataire: c'était Danny Ross. Celui-ci lui raconta que sa voiture l'avait lâché dans le parc des Laurentides et qu'à cause de cela il n'avait pu arriver plus tôt. L'air absolument furieux, Marc lui infligea une amende de deux cents dollars pour son retard. Danny s'excusa et se précipita vers le vestiaire, saluant au passage Sergei qui le regardait en souriant.

Le voyant ainsi détaler, Marc Gagnon rit doucement: il avait si souvent assisté à cette scène qu'il se demandait comment il pouvait la jouer avec encore autant de conviction. Il s'aperçut que Pierre le regardait d'un air entendu. Les deux hommes s'observèrent et se firent un signe de tête.

Pierre Lambert s'était fait accueillir de la même façon à sa première partie dans les majeures.

Dans les gradins, se trouvait le groupe habituel, composé des dirigeants du National et des journalistes. Lucien Boivin distribuait des cigares à la ronde.

Gilles Guilbeault imaginait très bien le bon vieux Lulu à l'hôpital, en train d'essayer de trouver sa femme dans la multitude de couloirs. Il l'aimait bien, sauf lorsqu'il sortait un de ses scoops retentissants qui avaient le don de mettre toute l'équipe dans l'embarras. Le nouveau père offrit à Gilles un cigare, que celui-ci refusa, et, avec cet air un peu innocent qui empêchait souvent qu'on ne le prenne au sérieux, lui demanda: «Coudonc Gilles, savais-tu que Jacques Mercier va passer à la *Soirée du hockey*? Ils sont allés en Suisse pour préparer le reportage, par satellite en plus. D'où est-ce que tu penses que ça vient, subitement, cet intérêt pour lui?»

Gilles, un peu mal à l'aise, se retourna vers Linda Hébert, qui venait d'arriver, et lança la plaisanterie habituelle, usée jusqu'à la corde: «Demande ça à Linda. Elle doit savoir ça, elle...»

Linda, habituée à ce genre de remarque, enchaîna: «Oui justement, Gilles, tu vas sans doute être d'accord avec moi pour dire que l'équipe n'a pas connu une très grosse saison...» Guilbeault ne montra pas de réaction. «Tu ne penses pas que quelqu'un du National pourrait éventuellement penser à Jacques Mercier?»

Gilles la regarda, piqué au vif, et lui répondit: «Le National, c'est moi», et il s'éloigna. Linda le suivit des yeux en pensant que ce n'était probablement plus vrai.

Gilles gravit les escaliers et se dirigea vers son bureau. Sa secrétaire lui remit un message. Il se mit à lire et un rictus se dessina aussitôt sur son visage. Obéissant à son instinct, la secrétaire se remit au travail: quand le patron fait cette tête, il vaut mieux ne pas être là. Elle le regarda se diriger vers un autre bureau, alors qu'il grommelait quelque chose à propos du comptable de l'équipe.

«Monsieur Baril est occupé, risqua-t-elle.

— Je m'en sacre!»

Il ouvrit la porte brusquement et Maurice Baril, surpris, sursauta. Guilbeault lui demanda, presque en hurlant:

«C'est toi qui as décommandé le charter pour samedi soir? Tu t'imagines qu'on va prendre un vol régulier pour se rendre à Philadelphie?

— La décision ne vient pas de moi.

— Écoute, Baril, on t'a engagé pour être comptable, pas pour faire ma job!

— Monsieur Goldman et moi pensions que, de toute

façon, après ce soir, si le National perd, inutile d'avoir un charter.

— C'est moi le directeur général du club. Tu vas me re-booker ce charter-là ou bien tu disparais de ma face pour un hostie de bout de temps!

— Oui, mais monsieur Goldman...

— Y a pas de monsieur Goldman. C'est pas parce que tu lui allumes ses cigares que ça va te couvrir, Baril. Fais comme d'habitude: plie.»

Baril, pleutre jusqu'au fond de l'âme, encaissa le coup. Guilbeault s'éloigna. Le comptable composa le numéro de la compagnie aérienne et demanda que l'on nolise de nouveau l'avion. Lui non plus n'en donnait plus pour longtemps au directeur général.

Il remit ses affaires en ordre, quitta les bureaux et descendit au stationnement. Il récupéra sa voiture et prit la direction du château Frontenac, où se déroulait, depuis la veille, une énorme partie de poker.

Il apportait avec lui une mauvaise nouvelle.

Les cinq hommes jouaient depuis presque vingt-quatre heures, pas assez longtemps pour venir à bout de leur fortune, mais assez pour que cela y laisse de sérieuses marques. La pièce était enfumée, la lumière, diffuse, et plusieurs avaient les yeux rouges. Les joueurs se trouvaient dans une sorte de ferveur hypnotique. Ils misaient à coup de cent, de cinq cents et de mille dollars, et misaient de nouveau leurs pertes ou leurs gains à quitte ou double, souvent avec une seule carte. Parfois, ils jouaient des actions ou des titres de propriété. Deux élégantes hôtesses en robe du soir décolletée s'occupaient de faire la donne et de leur servir à manger. Pour l'instant, l'une d'entre elles était affalée sur un lit, incapable de suivre le rythme insensé de ces toxicomanes du jeu.

Ils étaient pareils à cinq zombies ayant tout oublié de leur existence. Ils ne vivaient plus que pour voir si la Chance combinerait les nombres, les figures ou les couleurs dans un ordre qui comblerait leur dette ou augmenterait leur fortune. Environ quatre mille dollars s'étaient trouvés sur la table, puis quatre mille cinq cents, cinq mille. Pour redescendre à zéro.

Allan Goldman, hébété, regardait sans émotion les cartes qui l'avaient une fois de plus trahi. La chambre, autour de lui, avait pris une couleur irréelle. Seuls étaient vivants les quatre autres joueurs.

Il fut tiré de sa torpeur par des coups à la porte. La fille qui servait alla ouvrir. Allan dévisagea l'intrus, un grand maigre aux dents jaunies, et reconnut son comptable. Cela le ramena à la réalité.

«Oui, Baril?

— Monsieur Guilbeault a demandé qu'on réserve le charter à nouveau.»

Les épaules de Goldman s'affaissèrent: c'était comme une grosse perte, une mauvaise donne. Baril continua:

«Vous savez, pour les trois cent mille qu'on a empruntés au fonds de pension des joueurs...

— Le fonds de pension... Panique pas, on a jusqu'en septembre pour le couvrir. Quelle heure est-il?

— Il est sept heures. On a juste le temps d'arriver pour la partie.»

Goldman mit quelques secondes à se souvenir que le club dont il était propriétaire avait un match important à jouer. Un club qui, lui non plus, ne jouait pas de chance en ce moment.

Ce soir-là, on eût dit que les joueurs du National patinaient sur du sable. Ils avaient mis tous leurs efforts, tout ce qu'ils pouvaient pour gagner le match, mais, en troisième période, Philadelphie menait toujours 3 à 2. Sur le banc, certains reprenaient leur souffle, tandis que sur la glace les autres s'essoufflaient. Les Flyers, impitoyables, continuaient de frapper, de bloquer et d'accrocher les patineurs du National.

Pierre Lambert, complètement épuisé, regardait la partie

du banc et essayait d'oublier la douleur qui lui tenaillait le dos. Marc Gagnon, imperturbable, l'envoya sur la patinoire avec Mac Templeton et Danny Ross.

Péniblement, ils se placèrent pour la mise en jeu, Pierre au centre devant Denis Mercure, son ancien coéquipier et peut-être son meilleur ami. Ils avaient grandi ensemble et joué pendant longtemps dans les mêmes équipes, formant un duo que tous leurs adversaires redoutaient. Puis Denis avait été échangé à Detroit, et ensuite à Philadelphie. Mais pour l'instant, Pierre ne voyait en lui qu'un adversaire. La pression était forte et les bâtons des deux joueurs se frappèrent avant que l'arbitre n'eût déposé la rondelle. Ils furent renvoyés et deux autres joueurs prirent leur place.

Danny Ross s'empara de la rondelle et le jeu se déplaça d'un seul coup dans la zone des Flyers. Il y eut une mêlée devant le but et tous les joueurs s'empilèrent. Danny s'approcha, déséquilibré, et poussa la rondelle derrière le gardien, dans le filet. La lumière rouge s'alluma; la foule explosa.

Plus haut, sur la passerelle réservée à la direction, Gilles Guilbeault avait de la peine à contenir sa joie. Il remarqua le geste de triomphe de Danny Ross et, à cet instant, il sut que la jeune recrue pourrait devenir bien populaire. Mais son enthousiasme, ainsi que celui des spectateurs, fut aussitôt refroidi par un signal de l'arbitre: le but était annulé.

Marc Gagnon, debout sur son banc, faisait de grands signes peu flatteurs à l'intention de l'arbitre. Les joueurs, massés autour de lui, protestaient furieusement. Ross, particulièrement colérique, s'approcha de l'arbitre et l'engueula, ce qui lui valut d'être expulsé du match pour mauvaise conduite.

Les journalistes y allaient bon train avec leurs commentaires sur l'attitude de l'officiel envers le National de Québec. La plupart d'entre eux étaient scandalisés, à l'exception évidemment de ceux qui venaient de Philadelphie.

Allan Goldman, occupé jusque-là au téléphone, demanda à Guilbeault ce qui se passait. Celui-ci se mit à raconter, mais s'aperçut vite, devant les traits tirés de Goldman et sa barbe de deux jours, qu'il s'en foutait éperdument. Gilles s'énerva.

«Écoute, Allan: peut-être que tu te fous de l'équipe, mais moi...

— Faisons le protêt, pour ce que ça donne», répondit l'autre avec un geste d'impuissance.

La foule hua longuement la décision de l'arbitre Boswell, mais rien n'y fit. Le cercueil du National était maintenant refermé et tout cela n'était qu'un autre clou destiné à le sceller.

Le dernier clou fut le but de Denis Mercure, compté dans un filet désert, après une feinte qui ridiculisa Paul Couture, dont la longue expérience ne compensait plus la perte de ses réflexes. Les spectateurs quittèrent les gradins sans faire de bruit et les joueurs regagnèrent leur vestiaire où leur entraîneur, enragé, ainsi que les journalistes les attendaient.

«Vous avez bien joué, les gars! On se l'est fait voler, celle-là, cria Gagnon à travers la porte du vestiaire.

— Tu accuses l'arbitre officiellement? demanda Linda Hébert.

— Je te permets de me citer! Le but était bon. C'est pas la première fois que Boswell coule une équipe de même.

— Donc, tu prétends que l'arbitrage est suspect?

— J'ai dit ce que j'ai dit. John Aylmer devrait convoquer ses arbitres, puis leur dire d'appliquer le règlement à la lettre. Comme ça, ce serait pas rien que des équipes de plombiers qui font tout le temps de l'obstruction qui se rendraient en finales.

— Tu sais qu'on parle pas mal de Jacques Mercier depuis quelque temps. T'as pas peur pour ton poste?

— Fais tes suppositions!»

Il rentra au vestiaire en claquant la porte.

☆

Pierre Lambert sommeillait dans son lit quand Patricia vint se blottir contre lui. La douce chaleur qui l'entourait se transforma en une froide douleur dans le dos au moment où il se retourna pour l'embrasser. Ce n'était pas la première fois que cela lui arrivait, mais il évitait toujours d'en parler, surtout à Patricia.

Mais cette fois, il ne put cacher sa douleur. Le visage crispé, il retint un gémissement et Patricia se rendit compte qu'il souffrait. Il tenta de la rassurer, les dents serrées sous l'effet de la douleur.

«C'est rien, Patricia. Ça va passer.

— Est-ce que ça t'arrive souvent? Pourquoi tu ne m'en as jamais parlé? Hey! Je te pose une question.

— C'est mon problème.

— Et puis moi? J'existe pas? Merci bien.

— Maintenant, je laisse mes...»

Ils furent interrompus par le timbre de la sonnette de la porte d'entrée. C'était Suzie, la sœur de Pierre, qui venait leur montrer les esquisses de sa nouvelle gamme de cosmétiques. Avec son tempérament de feu, elle venait de se lancer dans une nouvelle aventure commerciale.

«Pierre, lui?

— Il dort.

— Le paresseux!» Elle ouvrit son cartable et montra quelques dessins à Patricia. «Qu'est-ce que t'en penses?

— Ben, tu sais..., commença Patricia, peu convaincue, je m'y connais pas tellement là-dedans.

— Bon. Comme tu veux. T'as le droit de pas aimer, fit Suzie, un tantinet vexée. Maintenant, il faut que je me sauve. Tu sais pas ce que tu manques, Pierre!» cria-t-elle.

Suzie Lambert était une jeune fille dynamique, vive, très émotive. Grande, brune, ses traits félins, avenants lui avait permis de devenir un mannequin de classe internationale.

Elle alla rejoindre Marc pour lui montrer ses croquis. Marc était l'homme qu'elle avait aimé dans sa jeunesse et qui l'avait fait souffrir, mais il était aussi l'homme qui l'avait recueillie après la mort de son mari. De passion frivole qu'elle était, leur relation était devenue plus stable et plus mûre avec le temps.

Marc voulait que Suzie vienne vivre avec lui et ses deux enfants, mais cette proposition faisait peur à la jeune femme. Elle craignait de perdre sa liberté et de devenir une seconde mère pour le fils et la fille de Marc. Elle voulait bien tenir le rôle d'amie, mais c'était tout: elle était jeune et elle comptait bien en profiter.

Marc ne fut pas enthousiasmé par ses esquisses, comme tout le monde d'ailleurs. Et la série de revers qu'affrontait le National lui sapait le moral. Il s'excusa:

«De toute façon, j'ai pas la tête à ça. Si on perd à soir... Un coach qui perd, ça se remplace vite.

— Marc.

— Il y a rien qu'ils feraient pas pour calmer le monde.

— Pense pas à ça.»

Il la regarda en fronçant les sourcils.

«Où est-ce que t'étais hier soir?

— Ailleurs. C'est la meilleure place où aller quand tu perds.»

Il prit un air contrit.

«Aujourd'hui, par contre, j'avais envie de te voir. Es-tu content?»

Elle lui fit une bise.

«Viens vivre avec moi.

— Tu le sais, Marc. Je me sens pas prête. Il y a personne d'autre dans ma vie, mais... Pas tout de suite.»

Elle l'embrassa tendrement.

Gilles Guilbeault, préoccupé, lisait son journal du matin. Il était mécontent: les déclarations de Marc Gagnon faisaient la une, ce qui n'était pas pour améliorer les rapports de l'équipe avec les arbitres de la Ligue nationale. Il s'inquiétait aussi de l'attitude d'Allan Goldman, le propriétaire de l'équipe, qui semblait se désintéresser complètement de ce qui arrivait au National. De plus, plusieurs joueurs ne donnaient pas leur plein rendement et on ne parvenait plus à remplir le Colisée, même en demi-finales. Et maintenant, le club se trouvait à une défaite près de l'élimination.

Gilles avait des problèmes de cœur, et sa femme, Maroussia, s'en préoccupait plus que lui. Lui préférait ne pas y penser. Et de cela aussi, sa femme se souciait. Il fut tiré de ses pensées par le bruit de la sonnette de la porte d'entrée. Maroussia lui fit promettre, sans qu'il eût le temps de répondre, de ne pas se fâcher. Elle alla ouvrir la porte et fit entrer le docteur Bergeron, le médecin de l'équipe pendant et entre les parties.

Gilles ne voulait pas le voir, mais le médecin avait insisté pour venir l'ausculter.

«Gilles, lui dit-il, ça fait six rendez-vous que tu manques et Maroussia m'a dit que tu travaillais continuellement et que tu avais recommencé à faire de l'insomnie. C'est mauvais pour ton cœur.

— Je vais bien. Je sais que je vais bien. Arrêtez de me traiter comme un malade!

— Gilles, ne te fâche pas..., commença sa femme.

— Et puis s'il y a quelque chose que je supporte pas, c'est bien de me faire piéger, et par ma propre femme en plus!»

Elle l'avait blessé et elle le savait.

Danny Ross, depuis sa première partie avec le National, vivait dans la frénésie la plus complète. Il se rasait dans la chambre d'hôtel qu'il avait louée à Québec et, incapable de se concentrer, n'arrêtait pas de se couper. On cogna à la porte. C'était Debbie Gillis, sa petite amie, qui, comme lui, était native des Prairies. Elle étudiait à Montréal, à l'Université McGill, et avait profité de la proximité de son amoureux pour venir lui rendre visite. Il était particulièrement surpris de la voir.

«Debbie! Qu'est-ce que tu fais là?

— Ben, comme tu vois. Je suis descendue de Montréal. T'es pas content?» Elle l'embrassa suavement à travers la mousse à raser.

«Qu'est-ce qui se passe avec tes cours?

— Ça fait un an que je travaille comme une folle. J'ai bien mérité un petit congé.»

Elle continuait à l'embrasser en lui caressant le torse sous son T-shirt. Elle se plaqua contre lui en bécotant son visage couvert de savon.

«Noix de coco? demanda-t-elle.

— Debbie... Mon entraînement... J'ai pas le temps, fit-il d'une voix suppliante.

— À moins que..., commença-t-elle en léchant ses joues à moitié rasées.

— Que quoi?

— Aux pommes?»

Elle détachait sa blouse.

«Citron-lime. Debbie, arrête. J'ai pas le temps.»

Au ton de sa voix, elle devinait que s'il n'avait pas le temps, l'envie, elle, ne lui manquait pas. Elle jeta sa chemise sur le lit et dégrafa son soutien-gorge.

«Elle est à quelle heure, ta pratique?

— Une heure, murmura-t-il d'une voix rauque, à bout de souffle.

— On a le temps de faire ça dix fois», dit-elle joyeusement en retirant le T-shirt de son petit ami.

Ils s'enlacèrent et il la déposa gentiment, mais avec force, sur le lit. Leur salive avait un goût de savon et de citron-lime. Debbie parvint à s'étirer suffisamment pour attraper la bouteille de mousse à raser. Elle s'en mit un peu dans la main et en recouvrit la poitrine velue de Danny qui s'écria: «Hey! Qu'est-ce que tu fais? Tu veux quand même pas que je me rase là!»

Pour toute réponse, Debbie frotta ses seins, fermes et galbés, contre le torse glissant de Danny qui refoula un gémissement. Elle se coula lentement sous lui et, avec le bout de sa langue, se mit à dessiner un cœur sur sa poitrine couverte de mousse. Danny se retourna et s'allongea sur le dos. Il regarda ce que son amie avait dessiné et l'effaça. Celle-ci prit un air chagrin, et alors il lui dit d'une voix d'enfant: «S'il te plaît, dessine-moi un mouton.»

Debbie éclata de rire et se détendit. Il se pencha sur elle et prit dans sa bouche le bout durci de l'un de ses seins. Le fou rire de Debbie se transforma en doux geignement. Elle ferma les yeux et savoura cet instant. Pendant qu'elle se trouvait à mille lieues de toute terre habitée, son Petit Prince agrippa discrètement la bouteille de mousse et lui en aspergea abondamment la figure. Elle hurla, furieuse, et lui sauta dessus pour lui arracher la bouteille des mains.

«Dessine-moi un mouton, hein? Je vais te le couper net, moi, ton mouton!»

Elle le couvrit de crème à raser et ils se mirent à lutter, d'abord sauvagement, puis mollement, dans les draps pleins de mousse. Ils se déshabillèrent, sans trop s'en rendre compte, et se caressèrent doucement. Danny, qui en avait assez d'avoir la bouche pleine de savon, proposa d'une voix faussement désolée:

«On va être obligés de prendre une douche.

— Oh!... Quel dommage», répondit-elle en le dévorant des yeux.

Il la souleva d'un geste souple et l'emmena prestement dans la salle de bains.

Dans la cabine de douche, Debbie hissa ses jambes autour des reins de son ami et, dans cette position, tandis qu'il la soutenait sur ses jambes arquées, ils firent l'amour.

Lorsque Danny sortit de la douche, il vit qu'il était presque midi et demi. Il fila en vitesse au Colisée.

Linda Hébert, comme à son habitude, fit une entrée majestueuse dans la salle de rédaction du *Matin* de Québec. Mais sous les bonjours habituels, on percevait un ton interrogateur: des rumeurs circulaient. Linda, journaliste chevronnée, avait des raisons d'être fière de sa carrière. Elle avait percé dans un domaine habituellement fermé aux femmes et l'avait finalement dominé; et maintenant on disait qu'elle était sur le point de gravir un autre échelon, encore plus important.

Linda s'installa devant son clavier et se mit à travailler à son article. Elle fut interrompue au bout d'une heure par un Ben

Belley qui paraissait encore plus énervé que d'ordinaire. Dynamique, irascible, cynique et parfois détestable, il avait toutes les qualités requises par son emploi (il était directeur de la section sportive du journal). Mais, malgré ses efforts pour garder en tout temps cette image d'homme bourru, ceux qui le connaissaient bien savaient qu'au fond il pouvait être sympathique. Il demanda à Linda de venir jusqu'à son bureau.

«Ferme la porte. As-tu fini ta chronique? Le National joue peut-être sa dernière partie à soir. La veillée va être dure pour les gars au pupitre. Fais-les pas trop attendre.

— Ben, c'est pas pour ça que tu voulais me parler.

— Y a des rumeurs, expliqua-t-il. D'après certains, tu passerais à la direction de l'information. Je voudrais avoir l'heure juste.»

Elle lui sourit, moqueuse.

«Dors tranquille, ce sont des rumeurs. Mais ne souhaite pas que ça arrive.»

☆

Lucien Boivin, de son côté, n'avait pas eu le temps d'écrire sa chronique. Il était trop occupé à changer les couches de ses jumeaux. La tâche était difficile car il détestait se salir les mains. Sa femme Johanne avait décidé de «s'émanciper» et de lui laisser le soin des bébés. Si bien qu'il avait dû appeler quelqu'un pour prendre la relève; il fallait qu'il se rende au Colisée. Il finit de changer les petits, souffla un peu, et alla ouvrir la porte. On sonnait depuis une bonne minute déjà. C'était la gardienne. Il l'accueillit comme un sauveur et enfila une veste.

Au Colisée, sur la galerie de la presse, il salua ses collègues et prit sa place habituelle, juste à côté de Linda. Sur la glace, les joueurs finissaient de se réchauffer. Ils rentrèrent au vestiaire.

Les gars étaient en meilleure forme qu'au cours des matches précédents et, surtout, le moral était bon. Aucun d'eux n'avait envie de se faire humilier une nouvelle fois devant ses partisans. Chacun y allait de ses encouragements ou de ses rugissants cris de guerre.

«À soir, il faut gagner! cria Danny Ross, pas très bien rasé.

— Ouais, mais pour gagner, il faudrait que quelqu'un aplatisse Monroe dans la bande, puis comme il faut», fit Laberge en regardant Templeton du coin de l'œil.

Mac, qui n'était pas sans avoir saisi la malveillance de la remarque, répliqua avec son fort accent américain:

«Fais-toi-z-en pas, Laberge, y en a qui perdent rien pour attendre.

— Ouais, mais fais-les pas attendre à l'an prochain.

— Ça va faire, les gars! intervint Robert Martin, le capitaine. Gardez ça pour la game, vous allez en avoir besoin. Attention, v'là Gagnon.»

L'entraîneur, accompagné de son adjoint, pénétra dans le vestiaire, le regard déterminé et la voix assurée. Il passa devant Raymond Dupuis, l'un des principaux défenseurs, et lui ordonna: «Plus de mise en échec. Faut jouer leur jeu. Compris?»

Dupuis acquiesça. Marc Gagnon se plaça au centre de la pièce, attendit un instant. Les joueurs formèrent un cercle autour de lui et attendirent à leur tour. Un profond silence s'installa, ponctué seulement de fortes respirations. Une forte odeur de sueur régnait, l'odeur d'une équipe qui ne voulait pas perdre. L'entraîneur regarda chacun de ses joueurs dans les yeux, inspira profondément et se mit à parler.

«Si on pense aux quatre parties qu'on a à gagner pour se rendre en finale, on est faits.» Quelques joueurs hochèrent la tête. «On va jouer ça game par game. On va jouer le système. On va gagner la première période. On verra à gagner la deuxième. Puis si on gagne les trois périodes, on peut pas se faire éliminer à soir.» Un rictus volontaire s'inscrivit sur son visage. Quelques-uns approuvèrent en grognant.

«*Come on, guys!* Vous savez ce que vous avez à faire. Vous avez une saison à sauver!»

Les joueurs manifestèrent bruyamment leur volonté de gagner. Pierre Lambert se leva d'un bond et cria: «Moi, j'ai gagné deux coupes Stanley puis une Coupe du monde. J'ai pas l'habitude de perdre. J'aime pas ça. Mais s'il le faut, je veux que ça soit dignement, pas en quatre parties, pas devant notre monde!»

Les joueurs se levèrent en s'encourageant et en hurlant leur cri de bataille habituel. Puis ils se dirigèrent vers le banc.

La foule acclama ses héros. Héros amochés et humiliés, mais acclamés quand même. Quelques-uns seulement protestèrent. L'un d'entre eux, Noël Bégin, en voulait à mort au National. Il regarda avec haine les joueurs et l'entraîneur qui se levaient pour l'hymne national.

Sur la galerie de la presse, les journalistes échangeaient leurs points de vue sur le début de la partie. Les deux équipes jouaient robustement, mais Philadelphie possédait une équipe beaucoup plus lourde que celle de Québec. Guy Drouin, un collègue de Linda, fit remarquer que Pierre Lambert était particulièrement maltraité par ses adversaires. Linda acquiesça et Lucien ajouta qu'un combat entre les deux fiers-à-bras était inévitable.

Un peu plus loin, Gilles Guilbeault venait d'accueillir Mike Ferguson dans sa loge.

«Mike, attaqua Guilbeault, quel chapeau portes-tu ce soir? Agent de Pierre Lambert? Ou tu m'emmènes un autre grief de la part de l'Association des joueurs?

— Ce soir, je suis le président de l'Association des joueurs. On ne voit plus souvent Allan Goldman.

— Ça, c'est l'histoire de la saison: où est Allan Goldman?»

Allan Goldman était sur le point d'arriver, non sans avoir d'abord donné un coup de fil à son bookmaker habituel. Ferguson reprit la conversation.

«Puis ton cœur? Pas de problème?

— Quoi, mon cœur? Je me suis jamais senti mieux.

— Parfait, tu vas en avoir de besoin. En tant qu'agent de Pierre Lambert, j'aimerais renégocier son contrat bientôt.»

Sur les gradins du Colisée, la foule manifestait son enthousiasme. Les deux hommes se penchèrent pour suivre le déroulement du match.

Les joueurs des Flyers, avec leur férocité légendaire, étaient sans pitié envers ceux du National. Pierre Lambert gagna une mise en jeu, mais se fit projeter violemment par Monroe, le fier-à-bras des Flyers, contre la bande. Son dos, qui jusque-là ne lui avait causé aucun problème, le fit cruellement souffrir. Il demeura étendu sur la glace pendant quelques secondes, essayant péniblement de reprendre son souffle. Steve White, son coéquipier, vint l'aider à se relever. L'arbitre sévit et donna une pénalité à Philadelphie.

Monroe patina lentement vers le banc des punitions, en passant devant le banc des joueurs du fleurdelisé, et jeta un regard de défi à Mac Templeton. Marc Gagnon, qui avait tout vu, signifia à ce dernier qu'il était temps de remettre Monroe à sa place.

Dans sa loge, Guilbeault, un peu désappointé par cette scène, reprit la conversation là où son interlocuteur et lui l'avaient laissée.

«Pourquoi renégocier son contrat? Il expire pas avant un an.

— Pierre n'est pas payé à sa juste valeur.

— Il se pensait bien fin, il y a quatre ans, d'engager un petit syndicaliste de Chicoutimi.

— Avec moi, ça va être moins facile.»

Dans une loge voisine, Michel Trépanier, le rédacteur en chef du journal *Le Matin,* présentait la propriétaire du quotidien de Québec, madame Joan Faulkner, à maître Marcel Allaire, un procureur qui avait des visées politiques, et à Maurice Baril, le responsable des finances du National de Québec.

«Vous êtes candidat aux élections municipales, n'est-ce pas, maître Allaire? demanda Joan Faulkner, une fort belle femme dans la quarantaine.

— On ne peut rien vous cacher.»

Joan était une femme d'affaires très agressive qui s'était bâti un empire à partir de rien. Quelques quotidiens, une compagnie d'assurances, un réseau de communication et une société d'investissement étaient ses principales possessions parmi beaucoup d'autres. Elle avait du mal à prendre l'avocat au sérieux. Celui-ci ne pouvait espérer gagner qu'une infime partie du pouvoir dont elle jouissait. Elle lui répondit par un sourire poli qui cachait la condescendance qui l'habitait et pensa à la raison de sa visite. Une visite qui concernait une autre femme. La conversation s'éteignit.

Sur le banc, Pierre, remis de sa douleur, attendait impatiemment le signal de son entraîneur. Son équipe menait déjà par un point et il n'avait pas l'intention d'en rester là. Gagnon lui toucha l'épaule et Pierre fonça vers la patinoire. Il se plaça pour la mise en jeu et, encore une fois, c'était son vieil ami Denis Mercure qui lui faisait face. Cela n'empêcha pas Pierre de s'emparer de la rondelle et de filer vers le but adverse.

Il fonça de toutes ses forces, talonné par ses adversaires, y alla d'une série de feintes spectaculaires et passa la rondelle à Steve White, qui la lui rendit quelques secondes plus tard. Pierre parvint à la pousser dans le but. La foule, debout, criait et applaudissait à tout rompre la plus belle pièce de jeu qu'elle eût vue depuis le début des séries. Le vacarme fut encore amplifié par la sirène annonçant la fin de la période.

Les joueurs, aux anges, se dirigèrent vers le vestiaire. L'un d'eux reçut un caoutchouc sur la tête et chercha d'où il provenait. Marc Gagnon vit un quinquagénaire au physique déplaisant qui gesticulait en lui faisant des signes. Il préféra laisser tomber.

Quelque part dans la ville, une jeune fille pleurait. Chaque coup que Pierre recevait, Patricia, qui sanglotait dans les bras de son père, le sentait dans son cœur. Et chaque but qu'il comptait, chaque feinte qu'il réussissait, chacune de ses victoires lui attirait plus de coups et plus de haine encore. Et chacune des larmes de Patricia n'en était qu'une parmi tant d'autres. Et chaque soirée qu'elle passait seule en appelait d'autres.

☆

Dans la salle des journalistes du Colisée, Linda Hébert repoussait en souriant les invitations de Lucien à venir voir ses jumeaux le samedi soir suivant, sachant très bien qu'elle serait vite transformée en gardienne d'enfants. Une hôtesse vint les interrompre, priant Linda d'aller rejoindre son rédacteur en chef qui l'attendait devant la porte de la loge des invités d'honneur. Elle s'exécuta sous les quolibets de Lulu.

Michel Trépanier avait un air sérieux qui annonçait une nouvelle importante. Il la fit entrer dans la loge. Une dame très élégante les y attendait.

«Linda, je te présente madame Joan Faulkner.

— Je suis ravie, dit la jeune journaliste.

— Je vous laisse», fit Trépanier en s'éclaircissant la gorge.

Il quitta la pièce le plus discrètement possible.

«Asseyez-vous, proposa madame Faulkner d'un ton courtois mais autoritaire. On m'a dit beaucoup de bien de vous. Puis-je vous appeler Linda?

— Bien sûr. Votre français est excellent, si vous me permettez cette remarque. Vous avez étudié à Québec, je crois?

— Vous pouvez m'appeler Joan. Comment savez-vous cela?

— Je suis avant tout une journaliste.»

Les deux femmes se jaugeaient et se scrutaient en tentant de deviner si un affrontement aurait lieu.

«Je sais cela. J'ai lu votre article sur moi: «Joan Faulkner et la finance? — comme un requin dans l'eau!» Pas très flatteur; j'aurais pu me vexer.

— Aux sports, nous n'avons pas l'habitude de mâcher nos mots. Surtout quand vous fermez une importante usine de bâtons de hockey dans l'Est de Montréal.

— Ce fut à mon grand regret, croyez-moi. Quoi qu'il en soit, j'ai besoin de quelqu'un comme vous, capable de dire ce qu'il pense. Albert Langlois, notre directeur de l'information, va prendre sa retraite. Nous devons l'annoncer demain. Voulez-vous le poste?»

Linda avala sa salive et déclara fermement:

«Je veux le poste.

— Vous l'avez. Mais souvenez-vous d'une chose: je requiers de mes proches une absolue loyauté.

— Je suis journaliste avant tout.

— Ça me suffit. Bienvenue à bord, Linda.»

☆

Au même moment, Allan Goldman, cigare aux lèvres, entrait dans la loge qu'occupaient Gilles Guilbeault et Mike Ferguson.

«Mike! Quelle bonne surprise. Tu es ici par affaires? Est-ce qu'on gagne?»

Guilbeault sentit battre son sang dans ses tempes. Allan Goldman ne semblait absolument pas préoccupé par les problèmes du club.

«Vous menez 2 à 0 après une période, répondit Ferguson. Vous devriez gagner sans problème.

— Tu vois que tu t'inquiètes pour rien.» Il se retourna vers Ferguson: «Gilles n'est pas content que je sois en retard.

— On peut se parler?» demanda Guilbeault, agressif.

Ferguson, diplomate, s'excusa et les laissa seuls dans la pièce.

«Gilles, tu es en train d'oublier la place que tu occupes dans le club. C'est moi le propriétaire.»

Baril entra. Goldman se mit à faire les cent pas, ce qui irrita encore plus Guilbeault.

«T'as pas à changer mes décisions. L'équipe perd de l'argent.

— Toi ou l'équipe?

— Vous ne devriez pas mordre la main qui vous nourrit, monsieur Guilbeault», déclara Maurice Baril sous les regards exaspérés des deux autres.

«Ta gueule, Baril! Gilles a toujours parlé franchement. C'est quelque chose dont t'auras toujours peur. Gilles, il faut que tu coopères.

— Je travaille avec le National d'abord! Le National passe avant le reste!»

Goldman poussa un soupir et constata que son cigare s'était éteint. Baril le lui ralluma sous son regard irrité. Leur attention fut attirée par les cris de la foule, qui allaient en augmentant. Ils se penchèrent et virent que Mac Templeton était en train de prendre une raclée.

«Templeton fait pas sa job, commenta Goldman. Faudrait peut-être en trouver un plus jeune.»

Mac, furieux, essayait d'échapper aux arbitres pour aller régler son compte à Bill Monroe. Après maintes insultes et menaces du poing, il se résigna à gagner le banc des pénalités.

Noël Bégin se mit à crier des grossièretés à Gagnon et à Templeton, sans venir à bout de la patience de l'entraîneur. Vexé, Bégin se mit à lui cracher carrément dessus et lui lança le verre de bière qu'il tenait à la main.

Gagnon demanda l'aide de la sécurité, mais avant que celle-ci n'ait pu intervenir, Templeton avait déjà sauté pardessus la bande pour rejoindre le trouble-fête. Gagnon suivit Templeton pour le calmer, mais Bégin lui sauta dessus et, en moins de une seconde, les deux hommes avaient commencé à se battre.

De la loge des *V.I.P.*, Marcel Allaire observait la scène d'un œil calculateur. Quittant la glace, Monroe vint se joindre à la mêlée et la bagarre générale éclata. L'avocat s'apprêtait à quitter Joan Faulkner et Michel Trépanier:

«Excusez-moi, j'ai l'impression qu'on va avoir besoin d'un procureur de la Couronne en bas.

— Mais, protesta Joan, vous savez bien que la police n'intervient jamais dans les affaires de la Ligue nationale.

— Non et on voit ce que ça donne», dit-il en sortant.

Pendant ce temps, sur le balcon de la presse, on essayait de faire cracher le morceau à Linda Hébert. Les uns voulaient savoir s'ils auraient un nouveau patron, les autres s'ils allaient perdre un concurrent. On fit également divers commentaires sur l'inutilité des bagarres dans le sport, mais maintenant que les antagonistes avaient été séparés par la police, on se concentrait surtout sur la réapparition d'un vieux fantôme du National: Jacques Mercier, ancien entraîneur, qui avait remporté deux fois la coupe Stanley, allait accorder une entrevue télévisée en direct de la Suisse. Ils n'étaient d'ailleurs pas les seuls à être intéressés: Guilbeault, Baril et Goldman attendaient tous trois patiemment devant le téléviseur. Gilles était nerveux et Allan, songeur. L'air de la pièce était à couper au couteau. L'entrevue commença.

«Bonsoir, chers téléspectateurs, en direct de Genève, monsieur Jacques Mercier, qu'il est inutile de présenter. Vous m'entendez, Jacques?

— Je vous entends.

— Eh bien, Jacques, on peut parler d'une deuxième période forte en émotion et qui soulève une fois de plus le problème de la violence au hockey. On a vu Pierre Lambert se faire bousculer de toutes parts. Maintenant que Mac Templeton a été expulsé du match, que peut-on attendre de la troisième période?

— Du jeu propre. Tout le monde est trop fatigué pour risquer des punitions inutiles.

— Avec le but de Denis Mercure, le National ne mène plus que par un but. Peuvent-ils conserver cette avance?

— Quand cette équipe patine, il y en a pas une autre dans la Ligue pour la rattraper. Mais, ce soir, le National que je vois est une équipe sur le déclin. Sergei Koulikov, pourtant un des meilleurs joueurs d'U.R.S.S., déçoit énormément... Sans le leadership de Pierre Lambert, Québec n'aurait pas fait les demi-finales.»

Allan Goldman, en entendant cela, s'exclama à l'intention de Guilbeault:

«Tu vois! Je te le répète depuis un an!

— Allan, ça, c'est les déclarations de quelqu'un qui se cherche un job.»

Tous deux reportèrent leur attention sur la télé.

«Et vous, Jacques Mercier, demanda le reporter, y a-t-il une chance pour que l'on vous revoie dans la Ligue nationale?

— Tout dépendra de l'offre.»

Guilbeault éteignit le poste d'un geste rageur. Il allait dire quelque chose quand Nounou, le soigneur de l'équipe, vint le chercher pour une affaire urgente.

Au vestiaire, les joueurs s'encourageaient mutuellement en attendant le début de la troisième période. Tout le monde était épuisé et en particulier Pierre, qui n'avait cessé de donner le maximum malgré les coups répétés de l'équipe adverse. Mac Templeton était en train de s'habiller. Marc Gagnon entra dans la pièce et fit l'inspection de ses troupes. Il demanda à Pierre s'il pouvait continuer; celui-ci lui répondit par l'affirmative, mais sans grand enthousiasme.

Laberge vint offrir son aide à Gagnon.

«Marc, mets-moi avec Lambert. Tu vas voir, je vas m'en occuper des Flyers. Y en a pas un qui va le toucher.»

Templeton le regarda, connaissant très bien le but de la demande. Laberge lui rendit son regard, provocateur.

«Câlisse! s'énerva Gagnon, c'est pas le temps de pogner des punitions niaiseuses. Tu vas te tenir tranquille ou rester sur le banc, c'est-tu clair?» Il s'avança au centre. «Les gars, on les a. Leur point faible, c'est en défense. Gilbert est blessé; il a de la misère à tourner à gauche. Mettez plus de pression sur lui, compris?»

Nounou, le soigneur de l'équipe, venait d'interrompre la conversation de Goldman et de Guilbeault. Il prit son directeur à part et lui expliqua la situation: le chamailleur, malmené par Templeton, n'avait cessé de se lamenter depuis la fin de la bagarre. On l'avait installé à l'infirmerie, mais cela n'avait pas réussi à le calmer. Maintenant, il exigeait de voir le grand patron et menaçait de porter plainte. Les deux hommes marchèrent dans les couloirs du Colisée, qui s'étaient vidés avec le début de la période, jusqu'à la salle des premiers soins.

Noël Bégin s'y trouvait, couché sur un lit et tenant un sac de glace sur son œil tuméfié.

«Monsieur Bégin? Vous m'avez appelé. Gilles Guilbeault», dit-il en lui tendant la main.

L'autre regarda celle-ci de son œil valide et ne bougea pas.

«La direction est désolée de ce qui est arrivé; nous sommes prêts à faire le nécessaire pour réparer le moindre dommage.

— Je veux la police. Je veux porter plainte.

— Comme vous voulez.» Gilles fit un clin d'œil à l'infirmier. «Allez chercher la police. Nous allons être au salon.» Il se retourna vers Bégin. «Avez-vous déjà visité les loges du Colisée, monsieur?

— Merci, je les ai assez nettoyées. Vous me ferez pas changer d'idée.

— Ah! Vous avez déjà travaillé au Colisée?»

Bégin fit une grossière moue de douleur en se frottant exagérément le cou.

«Votre bum, il m'a déplacé une vertèbre. Ça va vous coûter cher.

— Le National est prêt à assumer tous vos frais médicaux.

— Je connais mes droits. Je me suis fait attaquer et j'ai le droit de porter plainte, puis je vais le faire tout de suite.

— Monsieur, c'est un malentendu. On peut arranger ça.

— Une gang de bums dirigée par un autre bum! Puis toi, Guilbeault, t'es pareil. Vous êtes tous une bande de pourris! Vous pensez que vous êtes au-dessus de la loi.

— Je m'excuse de ce qui s'est passé au nom du National, fit Guilbeault, les nerfs à vif, mais le vidéo de la bataille montre clairement que vous avez provoqué Marc Gagnon!

— On verra ça en cour.

— Pensez-y, monsieur Bégin, si vous avez le droit de porter plainte, nous l'avons aussi. À bon entendeur...»

Gilles quitta la pièce en claquant la porte. Furieux, il se dirigea à grands pas vers sa loge pour y rejoindre Goldman et Baril. En bas, sur la glace, le jeu battait son plein. Pierre Lambert ne cessait de se faire frapper de tous côtés, mais, comme l'avait prévu Marc Gagnon, le jeune Danny Ross avait beaucoup plus de facilité à se démarquer. Les partisans de Québec étaient en train de se donner un nouvel enfant chéri. En effet, Danny déjouait et essoufflait les joueurs des Flyers avec une aisance naturelle. Guilbeault, heureux de voir que la recrue s'en tirait si bien, se détourna du match et prit le téléphone. Il appela l'avocate de l'organisation, Marie-Anne Savard, et lui expliqua le cas Bégin. Les protestations de la foule l'interrompirent. Philadelphie venait d'égaliser la marque avec un but très chanceux. Du coin de l'œil, Gilles regarda Allan Goldman et crut le voir sourire. Chassant cette impression de son esprit, il demanda à maître Savard de venir le rejoindre le plus rapidement possible.

En bas, le match tournait au vinaigre pour le National. Avec seulement quelques minutes à jouer, Paul Couture venait de mériter l'une de ses rares pénalités de la saison.

Et c'est ce moment que Danny Ross choisit pour s'assurer une place dans l'équipe. En désavantage numérique, il parvint à déjouer Gilbert en exploitant le fait que sa blessure l'empêchait de manœuvrer vers la gauche. La recrue, seule devant le gardien, compta à l'aide d'un puissant lancer frappé. Guilbeault, du haut de sa loge, jubilait. Il regarda Goldman et constata, clairement cette fois, que le but l'avait catastrophé. Ross exécuta un drôle de geste avec le bâton en signe de victoire. Son équipe était maintenant pratiquement sûre de l'emporter.

La foule, en liesse, remarqua à peine la très dure mise en échec que reçut Lambert. En chœur, elle scandait le décompte des dix dernières secondes du match qui se termina par une apothéose de cris et de chants de triomphe.

Seuls quelques mécontents trouvèrent le moyen de se plaindre, dont Noël Bégin qui s'apprêtait à le faire par la voie légale. Maître Marcel Allaire était en effet venu le voir pour lui exposer toutes les ressources que la loi lui accordait. Chacun trouvait son compte dans cet entente, l'un financièrement, l'autre politiquement. Avec cette affaire, le procureur allait faire un gros coup.

Allan Goldman ne débordait pas de joie lui non plus. Guilbeault, qui l'avait remarqué, lui demanda:

«Ma parole, t'as pas l'air content d'avoir gagné!

— Gilles, tu dépasses les bornes! Es-tu en train de dire que je prends pas pour mon club?»

Il s'en alla en claquant la porte. Marie-Anne Savard entra quelques secondes plus tard. Grande, brune, elle avait, à trente-cinq ans, un charme fou.

«Bonsoir, Gilles! Félicitations pour la victoire. Tu vois, tu n'as qu'à m'appeler et j'accours.

— J'espère que je t'ai pas fait venir pour rien, maître Savard, mais le gars avait l'air sérieux.

— Pourquoi est-ce que tu m'appelles encore maître Savard? C'est Marie-Anne pour toi, Gilles. Est-ce qu'il a porté plainte?

— C'est ce qu'on va vérifier.

— Allons-y. Cela nous permettra de passer un moment ensemble.»

Gilles rougit légèrement; cette proposition indirecte l'avait mis mal à l'aise.

Lorsqu'ils arrivèrent au bureau que Guilbeault avait mis à la disposition de Bégin, celui-ci était en train de signer sa plainte officielle. Un sergent et quelques agents de police s'y trouvaient, ainsi qu'un monsieur en complet et cravate dont le visage n'était pas inconnu de Guilbeault. Marie-Anne lui chuchota à l'oreille qu'il s'agissait de Marcel Allaire, un procureur qui était candidat aux élections municipales. Gilles vit cela d'un mauvais œil.

Les policiers, maintenant dûment mandatés, durent procéder à l'arrestation. Intimidés, ils se rendirent au vestiaire où toute l'équipe fêtait joyeusement et s'approchèrent de Templeton, entouré de journalistes. Les cris des fêtards cessèrent. Le sergent brisa le silence.

«Mac Templeton, vous êtes en état d'arrestation. Une plainte a été déposée contre vous pour assaut avec tentative de blesser.»

Un de ses subalternes se chargea d'expliquer ses droits à Templeton. Une vague rumeur monta dans le vestiaire. Le sergent s'approcha de Marc Gagnon et lui dit, l'air désolé: «Je regrette, monsieur Gagnon, une plainte a également été portée contre vous. Veuillez me suivre. Vous êtes en état d'arrestation.»

Un court et intense silence précéda le bruit de la mitraille des flashes sur le visage incrédule de Marc Gagnon.

CHAPITRE II

Luce Gagné, qui venait de terminer l'article annonçant la nomination de sa bonne amie Linda Hébert à la direction de l'information, se leva pour aller rejoindre les gars de la section des sports qui regardaient la fin du match à la télévision. Superbe, brune, elle fut accueillie par les quolibets habituels qui ne la dérangeaient pas outre mesure. En apprenant que le National avait gagné, elle pensa à Linda qui suivait le match au Colisée. Sa nomination avait dû avoir lieu durant la partie... Elle trouva cette idée totalement farfelue, momentanément toutefois, car elle se rappela aussitôt que Michel Trépanier s'y trouvait lui aussi, ainsi que Joan Faulkner, la propriétaire du *Matin*.

Elle siffla d'étonnement devant cette révélation: la partie s'était jouée beaucoup plus haut qu'elle ne l'avait cru au premier abord.

«Bande de magouilleurs de patrons! murmura-t-elle en riant.

— Qu'est-ce que tu dis? lui demanda l'un des journalistes.

— Rien.»

Ben Belley approcha, l'air déconfit.

«Tiens, madame la présidente du syndicat. Je trouve que Linda Hébert commence à prendre pas mal de place ici et justement...

— Justement, Ben, le coupa-t-elle sèchement, je viens de finir l'article. À partir de lundi prochain, Linda Hébert est la nouvelle directrice de l'information.»

Belley encaissa le coup. Luce continua: «À ta place, je commencerais à penser à être gentil avec elle.»

Ben marmonna quelque chose, les épaules affaissées et la mine basse. Il perdait sa meilleure journaliste et ne savait pas quelle sorte de patron il gagnait.

☆

Mac Templeton invectivait avec superbe, et en anglais, les policiers qui les retenaient au poste, lui, Marc Gagnon, Gilles Guilbeault et l'avocate du club, Marie-Anne Savard.

«Are we gonna stay all night in that crummy hole?

— Qu'est-ce qu'il dit? demanda un policier.

— On va-tu rester icitte toute la nuit? traduisit spontanément Templeton.

— Vous êtes déjà chanceux qu'on ne vous garde pas en cellule en attendant qu'on finisse l'enquête d'usage.»

Un autre sergent approcha et remit à son collègue les papiers qu'il tenait à la main.

«Pas trop tôt! cracha Templeton.

— Calme-toi, Mac, lui dit Guilbeault. Ils font juste leur job.

— C'est pas comme certains zélés! lança Marc à l'intention de Marcel Allaire, qui se trouvait plus loin dans la pièce et qui affichait un sourire prétentieux et hautain.

— Vous êtes libres, annonça le sergent. On vous avisera pour la comparution.»

Ils ne firent ni une ni deux et fichèrent le camp. Sur le trottoir, les journalistes s'agglutinèrent autour d'eux. Quelques badauds sympathisants les y attendaient également. Derrière le groupe, Suzie Lambert venait de stationner la voiture de Marc.

Templeton et Gagnon percèrent la foule des curieux et se dirigèrent l'un vers un taxi qui venait d'arriver, et l'autre vers la voiture où Suzie l'attendait, laissant à Guilbeault et à maître Savard le soin de répondre aux questions.

«Gilles, commença Lucien Boivin, est-ce que c'est le genre d'histoires qui peut démoraliser une équipe?

— Ça, dit-il en regardant le procureur Allaire s'approcher, on le saura après-demain.» Il toisa le petit politicien et continua: «Tout le monde a vu ce qui s'est passé, comme nous autres. On n'a pas de commentaires, sauf qu'on a toujours su régler ce genre de problèmes à l'amiable, sans que personne y perde...

— Nous avons pris la seule position possible, répliqua Allaire d'un air fendant: quand la sécurité des spectateurs est en jeu, la police doit intervenir. Nos vedettes, nos enfants chéris du hockey, ajouta-t-il avec dédain, doivent apprendre qu'il y a des limites à la violence, sur la glace comme en dehors. Il y a eu une plainte pour assaut avec intention de blesser et nous allons y donner suite.

— Et quelle est la position de la Ligue sur les événements? demanda un autre journaliste.

— Elle ne s'est pas encore prononcée, répondit Guilbeault. Nous allons plaider non coupable. Nous nous demandons seulement pourquoi la police est intervenue si rapidement, mais ça c'est à maître Allaire de répondre.»

Mac Templeton, dans le taxi que sa femme Ninon avait pris pour venir le chercher, se lamentait comme un enfant.

«C'est de ma faute! gémissait-il. Si j'avais aplati Monroe plus vite, ça ne se serait pas passé comme ça.»

Il cria en tentant de déplier sa main enflée.

«Montre, voir! C'est enflé. Je vais te mettre une compresse en arrivant.

— Je ne jouerai pas la prochaine partie à Philadelphie, puis je vais être sûrement suspendu pour cinq games. Ma saison est finie. *Bastard*!»

Mac commença à frapper la vitre de son poing blessé, comme s'il voulait le purger de sa douleur, et s'arrêta quand Ninon se fit suffisamment persuasive.

De son côté, Marc Gagnon était, lui aussi, furieux. Il se défoulait en écrasant l'accélérateur de sa voiture sport. Suzie, essayant de le réconforter, lui rappela, d'une voix douce, qu'il avait gagné son match.

☆

«André?

— Oui, Marie-France.

— Avant qu'on aille plus loin, je veux te demander quelque chose.»

André Pageau se crispa. Il savait exactement quelle serait sa question et n'avait pas envie d'y répondre; il préférait de loin continuer à explorer le chemisier de Marie-France. Il tenta le tout pour le tout et l'embrassa passionnément. Intimidée, Marie-France le repoussa.

«André!» gémit-elle. Elle le regarda intensément dans les yeux et lui demanda: «André, est-ce que tu m'aimes?»

Il avala sa salive le plus discrètement possible. Il prit son air le plus tendre, celui qu'il prenait quand il voulait escroquer sa mère de vingt dollars, et dit d'une voix douce: «Marie-France, tu le sais bien...»

Il lui bécota les lèvres gentiment, en défaisant habilement, expérience aidant, les boutons de sa blouse. Marie-France eut un soupir rauque; il savait que le tour était joué. Il allait enfin vérifier de visu si les seins de mademoiselle Gagnon étaient aussi jolis que son chemisier le laissait espérer. Ses copains allaient être verts de jalousie!

La lumière s'alluma. Les deux tourtereaux se redressèrent, mirent de l'ordre dans leurs vêtements et dans leurs cheveux et essayèrent, sans succès, de prendre cet air décontracté typique de deux étudiants analysant l'œuvre de Marcel Proust, tout cela en moins de temps qu'il n'en faut pour dire: «Qu'est-ce que vous faites là, vous deux?»

Ils bafouillèrent un faible «on discutait» devant un Marc Gagnon visiblement en colère. Celui-ci regarda sa montre.

«Je pense que c'est l'heure de ton couvre-feu, le jeune.»

André Pageau, qui se sentait l'air injustement ridicule après une conquête si brillamment menée, se dirigea en catastrophe vers la sortie.

«Tu m'appelles demain?» lui demanda Marie-France.

Il ne répondit pas et déguerpit.

«Je n'ai jamais été aussi humiliée de ma vie!» dit Marie-

France en pleurant. Elle courut vers sa chambre et lança: «Je n'ai plus douze ans!» en claquant la porte derrière elle.

«Elle en a quatorze! dit Marc à Suzie qui avait regardé la scène d'un œil amusé et compatissant.

— Marc! Elle va bientôt avoir seize ans!

— Quand même.»

L'atmosphère, durant le petit déjeuner, était à couper au couteau. Madame Patry, la gouvernante, était la seule à n'être au courant de rien. Suzie désapprouvait passivement l'attitude de Marc. Marc désapprouvait activement l'attitude de Marie-France. Marie-France, encore dans sa chambre, désapprouvait totalement l'attitude de l'humanité entière, sauf la sienne et celle d'André; et Francis, lui, mangeait ses œufs et son bacon.

Marie-France descendit pesamment les marches de l'escalier. Elle s'assit, sous le regard courroucé de son père, et mangea du bout des lèvres. Elle aperçut le journal et lut les manchettes. Son père avait été arrêté la veille. C'était sans doute pour cela qu'il était encore plus irascible que de coutume. Francis, entre deux bouchées, demanda: «Qu'est-ce qui se passe à matin?»

Suzie lui fit signe de laisser tomber, mais lui, espiègle comme un garçon de quatorze ans, s'acharna: «Il paraît que Marie-France s'est fait un chum?»

Sa sœur et son père le fusillèrent du regard; Suzie porta la main à sa bouche pour cacher son envie de rire; madame Patry haussa les sourcils. Francis, fier de son effet, continua de manger en affichant un immense et haïssable sourire.

Marc alluma la radio d'une main crispée. C'était l'émission matinale de Jacques Lacasse, qui, comme on pouvait le prévoir, avait décidé de la consacrer entièrement à l'altercation survenue au Colisée.

«Nous avons un sujet particulièrement chaud à nous mettre sous la dent ce matin, débuta Jacques Lacasse:

l'arrestation de Marc Gagnon et de Mac Templeton pour s'être battus avec des spectateurs, hier soir, au Colisée. «Pour en parler avec nous, nous recevons madame Linda Hébert, dont j'ai le plaisir d'annoncer la nomination au poste de directrice de l'information du journal *Le Matin,* et maître Marcel Allaire, procureur de la Couronne.

«Il y a une question qui brûle les lèvres de tout le monde: pourquoi la police a-t-elle agi aussi vite?

— Je crois pouvoir répondre à votre question...», commença Linda, mais elle fut aussitôt interrompue par un procureur pressé de livrer sa version des faits.

«Si vous permettez. Il y a eu plainte. Dans les circonstances, la police n'a fait que son devoir et on doit la féliciter d'avoir réagi aussi énergiquement. On ne peut tolérer ce genre d'exhibition de violence dans le sport professionnel.

— Si vous voulez bien, reprit Jacques Lacasse, nous prenons un appel. Monsieur? Vous êtes en ondes.

— Moi, ce que je comprends pas, c'est que la police choisisse les demi-finales pour se décider à faire quelque chose. Puis elle accuse Marc Gagnon, un des coaches qui s'opposent le plus à la violence dans le sport. Templeton, on peut comprendre, c'est sa job!

— Linda, dit Lacasse, l'invitant à prendre la parole.

— J'avoue que je suis partagée, Jacques. D'un côté, maître Allaire, nous savons que vous avez parlé au plaignant, Noël Bégin. Depuis quand faites-vous le travail de la police? Depuis que vous êtes candidat au Conseil municipal?... Mais cela dit, et malgré le fait que je ne suis pas d'accord pour que la police se mêle des affaires de la Ligue nationale, il reste qu'il faut nommer les responsables. Quand un coach doit monter dans les estrades pour aller chercher ses gorilles parce qu'il ne peut plus les contrôler, alors là, c'est lui le coupable. Coupable de manque de poigne.»

Marc, en entendant cela, sentit ses tripes se tordre. Il coupa le son d'un geste rageur.

«Qu'est-ce qu'elle a contre toi, Linda Hébert? lui demanda son fils.

— J'ai fait l'erreur de...» Il s'arrêta. «Des vieilles histoires, Francis, mais elle a la mémoire longue.»

«J'ai fait l'erreur de la baiser, puis de la crisser là», pensa-t-il.

☆

Marcel Allaire, après l'émission de Jacques Lacasse, s'était rendu au bureau de son supérieur. Il craignait quelques réprimandes, mais il allait jouer serré: l'occasion était trop belle, toute la ville de Québec saurait qu'il prenait ses intérêts à cœur.

Comme il l'avait prévu, le procureur en chef n'avait pas l'air très content de lui. Ils regardèrent tous les deux l'enregistrement vidéo de l'altercation et son patron lui fit ces commentaires: «Ça crève les yeux, Marc Gagnon a été provoqué par Noël Bégin. Pourquoi avez-vous agi si vite?» Il lui lança un regard teinté de mépris. «Je sais pourquoi.

— Ce qui compte, répliqua Allaire, ce n'est pas de réussir à avoir une conviction, mais de faire passer un message à la Ligue nationale: que ce genre de spectacle ne peut être toléré...

— Vous commencez à vous répéter, l'interrompit l'autre, cynique.

— Il faut poursuivre. Même si Gagnon se révèle inattaquable, Templeton va être très vulnérable...

— Que vous croyez.»

La voix de la secrétaire, dans l'interphone, les interrompit, annonçant l'arrivée de maître Marie-Anne Savard. L'avocate du National entra. Elle ne semblait prête à aucune concession.

«La Ligue s'est prononcée. Templeton est suspendu pour sept matches, mais rien n'est retenu contre Marc Gagnon.»

Les deux procureurs se regardèrent. Allaire, entêté, déclara:

«L'accusation tient. Ils comparaissent demain.

— Maître Allaire, renchérit Marie-Anne en appuyant délibérément sur l'accent circonflexe du î, vous voulez de la pub? Alors prenez le téléphone, empêchez le décollage de l'avion du National pour Philadelphie, envoyez-y des agents et faites arrêter Marc Gagnon. Toute la presse suivant les demi-finales s'occupera de faire un très beau battage sur vous et la ville de Québec.» Elle décrocha le téléphone: «Je signale pour vous?

— La comparution aura lieu en juillet, conclut le procureur en chef, le temps que les esprits se calment.»

Marcel évita le regard courroucé de son supérieur. Il sentait le jeu lui glisser lentement des mains.

☆

Patricia, allongée sur le lit, lisait distraitement le journal qui relatait la mêlée générale. Elle maudissait, sans le laisser voir, cette jungle qu'était le hockey professionnel. Pierre était dans la salle de bains et s'apprêtait probablement à en sortir, car le bruit de la douche avait cessé de se faire entendre depuis un moment déjà. La vue du sac de voyage de Pierre rendait Patricia triste: elle allait encore se trouver seule pour plusieurs jours.

La porte de la salle de bains s'ouvrit. Pierre en sortit, complètement vêtu. Patricia s'approcha de lui et l'embrassa. Elle lui caressa le dos et sentit la présence d'un corset élastique.

«Qu'est-ce que c'est? demanda-t-elle, inquiète et nerveuse. C'est ton dos, hein? Pourquoi ne m'en as-tu pas parlé?

— Je ne voulais pas t'inquiéter avec ça, dit-il, mal à l'aise.

— Pierre Lambert! Je veux que tu saches que, quand on va être mariés, ton dos va être à moi...» Pierre acquiesça en souriant. «Ton dos... tes bras..., murmura-t-elle, tes cheveux..., tout! Alors, prends-en soin!»

Elle lui donna une claque sur les fesses et ils se mirent à rire.

«Pierre, je ne devrais pas te dire ça, mais, demain soir, j'espère que vous allez perdre.

— T'as raison, répondit-il, brusquement presque en colère, ne dis plus jamais ça, jamais! T'entends?»

Il prit ses bagages et sortit.

Marc Gagnon semblait avoir mangé du chien enragé au petit déjeuner. Il hurlait dans les oreilles de Gilles Guilbeault à propos des déclarations de Linda Hébert à l'émission de Jacques Lacasse.

«Gilles, si tu ne lui fais pas fermer la gueule, c'est moi qui vais le faire!

— Marc, dit Gilles impatient, tu n'as rien à dire et tu ferais mieux de ne rien dire. Elle a raison: tu diriges cette équipe et tu dois lui donner l'exemple.

— J'ai mon voyage! fit-il, incrédule, je suppose que la prochaine fois qu'on me saute dessus, je dois aller me cacher dans les vestiaires?

— Non, Marc! Ce que je veux, c'est que tu gagnes les trois prochains matches. T'occupe pas de ce que dit Linda Hébert. Occupe-toi de gagner ou bien...

— Ou bien?

— Ou je vais croire qu'elle a raison. Le club est sur le point de s'effondrer. T'as des choses plus importantes à faire que de t'occuper de ce qu'elle peut dire. Tu veux qu'elle la ferme? Gagne. C'est simple.»

Marc le regarda, toujours aussi furieux, mais n'ajouta rien. Ils avaient un avion à prendre et un match à gagner, c'était vrai. Ils s'apprêtèrent donc à partir.

Ils accomplirent les préparatifs de routine qui précédaient chaque voyage de l'équipe sans trop se parler. Une fois au comptoir de la compagnie aérienne, alors que presque toute l'équipe était à bord, le froid se dissipa complètement. Ils firent les dernières vérifications et constatèrent que Pierre Lambert, Robert Martin et Allan Goldman ne s'étaient pas encore présentés. Guilbeault lança sur un ton particulièrement cynique:

«Goldman n'est pas là? Pourtant, Baril est ici...

— Qu'est-ce qui se passe avec le grand patron? demanda Gagnon en regardant Baril qu'il trouvait, lui aussi, antipathique.

— Il a changé depuis son divorce. Sa femme l'a lavé.

— Pourquoi est-ce qu'il ne lui demande pas une pension lui aussi? se moqua Gagnon, cynique à son tour, en voyant approcher Baril.

— Qu'est-ce qu'on attend pour décoller? demanda ce dernier.

— Lambert, Martin et Allan, répondit Guilbeault.

— Monsieur Goldman est déjà parti pour Philadelphie.

— Philadelphie ou Atlantic City?»

Baril ne répondit pas. Guilbeault observait Gagnon dont le visage s'était empourpré et remarqua alors Linda Hébert qui venait vers eux. Il jura entre ses dents et tenta sans succès de retenir Gagnon.

«Mais si ce n'est pas madame Hébert! lança celui-ci, impitoyable. Comme ça, je suis coupable de manque de poigne envers Mac Templeton? Heureusement, t'es rendue du côté des boss, on t'aura plus dans les jambes!

— Toi aussi, Marc, t'es rendu du côté des boss, répondit-elle avec le sourire, mais vas-tu y rester longtemps?

— C'est ça! Vas-y! Frappe! Sais-tu ce qui m'écœure chez toi? C'est que t'es une vache! Une hostie de vache!

— Marc, ce n'est pas le moment! intervint Guilbeault.

— Oui, c'est le moment! continua l'entraîneur, hors de lui. Il y a trop de monde qui ont mangé de la marde à cause de toi, tu t'amuses à démolir les gens? C'est ça qui t'excite, hein?»

Tous deux s'observèrent quelques secondes avec hostilité. Lucien Boivin, qui venait d'arriver, fit baisser la tension en posant quelques questions banales.

☆

Allan Goldman regardait distraitement la ville à travers la baie vitrée. Atlantic City, morne et grise en cet après-midi pluvieux, pourtant si lumineuse et colorée la nuit, s'étendait sous lui et le laissait indifférent. Son esprit était ailleurs, dans un monde de chiffres et de numéros désordonnés qui le fascinait et le détruisait lentement. Il sirotait tranquillement son scotch en se demandant quelle martingale il allait jouer pour tenter de se refaire. Il tâta, à travers le tissu de sa poche, les quelques plaques et jetons qui lui restaient. Ce serait suffisant, s'il jouait intelligemment et si la chance l'aidait, pour regagner une partie de ce qu'il avait perdu.

Allan se dirigea vers les tables de black jack, misa. Un cinq et un six sortirent, c'était bon signe. Il fit un geste de la main, reçut un valet. Total: vingt et un. Il empocha sa mise, plus l'équivalent, et alla la miser de nouveau à la roulette.

Il joua le rouge, gagna, puis l'impair, et gagna encore. Il avait maintenant huit fois la mise de tout à l'heure, c'est-à-dire deux cents dollars, donc mille quatre cents dollars à miser. Cent sur un numéro rouge impair, cent sur le pair et cent autres sur le noir. Un rouge pair sortit: deux cents dollars de perte, cent dollars de gain. Son capital de jeu passait à treize cents. Il misa trois cents sur le neuf, une jolie blonde en fit autant.

«*You don't mind if I try your luck, do you? Mine hasn't been very good today,* fit-elle avec un fort accent français.

— Peut-être va-t-elle tourner? Je m'appelle Allan, et vous?

— Oh! Vous parlez français, merveilleux! Moi, c'est Nadine.»

Le croupier fit tourner la roulette et les joueurs suivirent la bille des yeux sans la lâcher une fraction de seconde. Chacun retenait son souffle. La bille rebondit et roula d'un chiffre à l'autre pour finalement s'arrêter sur le neuf.

Les joueurs eurent besoin de quelques secondes pour retrouver leurs esprits. Nadine et Allan se regardèrent. Elle lui sauta au cou en riant. Elle sentait bon.

☆

L'après-midi précédant le match, deux grands ennemis, qui étaient en fait de grands amis, se donnèrent discrètement rendez-vous dans un fast-food de Philadelphie.

«C'est fou, dit Pierre, il faut maintenant se cacher pour se parler.

— Le hockey, c'est la guerre, répondit Denis Mercure, philosophe.

— T'as raison. Les joueurs des autres sports, il me semble qu'ils peuvent se parler. Au football, ils se cognent dur, mais ils se parlent.

— C'est de notre faute, Pierre. C'est nous qui acceptons de jouer leur jeu.

— Toi, comment ça va?

— Moi? J'aime le hockey, je n'aime pas leur business. Comme tu sais, j'ai pris du temps à bien commencer la saison...

— T'aimerais pas ça qu'on rejoue à nouveau ensemble?

— Ha! Quand on s'appelle Denis Mercure, on décide pas de ces choses-là.

— Oui, mais... Si on était deux à décider?» demanda Pierre avec une lueur d'enthousiasme dans les yeux. Lueur qui passa dans ceux de Denis.

Lorsqu'ils se séparèrent, Pierre se rendit à sa séance d'entraînement au Spectrum de Philadelphie. L'atmosphère y était lourde et on sentait que tous étaient nerveux.

Marc Gagnon, visiblement dérangé par la présence des journalistes, et surtout par celle de Linda Hébert, ordonna aux joueurs de se rendre au centre de la glace. La vingtaine d'athlètes costauds défila, chacun affublé d'un chandail d'entraînement d'une des quatre couleurs. Ils allaient pratiquer leur jeu de puissance. L'entraîneur se concentra sur son travail et oublia les reporters.

Ces derniers n'étaient pas non plus complètement pris par la séance. Certains d'entre eux, en l'occurrence Linda et Lucien, ne l'étaient pas du tout et discutaient de choses et d'autres.

«Mon cas est grave, fit Lulu, en frottant ses yeux cernés. Deux petits. Il paraît que je peux ranger mon réveille-matin pour les trois prochaines années.

— Justement, il faudrait que tu penses à ton avenir. Il y a des rumeurs disant que *Le Métro* pourrait fermer.

— Ah oui! ça! répondit-il, désinvolte, la rumeur redémarre chaque année.» Puis, soudain inquiet: «Tu penses que...

— Et si *Le Matin* te faisait une offre?»

Lucien la regarda, incrédule, et reporta son attention sur l'entraînement. Marc Gagnon était en train de remettre un des joueurs à sa place, René Laberge, qui maîtrisait mal son tempérament bouillant et avait frappé durement Pierre Lambert au dos.

Pierre était maintenant à genoux sur la glace et montrait quelque difficulté à se relever. Nounou vint l'aider et l'accompagna jusqu'au banc. Laberge, après avoir essuyé les remarques très agressives de son entraîneur, alla s'excuser auprès de Lambert, mais se heurta aux réprimandes du soigneur.

Les membres de la direction, qui avaient suivi la scène, étaient inquiets quant à l'état de leur attaquant vedette.

«Ça s'annonce mal, déclara Maurice Baril, Lambert n'a pas l'air très solide.

— Oui, mais ça, les Flyers le savent pas», répondit Guilbeault, peu optimiste.

Baril alla à la rencontre de Mike Ferguson qui approchait.

«Monsieur Baril, j'ai un problème. Le National doit encore trois cent mille dollars au fonds de pension des joueurs. J'en avais parlé à Allan Goldman le mois dernier et il m'a assuré qu'il s'en occupait personnellement. Je n'ai toujours pas de nouvelles.

— Ah! Vraiment? répondit Baril hypocritement. Je n'étais pas au courant. Il doit s'agir d'une erreur comptable. Je vais m'en occuper...

— Personnellement», termina l'autre, peu convaincu.

Ferguson se leva en toisant le comptable d'un regard assez équivoque. Baril le regarda s'éloigner et trouva un téléphone dans un coin tranquille d'où il appela Goldman dans sa suite à Atlantic City. Une jolie voix de femme lui répondit et lui passa Allan. Celui-ci avait l'air absent et Baril devina qu'il devait être en train de jouer, sans doute au poker.

«Quoi, Maurice? dit-il, irrité. Tu n'es pas censé me déranger. Je te l'ai dit.

— Monsieur Allan, c'est très important. Je viens de parler à Mike Ferguson. Il est au courant pour les trois cent mille...

— Je lui parlerai, soupira-t-il. Rien d'autre?

— L'équipe va très mal. Pierre Lambert a le dos massacré, vous comprenez? C'est à peine s'il peut jouer ce soir. Aucune chance de gagner sans lui.

— Merci de m'avoir appelé, Maurice. Tu as bien fait, très bien fait.»

Allan retourna quelques chiffres dans sa tête, fit quelques calculs et évalua ses chances de gagner avec cette stratégie. Nadine l'observait durant cette courte transe qu'elle connaissait bien pour avoir vu des milliers de joueurs dans sa vie: cet homme sentait la chance. Son visage redevint normal et il lui sourit. Il retourna à la table où l'attendaient quatre autres joueurs.

Le sourire que lui avaient inspiré les nouvelles de Baril ne le quitta pas, même lorsqu'il reçut une main complètement pourrie, surtout lorsqu'il la reçut. Il relança de mille, de cinq cents; il n'y avait plus qu'un seul joueur devant lui. Allan regardait son deux de pique, son valet et son six de cœur, ses quatre et sept de trèfle en affichant une superbe assurance. En fait, il ne les voyait pas, il ne faisait que penser au pari qu'il allait prendre ce soir.

L'autre, imperturbable, le relança jusqu'à ce que douze mille dollars se trouvent sur la table. Goldman, magnanime, lui proposa de prendre un pari d'assurance, ce qui mit son adversaire en colère et lui fit monter les enchères à quinze mille. Goldman monta à dix-sept. L'autre couvrit et demanda à voir ses cartes.

Goldman, avec un immense sourire, réitéra sa proposition: on mettrait les deux mains sous enveloppes, on distribuerait de nouvelles cartes et si l'un des deux joueurs gagnait les deux parties, il remporterait le double de la mise; si les joueurs en gagnaient chacun une, les dettes seraient annulées.

La procédure consistait, en fait, à jouer un quitte ou double avant que l'on sût qui gagnerait. L'autre trouva l'astuce séduisante et accepta.

L'adversaire de Goldman perdit la deuxième donne et eut une grande envie d'assassiner ce dernier lorsqu'il se rendit compte qu'il avait fait monter les enchères à un niveau incroyable avec des cartes merdiques. Allan lui répondit, philosophiquement, que le jeu était le jeu et que jouer, ce n'était qu'un jeu.

Ils récupérèrent donc leurs mises respectives et empochèrent celles des autres joueurs qui avaient quitté la suite entre-temps. L'adversaire de Goldman quitta également la table en jurant qu'il aurait sa revanche. Allan put congédier les deux hôtesses et se retrouva seul avec Nadine qui riait aux éclats en le félicitant de sa performance. Il avait gagné environ vingt mille dollars en un après-midi et avait évité une perte catastrophique. Vingt mille dollars à réinvestir dans un autre pari, encore plus gigantesque.

Ils quittèrent la suite à leur tour et se rendirent à la salle des bookmakers. Allan, qui transportait une petite valise, transpirait maintenant abondamment. Nadine lui demanda ce qui n'allait pas.

«Ça va. Je la sens, elle est là.

— Quoi?

— La Chance.»

Allan s'approcha du comptoir. Il ne vit pas le petit homme qui l'observait discrètement. C'était un détective privé engagé par la Ligue nationale, qui l'espionnait depuis déjà plusieurs jours. Goldman, confiant et nerveux tout à la fois, se renseigna sur les cotes des équipes pour le match du soir.

«Philadelphie contre Québec, par deux points?

— Quatre contre un.»

Goldman grimaça.

«Et par trois points?

— Vingt contre un.»

Il sentait son cœur battre la chamade. Il prit une grande respiration et remit sa mallette à l'employé.

«Tout sur Philadelphie, gagnant par trois points.»

Il ne lui restait plus qu'à donner un petit coup de fil pour que le Grand Croupier maquille les cartes en sa faveur.

☆

Suzie Lambert, toujours fonceuse, avait décidé, malgré les réactions peu enthousiastes de son entourage, de présenter son projet de collection de cosmétiques à un concepteur publicitaire. Elle avança dans les bureaux de Potentiel, la prestigieuse société avec laquelle elle voulait faire affaire et s'arrêta devant le bureau de la secrétaire qui était absente. Résolue à attendre, elle observa les nombreux prix et trophées qui ornaient le hall et sentit la nervosité monter en elle.

Deux hommes discutaient non loin de là. L'un d'eux la remarqua et vint l'accueillir.

«Excusez-nous, notre secrétaire a dû s'absenter. Je suis Louis Marso. Vous devez être...» Il sourit. «Tu dois être Suzie Lambert!»

Il regarda sa montre en haussant les sourcils.

«Je ne suis pas trop en avance, j'espère? s'enquit-elle, inquiète.

— Mais non! Nous pourrons discuter plus longtemps, c'est tout, fit-il avec un sourire charmeur. Allez, suis-moi.»

Elle emboîta le pas au jeune homme frais et dynamique le long d'un corridor donnant sur plusieurs bureaux. Le couloir était encombré et des ouvriers s'affairaient un peu partout.

«Pardonne le désordre. Nous sommes en pleine expansion.»

Louis la fit entrer dans son bureau qui était beau, grand et très moderne, et ferma soigneusement la porte derrière elle.

Suzie lui remit ses esquisses avec la vague certitude qu'il n'allait pas les aimer. Il les étala sur une grande table et les examina en fronçant les sourcils. Le téléphone sonna. Il décrocha sans lever les yeux. Suzie promena son regard sur les diverses photos décorant le babillard. Visiblement, Louis adorait l'aviation et le parachutisme.

«Allô. Oui. Non. Pas question!» Il raccrocha et appuya sur un bouton. «Louise, prenez tous mes appels.»

Il revint à Suzie, en affichant un air décidé. Elle s'attendait tellement à ce qu'il n'apprécie pas, qu'elle déclara, presque sur un ton d'excuse:

«Ce ne sont que les premiers dessins. Je crois que...

— J'aime ton assurance, lui dit-il, convaincu. On voit que tu aimes les choses directes. Ton frère est-il comme toi? Très intéressant. Tiens! Une touche de fantaisie, là.

— Oui, acquiesça Suzie, plus optimiste. J'ai pensé que tout cela était un peu trop sérieux pour une ligne de cosmétiques.

— Avec raison, approuva-t-il, impressionné. Je ne vois pas souvent des clients qui m'arrivent avec des idées aussi mûries. C'est excellent», conclut-il avec sincérité.

Il la regarda avec un sourire très séduisant.

«Tu as déjà sauté en parachute?

— Oh! Je crois que je n'oserais jamais!

— C'est une sensation indescriptible. Il faudra que tu essaies un jour.»

Il était jeune, énergique, séduisant, raffiné. Attirant.

Le match du soir s'annonçait mal pour le National. L'atmosphère du vestiaire était horriblement lourde. Ça puait. Ça sentait le perdant. Toute l'équipe avait été perturbée par les événements des derniers jours, en particulier Marc Gagnon qui avait l'impression de traîner un boulet derrière lui. Mac Templeton, en costume, discutait avec ses coéquipiers en uniforme et tentait de les motiver du mieux qu'il pouvait, à défaut de pouvoir les aider sur la glace à cause de sa suspension.

Marc Gagnon respira profondément, s'avança au centre en espérant trouver les bons mots.

«C'est clair. On fait comme au dernier match. De l'échec-avant à deux hommes, on prend une chance si elle peut être payante puis on met toute la pression. Le Rouge, dit-il à l'intention de Sergei Koulikov, tu vas jouer sur deux lignes. Avec Lambert et Laberge, et avec White et Ross. Laberge, tu voulais ta chance, tu l'as. Je ne veux pas qu'on s'approche de Lambert. Tu sais ce que je veux dire.»

Laberge sourit à Templeton qui se renfrogna. Marc Gagnon déclara pour terminer: «Les gars, on est au pied du mur. Je le sais, ça va être dur. Étape par étape. Concentrez-vous sur ce que vous faites, pas sur ce qui vient. Bonne chance.»

Les joueurs sortirent du vestiaire, heureux de laisser la puanteur derrière eux.

Les Flyers furent sans pitié. Ils frappèrent durement et sans répit Pierre Lambert qui semblait en permanence sur le point de s'écrouler. On eût dit qu'ils savaient exactement où frapper pour paralyser l'attaque du National.

Ce fut une dure et amère défaite qui mettait un point final à une saison peu reluisante. Comme le voulait la tradition à la fin d'une série, après la partie, les joueurs oublièrent les rivalités et se serrèrent tous la main. Ce fut à ce moment-là que Pierre apprit par son ami Denis Mercure que les Flyers étaient au courant de ses problèmes de dos.

Les joueurs du National se douchèrent et s'habillèrent en silence, rapidement, pressés de quitter ce vestiaire où régnait l'âcre odeur de la défaite. À l'extérieur, les membres de la direction les attendaient pour les saluer. Ce fut alors que Pierre, en colère, annonça à Gilles que l'adversaire avait été averti de ses problèmes de dos. Guilbeault, effaré, garda ses soupçons pour lui. Il n'osait pas encore les prendre au sérieux.

Allan Goldman, plutôt ivre, regardait avec affection la gentille Nadine qui avait passé la soirée en sa compagnie. Elle s'approcha de lui, le prit dans ses bras et tenta de le réconforter.

«Un seul but. Un but de plus pour Philadelphie et je l'avais.

— Tu as perdu gros?» demanda-t-elle, connaissant le sentiment qui l'habitait.

Il ne répondit pas, se serra contre elle, en espérant qu'elle, au moins, ne l'abandonnerait pas.

☆

Plusieurs jours plus tard, alors que la déception avait laissé place à un optimisme hésitant à la perspective de la prochaine saison, les joueurs et la direction du National s'étaient réunis une dernière fois pour prendre la photo souvenir de la saison qui s'achevait.

Les joueurs blaguaient, sans trop insister, bien contents de pouvoir partir en vacances. Seuls les membres de la direction continueraient à travailler durant l'été. Le repêchage amateur était pour bientôt et l'équipe vieillissante avait grand besoin de jeunes espoirs.

Les journaux parlaient d'une crise dans l'organisation et Linda Hébert menait le bal, au grand déplaisir de Marc Gagnon. C'était le chant du cygne de sa carrière de journaliste. Elle laissait entendre que l'entraîneur du National avait, lui aussi, fait son temps, ce qui ne faisait qu'attiser leur inimitié.

☆

Joan Faulkner avait organisé une importante réunion avec le rédacteur en chef et directeur du journal, Michel Trépanier, les différents chefs de service et la nouvelle directrice de l'information pour définir une nouvelle orientation quant au contenu et à la présentation du *Matin*.

«Le tirage du journal plafonne avec seulement trois pour cent d'augmentation du chiffre des ventes, déclara la présidente avec autorité. J'ai cru remarquer une certaine mollesse dans la présentation des nouvelles. Il vous faut donner plus de relief, accrocher l'attention du lecteur!»

Elle observa son personnel d'un regard soutenu pour bien montrer qu'elle ne plaisantait pas. Elle voulait, elle obtiendrait.

«C'est ici que vous intervenez, Linda.»

Elle la fixa droit dans les yeux et Linda lui rendit son regard.

«Vous avez carte blanche. Seul Michel Trépanier peut changer vos décisions, ce qu'il fera s'il le juge à propos. Nous nous comprenons?

— Parfaitement.

— Vous avez toute liberté, mais seulement six mois pour faire une différence.

— Quand puis-je commencer?

— Lundi. Prenez quelques jours de repos».

Linda se sentait en pleine forme.

«Je préfère commencer dès maintenant.»

C'était exactement ce que Joan Faulkner voulait entendre.

Le mariage était pour bientôt. Patricia et Pierre s'affairaient ce jour-là à décorer leur maison. Patricia tentait, avec difficulté, de déplacer un lourd meuble de chêne dans le bureau de Pierre. Elle l'appela pour qu'il vienne l'aider, mais il ne semblait pas se presser.

Découragée, elle décida de retirer les tiroirs du meuble pour l'alléger. Dans l'un d'eux, elle trouva une photographie agrandie et encadrée de Pierre à côté d'une jeune et très belle femme métisse. Elle ne la connaissait pas, mais savait qui elle était.

Cette femme avait été le grand amour de Pierre et l'avait quitté après deux ans d'une relation passionnée, au moment où il voulait l'épouser et lui faire un enfant. Son moral à lui avait alors sombré et il avait traversé des moments très difficiles, dont certains auraient pu gâcher définitivement sa carrière sportive. Des cuites monumentales à la veille de matches importants, une aventure avec une fille qui aurait pu provoquer d'énormes scandales...

C'est au plus profond de la crise qu'il avait rencontré Patricia, qu'il était parvenu à rétablir son équilibre et à acquérir une certaine maturité.

Patricia admira le sombre et gracieux visage de l'Antillaise aux yeux clairs. D'après ce qu'elle avait appris, celle-ci avait réussi de brillantes études de médecine. Elle fut tirée de ses pensées par son fiancé qui arrivait.

«Même pas mariés, puis tu chambardes déjà tout dans la maison!

— C'est elle, Lucie?»

Il remarqua avec un serrement dans la poitrine la photo qu'elle tenait.

«Oui, c'est elle, Lucie.

— Elle est belle, dit Patricia sans jalousie. Pourquoi ne m'as-tu pas dit qu'elle était aussi belle?»

Pierre ne répondit pas. Des souvenirs qu'il croyait lointains et émoussés reprirent leur belle et cruelle clarté d'autrefois. Patricia perçut son malaise, mais elle l'interpréta comme un simple embarras et s'en amusa.

«Est-ce qu'elle est plus belle que moi? demanda-t-elle, taquine.

— Elle est différente. On ne peut pas vous comparer.

— Oui, mais si on nous comparait?»

Pierre essaya d'éviter le piège; ce fut la sonnette de la porte d'entrée qui le sauva. Il alla ouvrir et eut la surprise de se trouver nez à nez avec deux policiers qui lui ordonnèrent de les suivre sur-le-champ. Le jeune homme résista un peu, mais finit par obtempérer.

Patricia, prise de panique, appela le poste de police, mais personne ne fut en mesure de la renseigner. Elle téléphona ensuite à Gilles Guilbeault, le beau-père de Pierre. Celui-ci lui conseilla de ne pas s'inquiéter, car il avait une idée de ce qui se passait.

Pierre Lambert allait enterrer sa vie de garçon.

Ce furent de joyeuses funérailles. Ses coéquipiers le «torturèrent» en le recouvrant de crème fouettée et en le faisant lécher par deux jolies danseuses presque nues. La bière coulait à flots, particulièrement dans le gosier de Pierre, et pas toujours de son plein gré. La cérémonie funèbre avait lieu dans le bar habituel de l'équipe, propriété d'un de ses anciens membres à la retraite, Gilles Champagne, qui avait baptisé l'endroit, sans doute dans un moment de clairvoyance, *La Veuve Joyeuse*.

Seules deux personnes manquaient à l'appel: Paul le «Curé» Couture, dont le sobriquet religieux expliquait l'absence, et Sergei Koulikov. Il semblait que personne n'avait pensé à inviter ce dernier, peut-être à cause de son air continuellement triste. Sergei avait l'air triste et il l'était. Deux ans plus tôt, lors d'une compétition internationale, il avait choisi de fuir l'U.R.S.S. pour venir jouer, et vivre, en Amérique. Il avait laissé derrière lui sa jeunesse et son fils unique. Il ne se passait pas une journée sans qu'il remît sa décision en question. Son anxiété le rongeait lentement et diminuait son rendement. Il était passé du groupe des dix meilleurs joueurs au monde à celui des «assez bons» joueurs de la Ligue nationale.

Pendant que ses coéquipiers fêtaient dans le délire le plus complet, lui, dans son petit mais confortable appartement, ouvrait impatiemment une lettre de Misha, son fils, la première qui lui parvenait de Russie depuis des mois. Une récente photo de l'enfant, portant un chandail de la Sélection nationale soviétique, se trouvait dans l'enveloppe. Il avait encore grandi. Sergei déplia la lettre et vit tout de suite que plus de la moitié de son contenu avait été biffé, censuré.

Il lut quand même ce qu'il put, s'arrêtant avant la fin. Sa tête se mit à tourner et sa vue s'obscurcit. Il enfouit son visage dans ses bras et sanglota. Quelques larmes vinrent s'ajouter à celles que son fils avait laissé tomber sur sa lettre.

Un radieux soleil de juin brillait joyeusement au-dessus des étudiants qui sortaient par groupes de la polyvalente Marguerite-d'Youville. Les vacances étaient proches et seule la désagréable période des examens s'élevait encore entre eux et la liberté. Deux d'entre eux se tenaient par la main. Marie-

France et André déploraient le fait que leur journée se termine par un cours de chimie: il fallait tout ranger et ils devaient se quitter cinq minutes plus tôt qu'à l'ordinaire.

Marc Gagnon, maintenant en congé, avait décidé de faire plaisir à sa fille en venant la chercher à la sortie de ses cours. Cela n'eut pas l'effet espéré et il se heurta à une Marie-France agressive qui regardait son ami s'éloigner lâchement.

«Je viens te chercher en personne, la rabroua son père, puis tu te fâches?»

L'adolescente ne dit rien et se contenta de monter dans la voiture en boudant. Il la regarda et, pour la première fois, il vit une toute jeune femme plutôt qu'une petite fille. Il pensa à sa femme décédée d'une crise cardiaque quelques années plus tôt, constata combien elles se ressemblaient et sentit sa gorge se serrer.

«Ça fait si longtemps?» pensa-t-il. Il avala sa salive et essaya d'engager la conversation.

«Tu sais, Marie-France, dit-il, hésitant, les garçons... c'est...» Il se sentit désespérément ridicule. «Si maman était là, elle pourrait te parler de ces choses-là...»

Cet homme avait été adulé par des millions d'amateurs de hockey dans sa carrière; il entraînait maintenant une des plus prestigieuses équipes de la Ligue; il avait couché avec les plus belles femmes du continent et il se trouvait, devant sa fille, dans l'impossibilité de lui expliquer que les hommes sont tous des salauds. «Pourtant, se disait-il, une fois qu'elle saura ça...»

«Tout ce que je veux, c'est éviter qu'on ne se parle plus juste parce que tu grandis. T'es ma fille, je m'inquiète...» Sa voix dérailla. Sa fille s'approcha et se serra contre lui. «T'inquiète pas.»

Pierre, après son enterrement de vie de garçon, attendait avec impatience, le jour de son mariage. Il avait cependant, un peu à contrecœur, accepté de consacrer son après-midi à Mike Ferguson pour discuter de son contrat avec le National.

«Pierre, je m'excuse de t'importuner, mais c'est en plein le moment de voir ce que le National est prêt à offrir pour te garder avec lui. Ton équipe a négligé la relève au cours des dernières années. Une fois toi parti...

— Excepté Danny Ross, approuva distraitement Pierre, les choix au repêchage n'ont pas rapporté. Pourquoi es-tu si pressé? Il reste encore une année d'option à mon contrat.

— Écoute, Pierre, quand John Aylmer, le président de la Ligue nationale, se donne la peine de venir me voir à Québec, c'est qu'il se passe quelque chose.»

Pierre enregistra l'information, sans trop y penser, et écouta patiemment les recommandations de son agent. L'entretien se termina enfin et il put, à son grand soulagement, retourner vaquer aux préparatifs du mariage.

«Alors, tu aimes? demanda Allan.

— J'adore!» fit sincèrement Nadine en admirant l'appartement, sobre et luxueux, de Goldman à Québec. Elle regarda Baril du coin de l'œil et dut s'avouer que lui, par contre, lui plaisait beaucoup moins. Le comptable avait pris son air de lécheur de bottes qui voulait dénoncer discrètement le comportement de ses camarades à la maîtresse d'école. Nadine avait envie de voir autre chose; elle s'éclipsa dans la chambre d'Allan.

Elle observa les nombreux livres qui s'y trouvaient. La plupart parlait de spéculation, de fiscalité ou de haute finance, mais l'un d'eux, placé sur la table de chevet, attira son attention. *History and Techniques of Gambling,* lit-elle sur la couverture reliée de cuir vert sombre. C'était un beau et grand volume qui traitait de toutes les facettes des jeux de hasard. Elle l'ouvrit et tomba sur un chapitre portant sur le calcul des probabilités. Comme tous les joueurs, elle savait qu'un ordre existait dans le chaos des nombres et qu'on ne pouvait le voir qu'en des moments bien spécifiques, seulement quand vos membres tremblaient et que des sueurs froides coulaient dans votre dos. Elle se plongea dans cette lecture.

«Monsieur Goldman, il faut qu'on se parle. John Aylmer est en ville.

— Et alors? Le repêchage amateur est pour bientôt.

— Et Mike Ferguson? Il est au courant que trois cent mille dollars manquent au fonds de pension des joueurs.

— Nous avons jusqu'en septembre pour payer. Cesse de t'inquiéter. Je le sais, j'ai perdu gros, mais je vais me refaire. Je le sens, la malchance va me lâcher.

— Allan, vous avez perdu beaucoup plus que vous ne le croyez. Vous avez entièrement engagé tous vos centres commerciaux dans vos dettes. Quant au National...

— Le National? C'est un bon business.

— Je n'en suis pas si sûr. Pas en ce moment. C'était une bonne affaire avant qu'on ait des problèmes de liquidités. Mais là, on commence à jouer serré. On a une grosse liste de paye. Notre contrat de télévision expire. Vous allez avoir un déficit d'un million deux cent mille à éponger et je ne sais pas quelle banque voudra le couvrir.»

Allan resta silencieux pendant quelques secondes en fixant le mur.

«Je comprends maintenant que Gilles Guilbeault veuille absolument me parler. Merci, Maurice, je m'en occupe.» Il le conduisit à la porte en lui disant: «Tu as fait du bon travail. On se parlera plus tard.»

Souriant, il montra des yeux la chambre où se trouvait Nadine. C'était sans doute le meilleur moyen de se débarrasser de Baril qui, manifestement, n'avait pas envie de partir. Le comptable émit un sourire lubrique et quitta Allan sur un clin d'œil de mauvais goût. Celui-ci soupira. Une goutte de sueur froide coula sur son front et, avec un léger frémissement dans la main, il décrocha le récepteur téléphonique. Il réserva deux places pour Las Vegas.

Marc Gagnon arpentait le bureau de son directeur général en manifestant maints signes de nervosité. Linda Hébert, dans son dernier article comme journaliste, avait frappé à grands coups dans l'organisation de l'équipe. Elle s'en prenait d'abord à l'entraîneur, ensuite aux finances et au marketing.

«Tout ce que je veux savoir, Gilles, demanda Marc, surexcité, c'est où est-ce que j'en suis avec le National. Quand Linda Hébert écrit que mon temps est fait à Québec, il faut qu'elle prenne ça quelque part! En plus, la direction ne dément rien, reste silencieuse. Je me demande ce qui se passe...

— Marc, répondit Gilles patiemment, tu as insulté Linda Hébert en public. Ce n'est sûrement pas elle qui va se rétracter.

— On parle pas de Linda Hébert, on parle de moi! vociféra Marc d'une voix aiguë. Mon contrat expire dans deux ans, mais si vous ne voulez pas l'honorer, donnez-moi un son de cloche, parce que je n'ai pas envie d'aller coacher au Minnesota. Ma ville, c'est Québec.

— Marc! gémit Guilbeault, il y a Ferguson qui veut me rencontrer, on vient de m'apprendre que John Aylmer est en ville et puis je cours encore après Allan Goldman! Alors tes problèmes de contrat tu peux te les...» Il se retint.

«Je veux savoir, déclara Marc, presque suppliant. Est-ce que quelqu'un veut ma peau dans l'organisation?

— Marc, le National, c'est moi. Tant que je vais en être le directeur, personne ne va toucher à ton poste. Point. Est-ce que c'est clair, ça?»

Marc Gagnon se mit à respirer plus lentement. Il regarda Guilbeault, penaud, un peu gêné de s'être emporté.

«Merci, Gilles.»

Il s'en alla.

☆

Ce soir-là en était un des plus extraordinaires qui soit: en fait, il ne se passait strictement rien. C'était ce genre d'événement inusité qui attirait souvent les joueurs du National au bar *La Veuve Joyeuse*. À une table, Mac Templeton, Steve White et Raymond Dupuis sirotaient leurs bières et, dans un coin, Sergei Koulikov, un peu ivre comme à son habitude, écoutait, pour la énième fois, la même chanson triste.

Gilles Champagne, le tenancier, était allergique à tout ce qui pouvait ressembler à de la nostalgie ou à de la mélancolie. Il avait été pendant des années le farceur de l'équipe et ne supportait en aucune façon un buveur malheureux. Ça déprimait les clients et les faisait se sentir coupables de boire pour fêter. N'écoutant que son tiroir-caisse, il décida de se débarrasser du bonnet de nuit.

«Pas encore lui! Tu pourrais pas changer de toune, le Russe? Les gars, dit-il en s'adressant aux trois autres hockeyeurs, venez me donner un coup de main!

— Laisse-le donc tranquille! s'interposa Sylvie, l'une des serveuses. Te laisse pas faire, conseilla-t-elle aimablement à Sergei.

— Mademoiselle Sylvie...», murmura celui-ci en souriant.

Elle alla servir ses trois coéquipiers et il la suivit pour se joindre à eux; il se sentait un peu minable et avait besoin de compagnie. La serveuse, mal disposée, les regarda, sévère, et leur dit: «Qu'est-ce que vous faites tous ici, ce soir? Vos femmes vous ont lâchés? Je les comprends.»

Ils ne répondirent pas car, effectivement, leurs compagnes avaient décidé de sortir ce soir-là. Un court silence gêné suivit la remarque de Sylvie, puis Mac Templeton, voyant entrer son entraîneur et son capitaine, s'exclama:

«Hey, guys! Look who's here!

— *Sylvie, bring on the beer!* commanda White.

— Pour une fois que je vous attrape tous après le couvre-feu, blagua Gagnon, il faut qu'il n'y ait pas de partie le lendemain!»

Les six hommes s'assirent ensemble et commencèrent à bavarder gaiement. Un autre de leurs compagnons entra. C'était Paul Couture qui n'avait pourtant pas l'habitude de fréquenter les bars.

«Hey, Preach! Over here! lui cria Mac.

— Mais qu'est-ce qui se passe, ce soir? demanda Sergei, peu au courant de la vie sociale de son équipe.

— Quand les femmes se mettent à sortir ensemble..., expliqua Gagnon en riant.

— Quand les femmes se mettent? bafouilla Templeton en renversant sa dixième bière.

— Travaille ton français, Mac!» cria quelqu'un dans le fou rire général.

Au bout d'une heure, les plaisanteries s'étaient épuisées et l'envie de boire aussi. Les hommes du National discutaient maintenant plus calmement. Les gens de la table d'à côté faisaient d'ailleurs plus de bruit qu'eux. Sergei s'était de nouveau isolé et sirotait de la vodka dans son coin.

Pierre Lambert fut surpris de les trouver tous là quand il arriva. Patricia était également sortie et il s'ennuyait chez lui. Robert Martin l'invita à s'asseoir. Il prit part à la conversation, mais l'attention de chacun fut détournée par les cris de Sergei Koulikov qui, furieux, ordonnait à un fêtard de s'excuser auprès de Sylvie.

Templeton, en digne représentant de l'ordre, alla rasseoir illico le fêtard aux mains longues qui avait provoqué la colère de Koulikov. Sylvie remercia Sergei, et Pierre s'aperçut que son ami russe n'allait pas bien. Il s'assit à ses côtés et essaya de le réconforter pendant que le «Curé» rassemblait les troupes pour les ramener tranquillement chez lui. La réunion perdait de son intérêt.

Leur dernière surprise de la soirée fut de retrouver, chez Paul Couture, leurs compagnes, complètement parties, en train de danser avec un strip-teaseur. Il semblait que Patricia avait eu, elle aussi, de joyeuses funérailles.

☆

Mike Ferguson s'entretenait avec John Aylmer dans une suite privée.

«Mike, je suis à Québec parce que la réputation de la Ligue est en jeu et que je vais avoir besoin de ton support. Nous avons de fortes présomptions, je dis bien «présomptions», qu'Allan Goldman aurait parié de fortes sommes contre son équipe lors du dernier match des demi-finales.

— Quoi? demanda Ferguson, visiblement surpris. Ceci est très sérieux. Avez-vous des preuves?

— Nous avons engagé un détective privé, Frank Burns, pour enquêter. Il a suivi Allan Goldman à Atlantic City. Nous n'avons pas de preuves formelles, mais je suis très inquiet. Nous savons qu'il a perdu plus d'un demi-million dans les six derniers mois et que sa marge de crédit personnelle a été révoquée par sa banque. Ces derniers temps, il cherchait à emprunter sans succès.

— Ça pourrait expliquer les trois cent mille qui manquent au fonds de pension des joueurs.

— Trois cent mille dollars? Qu'il aurait détournés?

— Non. Ce n'est qu'en septembre qu'ils seront légalement exigibles, mais je vais avertir Gilles Guilbeault.

— Peut-être que s'il fait défaut de payer, nous pourrons agir, mais il nous faut être très prudents. Personne ne doit être au courant que Goldman a parié contre son équipe.

— Pas même Gilles Guilbeault?

— Personne.»

☆

Ben Belley, un peu perdu, un peu gêné, regardait Linda Hébert, son nouveau patron, travailler silencieusement dans son bureau tout neuf. Elle le vit, sourit complaisamment et l'invita à entrer.

«Ça fait drôle de te voir comme boss, dit-il, mal à l'aise.

— Je sais ce que tu penses des boss, Ben, et je sais aussi ce que tu penses de ma nomination. On a pas à se faire de politesses. Je veux savoir qu'est-ce que tu vas donner comme suite à mon dernier article.

— Tu détestes Marc Gagnon à ce point?

— J'avoue qu'au début..., mais maintenant ça n'a plus rien à voir avec Marc Gagnon. As-tu vu les chiffres? Le National a perdu un million deux cent mille cette année et les déficits accumulés atteignent les deux millions!

— Je sais, j'ai lu l'article.

— Pire. Regarde la moyenne d'assistance des trois dernières années: si ça continue comme ça, le club risque de faire faillite.

— On ne fera pas de follow-up parce que la saison est terminée, parce que Gilles Guilbeault ne mérite pas ça et parce que ton départ a créé une vacance qui n'a pas été encore comblée.

— Engagez quelqu'un! s'exclama Linda.

— Parle au syndicat, dit-il, blasé. Tu vas t'apercevoir qu'on joue plus dur que tu ne le penses en haut.»

Il sortit en souhaitant bonne chance à la nouvelle directrice.

Quelques bonnes nouvelles attendaient Gilles Guilbeault dans le bureau de l'avocate de l'équipe.

«J'ai obtenu que la comparution et la date du procès soient avancées, annonça celle-ci, enthousiaste, de sorte que tout va se faire durant l'été... quoi qu'il arrive.

— Pourquoi: quoi qu'il arrive?

— Ça ne sera pas facile. Le procureur Allaire veut utiliser Gagnon pour se faire du capital politique et j'ai l'impression qu'il va tenter de démontrer que Marc a provoqué la conduite de Templeton.

— Se servir de Templeton pour salir Marc, résuma-t-il.

— Il faut que, dorénavant, Mac ait une conduite exemplaire. Et même que... s'il était nommé président d'une campagne de charité...

— Je m'en occupe. Pour quand, la comparution?

— Vers le 15.

— Parfait, soupira-t-il. Rien d'autre?

— Si. Un grief contre le National.

— Un grief? De qui?

— De moi, dit-elle, charmeuse. Le directeur du club refuse toutes mes invitations à dîner. J'enregistre donc une plainte officielle: on néglige son avocate.

— Marie-Anne...»

Gilles était visiblement mal à l'aise.

☆

Marc Gagnon, tenant un magnifique bouquet de roses rouges, plus énervé que de coutume, allait faire une surprise à sa chère Suzie. Il entra dans son bureau et se fit accueillir de façon plutôt tiède.

La réaction de Suzie, lorsqu'elle découvrit les deux billets d'avion cachés dans les roses, le déçut. Elle était trop occupée au lancement de sa gamme de cosmétiques pour pouvoir prendre des vacances. Marc, qui était très émotif, en fut vexé.

«Dis que je te dérange, tant qu'à y être.

— Marc, ce n'est pas ça, tu le sais, expliqua-t-elle gravement. Il n'y a pas d'autre homme dans ma vie, mais si je n'avais pas mon travail, je craquerais. Je sais que je ne suis pas exactement ce que tu voudrais.

— C'est pas ma journée! gémit-il.

— Tu t'inquiètes pour Marie-France?

— Je suis un gars, moi. Je ne commencerai pas à finauder pour lui dire... C'est encore un bébé.

— Elle a droit à sa vie.

— C'est ça. Non. Dis rien. Tu te cales.»

Marc, malgré son grand cœur, était très conservateur sur certains points.

Le téléphone sonna et la secrétaire annonça que Louis Marso était sur la troisième ligne. Marc s'empourpra en voyant sa compagne s'empresser de répondre et d'accepter une invitation à dîner. Il était immanquablement, irrémédiablement et douloureusement jaloux.

☆

Patricia admira une fois de plus la somptueuse robe de mariée que Suzie, la sœur de Pierre, lui avait offerte. Elle résista encore une fois à l'envie de la remettre et la rangea soigneusement, prête pour le grand jour.

Le grand jour n'en avait plus que deux devant lui. Patricia avait décidé de les passer seule chez son père. La maison où elle avait grandi était vide. Elle arpentait chaque pièce et chaque couloir comme s'ils avaient un dernier message d'adieu à lui confier. Elle visitait chaque recoin, en quête d'un ultime souvenir de son enfance.

Dans le tiroir d'une commode, elle trouva une pile de vieilles photos. L'une d'entre elles attira son attention jusqu'à la fascination. C'était une photo de sa défunte mère prise alors que celle-ci avait son âge. Elle la regarda longuement et décida de se coiffer comme elle.

Patrick O'Connell, fatigué de sa journée, ressentait lourdement le poids des années. Il marchait tranquillement jusque chez lui en pensant avec satisfaction au mariage proche de sa fille. Sa femme, avant sa mort, lui avait fait promettre de bien s'occuper d'elle et il sentait un doux sentiment de paix l'envahir en songeant qu'il avait tenu sa promesse.

C'était un homme bon. Dans toute sa carrière de policier, il n'avait jamais tiré un seul coup de feu. La retraite était proche et on lui confiait des tâches peu risquées. Seule une crise cardiaque aurait pu le terrasser, mais son cœur fragile n'avait pas présenté de signes de faiblesse depuis longtemps.

Lorsqu'il rentra, il vit sa femme dans la faible lumière vacillante des chandelles posées sur une table. «Mary!» appela-t-il. Elle avança dans la lumière.

«Bonjour, papa!

— Patricia!»

Sa fille se serra contre lui. La vie autour de lui avait pris l'apparence d'un rêve.

«Mes derniers jours de jeune fille, je veux les passer avec toi.»

Elle le serra avec encore plus de force, pour bien lui faire sentir toute la tendresse qu'elle avait pour lui.

«Papa, ce soir je t'ai préparé une tarte aux pommes

comme maman la faisait lorsqu'elle était encore là. Il me manque juste la crème glacée...

— Tout de suite, Patricia. J'ai aussi besoin de cigarettes.»

Tout en marchant, Patrick remit ses idées en place. Il avait vraiment vu Mary l'espace d'un instant.

La nuit était claire autour de lui et il pouvait voir distinctement chaque façade, chaque fissure dans le béton du trottoir et chacun des arbres qu'il avait croisés si souvent dans sa vie. «Je dois devenir gâteux», se dit-il.

Il poussa la porte du dépanneur et s'écroula, foudroyé par un coup de feu en pleine poitrine, tiré par un jeune délinquant qui, à son premier hold-up, avait été pris de panique à la vue de l'uniforme du sergent O'Connell.

Sa dernière pensée fut pour Patricia et pour Mary dont l'unique visage lui souriait encore à travers le voile rouge tombé sur ses yeux.

CHAPITRE III

Pierre regardait dans le miroir de la chambre. Il considérait avec une amère ironie le complet noir qu'il avait préparé pour son mariage et qui lui avait servi de vêtement de deuil. Seul le nœud papillon avait été remplacé par une cravate sombre, maintenant dénouée.

Ses traits tirés le vieillissaient de dix ans. Ses cernes, creux et gris, laissaient voir la tristesse qu'il avait retenue, non par orgueil, mais pour pouvoir offrir à Patricia un appui solide. Maintenant, son visage, pâle et sans vie, lui disait de décrocher.

Il regarda Patricia, écrasée sur le lit, qui n'avait pas pris la peine de se dévêtir et dormait d'un sommeil agité. Sa respiration était saccadée. Ses pupilles se déplaçaient rapidement sous ses paupières sans fard. Il lui caressa doucement les cheveux. Toujours endormie, elle poussa un léger hoquet.

Pierre était complètement vidé. Il avait passé trois jours à serrer la main des uns, à prendre les autres dans ses bras et à offrir son épaule aux plus attristés. Sans une larme, stoïquement, il avait donné tout ce qu'il avait à ceux qui le lui avaient demandé et, maintenant, il ne voulait plus penser qu'à lui-même.

Il poussa un fauteuil à côté du lit, s'y enfonça. Malgré lui, il se mit à penser à la mort de son père, survenue une quinzaine d'années plus tôt. Le désespoir de l'époque vint s'ajouter à celui des derniers jours. Quelques larmes se formèrent dans ses yeux, dues autant à la tristesse qu'à la fatigue. Lentement, il fut à son tour gagné par le sommeil et s'assoupit, hanté par de confuses images de deuil: celui de son beau-frère, Patrick Devon, deux ans plus tôt; celui de Nicole Gagnon, la femme de

Marc, un peu avant; et maintenant celui du père de Patricia. Sa conscience le quitta sur le vieux souvenir d'une scène familiale: autour d'une table, lui, sa mère, son frère et sa sœur, mangeant en silence et évitant de regarder le siège paternel, vide.

☆

Les cinq hommes suaient abondamment dans la chaleur de juin. Ils avaient remonté les manches de leurs chemises et travaillaient à la prochaine séance de repêchage amateur de la Ligue nationale. Ils devaient prévoir les choix probables des équipes passant avant eux pour avoir une idée des possibilités qui s'offriraient à eux.

«On repêche quatorzième, dit Gilles Guilbeault. Tous les vrais bons espoirs vont avoir été choisis. Qu'est-ce que je ne donnerais pas pour un des cinq premiers choix!...

— Oublie ça, fit Marc. Mais Chicago est en troisième. Ils ont besoin d'un défenseur et sont intéressés par Paul Couture.

— Pas question. On a besoin de nos vétérans.

— Il y a un gars qu'on pourrait ramasser, intervint un dépisteur. Étienne Tremblay. On a une chance.

— Ouais, répondit Fernand, l'adjoint de Marc. Vous savez pourquoi on a une chance? Parce que personne ne veut y toucher. C'est une tête de cochon. Il a été suspendu deux fois par son propre entraîneur et il y a des rumeurs qui parlent de drogue.

— Est-ce qu'on a le choix? demanda Guilbeault. J'aime mieux prendre une chance avec une tête de cochon qui a du talent qu'avec un petit garçon tranquille pas foutu de compter un but.

— Et qu'est-ce qu'on fait s'il est repêché avant? demanda Marc, découragé. Qui peut-on échanger? Les joueurs vieillissent. Il va falloir en laisser aller quelques-uns pendant qu'ils valent encore quelque chose. Ou encore, il va falloir espérer qu'on puisse repêcher des joueurs mal jugés par les autres dépisteurs.

— Justement, fit le dépisteur, on pourrait mettre la main

sur un gars de l'Ouest, Frank Ross, le frère de Danny. Il paraît qu'il a autant de talent que lui.

— Qu'est-ce que tu en penses, Marc? demanda Gilles.

— J'ai le choix, encore! Tu ne veux laisser aller personne!» Marc soupira de dépit.

☆

Les frères Ross — Frank, Danny et Wayne — déchargeaient à la hâte un camion rempli de balles de foin qui devaient être engrangées dans le silo de la ferme. C'était Frank, l'aîné, qui forçait les autres à se dépêcher:

«Grouillez-vous! Si on a pas fini de vider le camion à onze heures, on va manquer le repêchage!

— Tu t'imagines qu'Edmonton va te repêcher? lui demanda Danny, moqueur.

— Du moment que ce n'est pas le National..., marmonna Frank qui avait du mal à digérer le récent succès de son cadet.

— Ouais! s'écria Wayne, le plus jeune des trois, si Québec te repêchait?

— Non! Pitié! gémit Frank, faussement blagueur. Pas aller jouer avec Danny!» Il changea de ton et fit signe à Danny: «Voilà Debbie.»

Danny quitta le petit groupe et alla rejoindre sa fiancée. Il l'embrassa, engagea une conversation tout de suite interrompue par Frank et Wayne qui exigeaient qu'il finisse sa part du travail.

Les trois frères se serrèrent à l'avant du camion et prirent la direction de la maison familiale. Debbie les suivait en voiture. Dès qu'ils furent arrivés, tous s'installèrent devant le téléviseur.

Les premiers choix furent sans surprise, comme toujours, les talents les plus évidents étant ceux que l'on dépiste le plus rapidement. On avait généralement une bonne idée des cinq ou six premiers joueurs qui allaient être choisis. Frank, ne faisant pas partie de ce groupe d'élite, ignorait quelle équipe voudrait bien de lui.

Chacun des frères émettait ses commentaires sur les choix de première ronde. La plupart du temps, l'un des trois avait déjà joué avec ou contre la recrue appelée au micro. Ce fut le cas de Danny devant le choix de sa propre équipe, Étienne Tremblay, un costaud de vingt ans.

«J'ai joué contre lui. Quand il arrive à pleine vitesse, il fait peur.

— N'importe quoi te fait peur», fit Frank.

À l'écran, on voyait Étienne Tremblay qui serrait la main de Gilles Guilbeault et qui déclarait aux journalistes, avec arrogance, que Pierre Lambert ne serait désormais plus seul à compter cinquante buts par saison. Frank et Danny se regardèrent et pensèrent la même chose: le gars avait du culot.

Le National, en deuxième ronde, choisit Frank Ross. Sa famille explosa de joie et on le félicita. Moins enthousiaste que les autres, Frank questionna son père du regard, qui, pour toute réponse, se leva pour lui serrer la main. Le fils sourit, encouragé par ce signe d'approbation.

Danny, de son côté, délirait. Son rêve était réalisé: il allait jouer avec son frère dans une équipe de la grande Ligue. Debbie le regarda et demanda:

«Quand partez-vous pour Québec?

— Bientôt», répondit Danny qui avait perçu un certain malaise dans la voix de son amie.

Debbie sortit de la maison, suivie aussitôt par son fiancé. Elle regardait, l'air triste, les champs de blé qui s'étendaient dans l'immensité du Manitoba.

«Debbie, pourquoi fais-tu ça? Tu n'es pas contente?

— J'ai pas envie que tu retournes à Québec, répondit-elle, peinée. Je voulais qu'on passe l'été ici ensemble.

— Tu sais bien que je partirai pas avant le début août. À part ça, on va se voir lorsque tu seras à Montréal toutes les fins de semaine.»

☆

L'auto de Suzie, sortant trop vite du stationnement, heurta les poubelles. La voiture tourna sur un trop grand axe et les roues de droite montèrent sur le bord du trottoir. Le véhicule retomba durement et se balança quelques secondes sur sa suspension.

Marie-France, au volant pour la première fois de sa vie, annonça qu'elle abandonnait la partie: elle ne serait jamais capable de conduire une voiture. Suzie, qui cachait tant bien que mal son inquiétude, l'en dissuada; elle était déterminée à l'aider jusqu'au bout.

«Tu m'as déjà convaincue de t'aider, ce qui n'est pas mal. Vas-y lentement et ça va venir tout seul. On pourrait trouver un terrain vague...

— Merci, Suzie, dit Marie-France sur un ton dramatique. Avec papa, je n'aurais jamais été capable. Il m'énerve trop.

— Les pères sont toujours comme ça. Le dernier endroit où les hommes se sentent encore virils, c'est dans leur voiture.»

Les deux filles, complices, se regardèrent en riant. Marie-France redémarra et la voiture se conduisit mieux.

La jeune fille était agrippée fermement au volant et ne quittait pas la route des yeux. Trop concentrée sur ce qui se passait en face, elle ne vit pas l'arrêt obligatoire et n'entendit les avertissements de Suzie que lorsque la voiture fut tout près du panneau. Elle freina de toutes ses forces et l'automobile s'immobilisa au beau milieu de l'intersection.

Le moteur cala.

Suzie, d'une patience à toute épreuve, reprit le volant et remit la voiture en marche. Elle recula et, omettant, elle aussi, certaines vérifications d'usage, heurta une voiture de police. Elles pouffèrent de rire, quand même soulagées que l'officier ne trouve pas une adolescente de quinze ans et demi au volant.

☆

«Gilles, j'ai attendu avant de t'en parler, annonça Mike Ferguson, légèrement agressif, mais il manque trois cent mille dollars au fonds de pension des joueurs du National.

— Quoi? demanda Guilbeault, surpris et se mettant tout de suite sur la défensive.

— Non seulement pour cette année, mais aussi pour la dernière saison.

— Ça n'a pas de sens, Mike. Je te le jure: ces fonds ont été votés à mon budget. Je n'ai pas vérifié, mais tout est censé avoir été payé.

— Je veux bien te croire, moi, mais j'ai averti John Aylmer.

— Un instant, que la Ligue ne prenne pas le mors aux dents. Je vais savoir ce qui s'est passé. Quelqu'un a essayé de me baiser et j'en fais ma priorité de savoir qui... Merci de m'avoir prévenu.

— Bon, maintenant que c'est réglé, on va discuter du contrat de Lambert!

— Un problème à la fois, s'il te plaît.

— Gilles, j'en ai marre d'attendre.

— La semaine prochaine, c'est sûr.»

Là-dessus, il donna congé à un Mike Ferguson peu satisfait.

Jacques Mercier, l'entraîneur le plus aimé et le plus détesté de l'histoire du National, faisait ses adieux à Frédéric Tanner, le président de la Fédération suisse de hockey.

C'était Tanner qui avait poussé Jacques Mercier à démissionner en pleine saison pour venir travailler à Fribourg, puis à entraîner l'équipe européenne lors du premier Championnat du monde de hockey.

Maintenant, Tanner quittait son poste pour représenter un important groupe financier en Amérique. Mercier resterait en Suisse, avec sa femme Judy, qui poursuivait une carrière de chanteuse, et avec son fils Jimmy, presque rétabli des blessures d'un grave accident, survenu une dizaine d'années auparavant, grâce à une physiothérapie ininterrompue. La famille Mercier avait donc de bonnes raisons pour demeurer en Europe.

Les deux hommes marchaient tranquillement sur la rive du lac Léman. Ces années de travail en commun avaient forgé entre eux une amitié solide.

«Je suis désolé de te voir partir, dit Jacques. Tu es devenu plus qu'un ami pour Jimmy. Sans toi, s'adapter à la Suisse aurait été beaucoup plus difficile pour Judy et moi. Et je n'oublie pas comment tu m'as soutenu dans mon travail de coach. Ce ne sera plus pareil sans toi.

— Tu pourrais me suivre..., proposa Tanner.

— Je suis un homme de hockey, pas un financier international.

— C'est au hockey que je pense. Le groupe Davillos a besoin d'une base pour la vente de ses produits. Quoi de mieux qu'une franchise sportive?

— C'est ça, répondit Mercier, peu convaincu, vous allez acheter un club de hockey pour vendre du chocolat!

— Je possède des informations confidentielles sur certaines franchises sportives qui te surprendraient. Et nous aurions besoin d'un homme qui connaisse le hockey. Penses-y, on ne sait jamais.

— Que veux-tu dire?

— Claude Bertolly, mon successeur à la Fédération, ne partage pas mon enthousiasme pour les professionnels venant de l'étranger.

— Je vois...

— Pourquoi ne viendrais-tu pas me rejoindre en août à Québec? Nous pourrions en discuter plus en détail.

— Peut-être.»

Mercier avait l'intention de laisser aller les choses avant de prendre une décision.

Pierre, depuis la mort du sergent O'Connell, s'était enfermé dans une routine monotone. Il continuait à arranger sa maison. Le mariage avait été reporté pour une durée indéterminée. Chaque jour, Pierre voyait Patricia dépérir un peu plus. Elle, qui pourtant s'opposait à toutes les formes de drogue, prenait de plus en plus de tranquillisants.

Le mois de juillet, pourtant superbe, leur semblait plus terne qu'un automne pluvieux.

Pierre avait accepté de rencontrer, une fois encore, son agent, Mike Ferguson, qui insistait pour discuter d'un nouveau contrat avec le National.

«Pierre, prépare-toi pour la bagarre.

— Pourquoi?

— Guilbeault se défile à chaque fois que je veux le rencontrer pour négocier.»

Pierre ressentait moins que Ferguson cette nécessité de se battre à tout prix contre la direction de son équipe. D'autres soucis que ceux d'ordre financier l'occupaient depuis quelques semaines. Il le dit à son agent:

«Moi, je me sens plutôt en vacances. Ça peut attendre, le contrat, non?

— Pierre, trouves-tu que tu es assez payé avec le National?

— Bien... non, avoua-t-il. J'ai compté au moins cinquante buts à chacune des quatre dernières saisons, mais je gagne moins que Paul Couture.

— Et moins que Robert Martin. Sais-tu combien tu gagnerais à Toronto? Trois fois plus.

— Peut-être. Mais je suis bien à Québec. C'est ici que je veux vivre.

— Je vais finir par coincer Gilles Guilbeault, mais je veux que ça soit clair: tu veux un nouveau contrat l'an prochain.

— D'accord. Je veux bien me battre pour quelque chose d'équitable», concéda Pierre.

Sa réponse, bien que peu enthousiaste, parut satisfaire Ferguson, qui toucherait une commission intéressante sur son salaire éventuel.

☆

Sergei ratait systématiquement toutes les balles que lui lançait Sylvie. Sa culture russe ne comprenait aucune notion de base-ball, sport américain et symbole de l'impérialisme capitaliste.

Ayant fui la mère patrie et gagnant un montant de six chiffres par année, il se foutait éperdument des symboles, mais tentait plutôt, sans grand succès, de frapper les balles solidement avec son bâton. Sylvie réitéra ses conseils de base: «Ne quitte pas la balle des yeux. Quand elle arrive, tu tiens ton bâton droit, les jambes légèrement écartées près du marbre... et tu frappes!» Elle recommença la démonstration: «Voilà.»

Sergei essaya de nouveau et manqua son coup. Sylvie s'approcha et lui demanda de faire les mouvements en même temps qu'elle. Il l'entoura de ses bras et ils tinrent le bâton à quatre mains. L'exercice fut aussitôt interrompu: Sergei n'avait pu résister à la tentation de couvrir le cou de son amie de baisers.

«Est-ce que tous les Russes sont aussi entreprenants? demanda-t-elle, juste un peu, mais agréablement, surprise.

— Non, seulement Sergei Koulikov...»

Il l'embrassa avec plus de passion encore. La chaleur de ce baiser leur fit oublier la solitude qui pesait sur eux depuis si longtemps. Ce fut Sylvie qui l'interrompit.

«Sergei, murmura-t-elle gravement, je ne veux pas que tu croies que je ne suis pas une femme sérieuse. C'est d'un homme dont j'ai besoin, pas d'une aventure.»

Il n'avait pas, lui non plus, besoin d'une aventure.

Gilles Guilbeault, en raison des avertissements de Mike Ferguson, avait entrepris d'examiner les finances de l'équipe. Les livres comptables semblaient normaux à ce stade des vérifications, mais les calculs lui paraissaient étrangement plus complexes que la dernière fois où il y avait mis le nez. Il avait l'impression que Baril essayait de cacher quelque chose sous cette montagne de chiffres souvent répétés inutilement.

Marc Gagnon, qui venait discuter d'un échange éventuel, le tira de ses comptes.

«Le club manque de poids à l'attaque, commença Marc sans détour. Templeton est tout seul et Laberge n'est pas prêt.

— Oui, concéda Gilles, mais, d'un autre côté, tu as du mordant: Pierre Lambert, Danny Ross, Steve White, sans compter Koulikov avec une saison de trente-huit buts...

— Justement. Koulikov, ça peut être du bon matériel d'échange. Il a trente-huit buts, d'accord. Mais là-dessus, il n'y en a pas dix à l'extérieur. Et il les marque quand la partie est déjà gagnée ou perdue. Trop petit pour la Ligue nationale, conclut Marc, catégorique.

— Échanger Koulikov? s'écria Guilbeault en se levant. T'es pas sérieux. C'est moi qui l'ai fait sortir d'U.R.S.S.!

— Ce n'est pas ça que je veux savoir, moi, répliqua Gagnon, imperturbable. Koulikov a une bonne valeur marchande. Va me chercher un ailier plus gros et plus solide.

— As-tu pensé à ce que ça voudrait dire, pour lui, d'être échangé de Québec? Y as-tu seulement pensé un peu?

— Je suis payé pour gagner des matches de hockey. Les problèmes de cœur, c'est ton domaine. Si tu veux me rendre service, échange Koulikov.»

Résigné, Guilbeault s'engagea à trouver une solution et Gagnon s'en alla.

Sur ces entrefaites, le comptable entra dans son bureau où il trouva un directeur sceptique et sur ses gardes.

«On m'a dit que trois cent mille dollars manquaient au fonds de pension des joueurs», affirma Guilbeault sur un ton qui exigeait une explication.

Baril feignit de ne pas comprendre.

«J'attends une réponse, insista Guilbeault, loin d'être dupe.

— Peut-être devriez-vous vérifier vos chiffres? Tous les fonds votés au budget y sont immédiatement versés, vous le savez... Trois cent mille? C'est absurde.

— Baril, tu me niaises, dit Guilbeault en haussant la voix. Je vais les faire mes vérifications, mais fais les tiennes. S'il y a eu de l'argent de détourné, il y a une job qui va sauter. Compris?»

Baril acquiesça en essayant d'avoir l'air décontracté, mais la sueur coulait à grosses gouttes sur son front dégarni.

Gilles passa le reste de l'après-midi à examiner tous les chiffres du dernier exercice financier. Il additionna de nouveau toutes les colonnes, du passif à l'actif et du débit au crédit; il compara toutes les sommes inscrites avec les reçus et les talons de chèques des archives jusqu'à ce que qu'il découvre la faille.

Dans une colonne de crédit, un sept représentant des centaines de milliers de dollars avait été discrètement remplacé par un quatre. Le National avait emprunté, sans le savoir, trois cent mille dollars de plus qu'il ne le croyait. Près d'un tiers de million était à présent dans les poches de Maurice Baril.

Gilles Guilbeault se servit un Perrier et avala deux pilules pour le cœur. Il fit basculer le dossier de son fauteuil et se détendit. Il ne se doutait pas de la vérité; il croyait son comptable responsable du détournement de fonds.

La sonnerie du téléphone le fit sursauter. Le garde de l'entrée du Colisée lui signala que Marie-Anne Savard désirait le voir. Guilbeault lui dit de la faire entrer. Il profita des quelques minutes qu'il faudrait à Marie-Anne pour monter à son bureau pour y mettre un peu d'ordre.

«Bonsoir, lui dit-elle, charmeuse. Je passais par ici. Évidemment, j'ai fait un grand détour...

— Maître Savard..., répondit-il, gêné.

— C'est Marie-Anne! dit-elle, de bonne humeur, mais agressive. Et si tu me parles de hockey, je te gifle.

— Marie-Anne...», commença-t-il.

Elle le coupa, déçue:

«Je sais. Tu es un homme marié. Pas besoin d'en faire un drame.»

Pour toute réponse, il passa derrière son bureau. Elle

conclut qu'il voulait parler affaires, ce qu'elle fit également, à contrecœur.

☆

Robert Martin, le capitaine du National, avait choisi une belle journée de juillet pour organiser un barbecue et y inviter ses coéquipiers. Il observait nerveusement son charbon transformé en braises rougeoyantes. Une toque de cuisinier posée sur la tête, autant pour le panache que pour la plaisanterie, il proposa, à qui le voulait bien, l'honneur de savourer le premier steak de l'après-midi. Mais personne ne l'entendit: tout le monde bavardait ou nageait.

«Je vois que je suis populaire, déclara-t-il, blessé mais digne. Faites-les vous-mêmes, vos steaks.» Il se réfugia dans sa maison.

Pierrette, sa femme, le regarda faire en riant. «Excusez-le: quand il cuisine, il n'a aucune patience.» Maryse, la femme de Paul Couture, partit à sa poursuite. «Pauvre Robert! Je vais aller le chercher.»

Entrant par la porte du jardin, Denis Mercure salua ses anciens coéquipiers. Mac Templeton plaisanta: *«Watch out, guys! The Flyers are here!»* Sa remarque tomba à plat à cause d'un commentaire déplaisant de la part de Laberge.

Paul Couture, toujours prévenant, fut le premier à aller serrer la main de Denis. Pierrette l'accueillit en l'embrassant. Il demanda où était Pierre, son vieux frère.

Pierre était encore chez lui, en train de parler au téléphone avec Robert Martin. «Oui, Robert, j'arrive! Y a pas le feu. De toute façon, tu brûles toujours tes steaks.» L'autre lui raccrocha au nez et Pierre put constater que son capitaine, fidèle à ses habitudes culinaires, était particulièrement irritable ce jour-là.

S'il était en retard, c'était parce que Patricia montrait peu de volonté à quitter sa chaise longue où elle était assise depuis quelques heures, le regard absent.

«Patricia, dit-il doucement. Robert s'énerve. On ferait mieux d'y aller.»

La jeune femme ne réagit pas.

«Patricia, on part. Patricia? Viens-tu?

— Vas-y sans moi, Pierre, dit-elle d'une voix lasse.

— Tu sais bien qu'il en est pas question. Déjà que je ne serai pas là de l'été à cause des tournois de balle molle. On reste ici. Je rappelle Robert.

— Non, vas-y, ce sont tes amis.

— Je les vois assez comme ça pendant la saison de hockey.»

Pierre composa de nouveau le numéro de téléphone de Robert pour lui annoncer cette fois-ci qu'il ne devait pas compter sur eux.

Les joueurs furent surpris par l'arrivée de Nounou, leur soigneur au physique plutôt ingrat. Il était accompagné d'une superbe blonde qui le dépassait d'une bonne tête. Mac demanda à être présenté et le couple eut droit à quelques plaisanteries sans méchanceté.

Au milieu de la soirée, Robert sortit un vieux piano et exhiba des talents que plusieurs ne lui connaissaient pas. Maryse, assez ivre, chantait avec lui et riait aux éclats des pitreries qu'il faisait pour elle.

Nounou quitta la fête de bonne heure. Il raccompagna Barbara, la blonde pulpeuse, et lui versa le salaire convenu pour ses services, dont celui de lui avoir permis d'épater la galerie.

Paul Couture, n'y tenant plus, essaya de raisonner Maryse, de plus en plus ivre.

«Je pense que c'est assez, lui dit-il de son air rigide.

— Assez? répondit-elle en le défiant. Tu n'as aucune idée de ce que ça veut dire «assez».

— Tu as trop bu. Viens, on va parler.

— Parler? continua-t-elle avec un rire qui laissait poindre une touche de désespoir. Sais-tu ce que c'est, parler avec toi? C'est toujours écouter les mêmes citations de la Bible, la sainte Bible! Je suis plus capable de l'entendre, comprends-tu, Paul? J'ai le goût de rire, de chanter! Robert, chante encore!»

Là-dessus, Templeton et White s'emparèrent du «Curé»

et le jetèrent dans la piscine. White, prenant par surprise son compagnon qui riait comme un fou, le poussa aussi à l'eau. Mercure et Laberge, continuant le bal, s'avancèrent vers White et l'envoyèrent retrouver Couture. Finalement, les quelques invités qui restaient se joignirent à la baignade et seuls Maryse et Robert demeurèrent au sec.

Ils se regardèrent, et se virent pour la première fois de leur vie.

☆

L'huissier fit lever l'assistance à l'entrée de la Cour. Le greffier résuma le dossier du procès préliminaire. La Reine poursuivait Marc Gagnon et Mac Templeton pour voie de fait avec intention de blesser sur la personne de Noël Bégin.

«Nous plaidons non coupable, votre Honneur, attaqua maître Savard, et désirons, à ce stade des procédures, faire une motion pour procès séparés.

— Maître Allaire..., fit le juge, visiblement blasé de ce genre de procès.

— La preuve est la même dans les deux cas, votre Honneur, objecta Allaire. Je ne vois pas l'intérêt de séparer les procès.

— Maître Savard..., dit le juge d'une voix morne.

— Il s'agit d'une mesure préventive, votre Honneur, expliqua-t-elle. La date du procès n'est pas encore fixée, mais si le National joue à l'extérieur ce jour-là, le club sera privé de son entraîneur et de l'un de ses joueurs.

— Je suppose que vous allez nous fournir le calendrier des matches, ironisa le procureur, pour qu'on choisisse une journée qui ne dérangera pas trop vos clients.

— Je ferai remarquer à votre Honneur que le cas advenant, ce serait tous les partisans de l'équipe qui seraient lésés...

— Motion acceptée, déclara le juge, lui-même amateur de hockey. La date du procès de Mac Templeton est fixée au 20 janvier et celui de Marc Gagnon au 22...

— Excusez-moi, interrompit Gilles Guilbeault. Mais le 22, nous jouons à Philadelphie.

— Le 23 alors?

— Pas de problème pour le 23.

— Va pour le 23.»

Le procureur eut un geste d'impatience.

«Avez-vous une objection, maître Allaire?» Pas de réponse. «Affaire suivante.»

Tous quatre sortirent du tribunal, contents de la tournure des événements. Dans le corridor, accompagné de son avocat et d'un huissier, Noël Bégin, portant un collier orthopédique, les attendait. L'huissier s'approcha d'eux.

«Marc Gagnon?» demanda-t-il.

Marc acquiesça et reçut un exploit d'assignation. Mac Templeton en eut un également. Noël Bégin, qui avait fait venir quelques journalistes, les harcelait, mauvais comme une teigne.

«Vous avez voulu faire les caves! Ça va vous coûter cher, à toi, Gagnon, puis à toi, le grand singe!»

Mac Templeton, facile à provoquer, se lança sur Bégin, mais il fut retenu par Gagnon. Les reporters prirent des photos de la scène.

«Vous avez vu? triompha Bégin. Des vrais sauvages! Il faudrait les mettre en cage!»

Ils se dépêchèrent de sortir pour ne plus entendre les insultes répétées de l'homme. Marc et Mac rentrèrent chez eux. Quand ils furent seuls dans le bureau de l'avocate, Marie-Anne expliqua à Gilles les nouvelles règles du jeu.

«C'est une action au civil et non au criminel. Nos médecins vont examiner son cou, conclure qu'il va bien. Lui, de son côté, va produire des experts qui vont prétendre le contraire. Je connais son avocat, maître Sarrault. Ses clients ne se rendent presque jamais en cour. Les parties s'arrangent à l'amiable. C'est pour cela que la Ligue nationale est codéfenderesse à l'action.

— Il est hors de question que le National paye un cent à ce gars-là.

— Au civil, ça ne fonctionne pas de la même façon. Il n'a qu'à prouver un dommage réel et un lien avec le dommage.»

Marie-Anne arrêta là ses explications qui devenaient un peu lourdes et changea résolument de ton.

«Gilles, je voulais te dire..., je m'excuse. Je ne fais jamais de propositions à mes clients, mais ce soir-là, je me sentais tellement seule... Tu me pardonnes? Ça ne se reproduira plus.

— Oui. Mais de toute façon, je suis un homme marié qui croit à la fidélité.

— C'est bien ma chance», dit-elle tout bas.

Allan Goldman était confortablement allongé sur la terrasse de sa suite. Il profitait du soleil du Nevada en sirotant un jus d'orange. Nadine lisait un bouquin à ses côtés. La chance leur avait souri depuis deux semaines et ils avaient pu s'offrir d'agréables vacances avec leurs gains. Évidemment, ceux-ci n'auraient jamais pu combler l'énorme déficit qu'avait accumulé Goldman depuis des mois.

La sonnerie du téléphone retentit.

«C'est ton chien de poche», dit Nadine en passant le combiné à Allan.

«Oui, Baril? demanda-t-il sans hésiter.

— Monsieur Goldman, j'ai de sérieux problèmes. Mike Ferguson a averti Guilbeault de l'argent qui manquait au fonds de pension.

— Et puis? Je t'avais demandé de camoufler l'emprunt, dit-il, impatient. Gilles n'est pas censé l'avoir trouvé.

— Oui, mais le vieux salaud a...

— Maurice! Tu parles d'un de mes amis.

— Excusez-moi, monsieur Goldman. Gilles Guilbeault a des notions de comptabilité plus avancées qu'on ne le croyait et il a découvert l'astuce.

— Il va sans doute vouloir me tuer à mon retour, déclara Goldman, d'un ton plat.

— Je ne sais pas. Mais lorsque j'ai voulu aller au bureau

hier, le gardien a déchiré mon laissez-passer, il m'a remis tous mes effets personnels et il m'a interdit l'accès au Colisée. J'ai ensuite appris que j'avais remis ma démission.»

Goldman ricana doucement.

«Il t'a mis à la porte et t'a fait barrer du Colisée! Ha! C'est le Guilbeault d'avant ses problèmes d'angine... Quand il se fâche...

— Qu'est-ce qu'on fait?

— Maurice, c'est pas quelque chose qu'on règle au téléphone. Je ne peux rien faire; il est dans son droit. Il a utilisé ta lettre de démission, mais ne t'inquiète pas, tu continues à faire partie du National. Au revoir.»

Allan raccrocha. Les esprits serviles, comme celui de Baril, sont faciles à manipuler, mais ils sont incapables d'agir par eux-mêmes. Tout le contraire de Gilles Guilbeault.

«J'ai un directeur général qui commence à se prendre pour le propriétaire...

— Tu ne peux pas le congédier? demanda Nadine.

— Les gérants de sa trempe, ça ne court pas les rues.»

Désireux d'effacer tout cela de sa tête, Allan s'étira et alluma la radio pour connaître les résultats des courses de chevaux.

Gilles se servait un Perrier dans la cuisine de Pierre — celui-ci l'avait invité pour discuter de «choses importantes» — en parcourant *Le Métro* dont la page couverture montrait, de façon tapageuse, Marc Gagnon en train de retenir Mac Templeton, avec le visage haineux de Noël Bégin en médaillon. En gros titre: LE NATIONAL ET GAGNON ACTIONNÉS POUR UN MILLION.

«T'en fais pas, mon Pierre. Je sais que ce genre d'histoire affecte toute l'équipe, mais ça va se régler hors cour. Le National va payer. Mais sûrement pas un million...

— C'est pas ça qui m'inquiète. Je voulais te voir pour autre chose.

— Bon, dit Guilbeault en se raidissant. C'est pour ton contrat, j'imagine?

— Non, répondit Pierre, désintéressé. Les contrats, c'est l'affaire de Mike Ferguson. J'ai deux choses à te demander.

— Envoie.

— Premièrement, Denis Mercure. Il est malheureux à Philadelphie. Il aimerait revenir jouer à Québec.

— Le National, c'est pas un orphelinat.

— Gilles, ça serait une bonne affaire. Denis a été blessé la saison dernière, sa valeur marchande est basse. En plus, lui et moi on a toujours gagné. J'ai le tour de le faire marcher. J'ai confiance en lui. Ça serait bon pour le club.

— Ouais. On a besoin de poids à l'avant. Tu me dis que tu peux le faire produire? C'est inhabituel; il faut que j'en parle à Marc. Il faut trouver le bon échange, aussi.

— Je veux seulement que tu voies si ça serait une bonne affaire. Si ça ne passe pas, je ne t'en reparlerai plus.

— Ça marche. Puis l'autre chose?

— Quelque chose qui me tient très à cœur. Je veux créer la fondation Patrick-O'Connell avec l'aide du National.

— Pierre, si la police veut créer un fond Patrick-O'Connell, pas de problème, mais ce n'est pas l'affaire du National. L'argent du N...

— Gilles, coupa sèchement Pierre, on s'est toujours bien entendus. J'ai toujours été facile à satisfaire. Mais là, je te parle pour ma femme et je n'ai pas l'intention de faire de compromis.

— Tu parles fort, Pierre Lambert!

— Gilles, répondit-il sans baisser le ton, c'est pour Patricia. C'est important pour elle, puis ça l'est pour moi aussi. La police est prête à s'impliquer si le National fait de même. Ils m'en ont parlé...

— Pierre, tu es un joueur de hockey et tu devrais...

— Je te demande pas l'impossible. Mais je renégocie mon contrat, bientôt, et il serait temps que le National s'occupe un peu de moi, ou les négociations peuvent être très dures.»

«Pierre n'a effectivement pas l'intention de faire de compromis», pensa Guilbeault en buvant son eau minérale.

☆

Lucien tenait un des bébés sur un bras, un biberon de l'autre main et serrait le récepteur téléphonique entre son épaule et son oreille. Sa belle-sœur voulait le voir.

«D'accord, quand tu voudras, Linda. Demain?»

Johanne se mit à gesticuler.

«Excuse-moi, je ne peux pas demain. Je vais te rappeler. Je te passe ta sœur.

— Salut, Linda! Tu ne viens pas nous voir souvent. Qu'est-ce que tu fais samedi? Viens faire un tour! O.K. je te rappelle.»

Elle raccrocha.

«Il me semblait qu'on sortait samedi soir? demanda Lulu, un peu lent.

— Oui, on sort. Qu'est-ce qu'elle voulait?

— Elle ne voulait pas m'en parler au téléphone. Jojo, qu'est-ce qui va arriver si Radio-Canada t'engage?

— Écoute, mon Lulu. Plus vite tu vas t'habituer au fait que je travaille, le mieux tu vas être.

— Oui, mais les enfants? Ils ont besoin d'une mère.

— Ils vont apprendre à aimer leur père.»

Lulu s'empressa de remettre le biberon dans la bouche de son fils qui s'était mis à crier.

☆

Patricia avait pris l'habitude de rester allongée tout l'après-midi. Elle ne faisait rien, se contentait de végéter, l'air maussade, dans sa chaise longue. Son comportement inquiétait, puis révoltait Pierre. Ce jour-là, il avait décidé d'essayer son uniforme de base-ball en espérant que cela la dériderait.

Mais elle le regardait sans vraiment le voir alors qu'il prenait toutes sortes de poses comiques.

«Qu'est-ce que tu en penses? dit-il en regardant ses vêtements. J'aurais peut-être mieux fait de jouer au base-ball. L'uniforme me va mieux.»

Il mima une scène d'un match de base-ball.

«Pierre Lambert est au marbre! Le compte est complet! Les buts sont remplis! Un circuit, et c'est la victoire! Le lanceur s'élance... Pierre frappe...» Il tourna autour de Patricia en suivant des yeux une balle imaginaire qui s'élevait. «Elle monte, elle monte, elle... est partie! C'est un circuit!» Il se laissa tomber sur Patricia.

«Grand fou! dit-elle en riant.

— Comment vas-tu?» Il ne pouvait cacher son inquiétude.

«Pourquoi me poser la question? fit-elle en s'assombrissant. Je vais bien, y a pas de problème, le monde est beau, le soleil brille, j'ai vingt-cinq ans et toutes mes dents, mon chum m'aime, j'ai une maison, une piscine, une auto, puis mon père est mort, puis j'ai le goût de brailler tout le temps, j'ai envie de tout casser et quand je me regarde dans le miroir, je me déteste...»

Sa voix était montée et le débit de ses paroles s'était accéléré. Elle se leva et rentra précipitamment. Pierre, entre la colère et le désespoir, se lança à sa poursuite.

Il la trouva dans la salle de bains prête à prendre des médicaments.

«Patricia, dit-il fermement, tu es infirmière, je n'ai pas besoin de te dire de cesser de prendre ça.

— Laisse-moi tranquille», ordonna-t-elle en pleurant.

Elle se dirigea vers le salon où il la suivit. La prenant par le bras, il la regarda dans les yeux. «Tu crois que tu es la seule personne à avoir perdu son père? Moi, j'ai perdu le mien quand j'avais treize ans. Ça me fait encore mal. Des fois, je suis tout seul et j'arrive au Colisée. Tout le monde me salue... Là, je me dis: si papa était là, il pourrait être fier de moi. J'ai jamais pu aller lui porter la rondelle d'un de mes buts.»

Calmée, la jeune femme évitait le regard de son ami.

«Ça me fait mal à moi aussi, Patricia. Quand je te vois

prendre tes calmants, il faut que je me retienne pour ne pas te secouer comme un prunier. Je ne sais pas comment je vais régler ça, mais tu vas arrêter ou c'est moi qui vais t'arrêter.» Il semblait en colère, mais continuait de la tenir doucement. «Regarde-moi dans les yeux. Patricia, je t'aime. Je veux que tu arrêtes ça. Je laisse tomber le base-ball pour cet été. Maintenant, on va pouvoir prendre de vraies vacances.»

Elle le regarda fixement, puis petit à petit son visage s'éclaira.

☆

Les projets de Suzie avançaient. Louis Marso venait d'achever, sous la signature «Féline» le concept publicitaire de sa ligne de cosmétique. La campagne allait être originale, ce qui l'enthousiasmait.

«C'est fou! dit Suzie en admirant les maquettes.

— Non seulement c'est fou, mais ça va lancer tes produits comme un balle de fusil.

— J'achète!

— Fantastique! Nous ferons un spot avec toi accompagnée d'un beau gars. Tu sais, habillé comme un aviateur de la Deuxième Guerre mondiale, foulard au vent. Ça va marcher, j'en suis sûr!»

L'interphone l'interrompit.

«Louis? Tu dois être à Toronto dans l'après-midi.

— J'oubliais. Tu viens avec moi, Suzie.

— Je ne peux pas. Je dois être à Québec ce soir.

— Ah. Mais je ne passe que l'après-midi là-bas. Je peux te ramener à Québec pour ce soir. J'ai mon propre petit avion, un Cessna... Allez, dis oui!

— D'accord...», répondit-elle.

Marc échangeait quelques lancers avec son fils Francis. Ils ne purent jouer longtemps, car Marc devait participer à un match du tournoi de balle molle de la Ligue nationale opposant son équipe à celle de Boston. Ils se dirigèrent vers la voiture et eurent la surprise d'y trouver Marie-France qui les attendait derrière le volant.

«Tasse-toi, Marie-France, dit Marc, impatient.

— Tu as dit que tu m'apprendrais à conduire.

— Pas aujourd'hui. On est en retard.

— Tu dis ça à chaque fois.

— Oui... mais on verra ça après ton camp de vacances.

— C'est avant que je veux apprendre! Après ça, le hockey va recommencer, puis tu n'auras pas le temps. Laisse-moi te montrer, je suis capable...

— De toute façon, coupa-t-il brusquement, mets-toi pas dans la tête que je vais te laisser conduire avant tes dix-huit ans. Et change d'air.»

Tenant de son père son caractère bouillant et imprévisible, elle savait qu'il ne fallait pas insister et lui laissa la place sans mot dire. Cinq minutes plus tard, la bonne humeur était revenue.

Le match fut amusant, à défaut d'être serré. Le National n'avait pas exactement les mêmes talents à la balle molle qu'au hockey, ce qui donna lieu à quelques jeux plutôt bizarres qui permirent à Boston de prendre rapidement l'avance. Mais peu importait, car l'assistance était bonne et les profits seraient versés à une œuvre de charité.

Lulu avait décidé de venir voir le match. Cela ne lui fournirait pas beaucoup de matière pour son article, mais il pourrait passer un après-midi tranquille avec des gens qu'il connaissait sans perdre une journée de congé. Il se promenait, hot-dog à la main, d'une connaissance à l'autre et prenait les nouvelles.

À la fin de la troisième manche, Marc Gagnon vint le saluer d'une grande claque dans le dos, ce qui eut pour effet de faire tomber son hot-dog sur sa chemise. Lulu resta bouche bée devant le gâchis et ne put que regarder Gagnon s'éloigner la conscience tranquille.

Déconcerté, il se rendit dans les toilettes publiques pour nettoyer le dégât. Marmonnant quelques injures à l'endroit de

Gagnon, il savonnait du mieux qu'il pouvait sa chemise tachée de moutarde. La voix de Marc lui parvint au moment où il coupa l'eau.

Marc Gagnon, à l'extérieur, était en train de discuter avec Gilles Guilbeault qui venait d'arriver. Lulu, suivant son instinct de journaliste, s'approcha de la fenêtre du bâtiment sanitaire pour mieux saisir leurs propos.

«Qu'est-ce qui se passe, Gilles? Des mauvaises nouvelles? Comment va la femme de Lambert? Tu sais qu'il s'est décommandé. Pas de balle molle pour lui de l'été.

— Si c'était rien que ça. Je voulais t'en parler moi-même: qu'est-ce que tu penses de Denis Mercure et Gerry Marshall?

— Mercure est un bon ailier solide, mais il jouait encore mieux du temps qu'il était avec nous. Marshall, c'est en plein le gardien d'expérience qu'il nous faudrait pour les prochaines années.»

Lulu, excité par l'odeur de la nouvelle fraîche, retenait son souffle. Il s'agissait là d'un échange important qui sans aucun doute ferait la une. Tout ce qu'il lui fallait, maintenant, c'était le nom de la marchandise de retour.

«Ça ferait ton bonheur de les avoir avec le National?

— Oui, dépendant du prix à payer.

— C'est fait. La nouvelle va être annoncée demain. Mercure et Marshall vont jouer avec le National la saison prochaine.»

Lucien, de l'autre côté de la fenêtre, se mordait les doigts. Il devait se retenir afin de ne pas crier pour demander les autres détails de l'échange.

«Et qui as-tu donné en retour?

— J'ai suivi ton conseil... Je lui avais pourtant pratiquement promis qu'il ne partirait pas de Québec», répondit Guilbeault en observant Sergei qui ratait toutes les balles qu'on lui lançait.

Lulu, ne pouvant voir le terrain de jeu, tremblait d'impatience. De qui parlaient-ils?

«Koulikov?

— Oui. Je n'ai pas hâte de voir comment il va prendre ça.

Sergei Koulikov part pour Philadelphie. Demande-lui de venir me voir après la partie.»

Lucien hurla de joie, tout en faisant bien attention de ne pas se servir de ses cordes vocales. Il regarda son reflet, exhibant un large sourire et des yeux arrondis, et l'embrassa. Il tenait la primeur de l'été. Il exécuta quelques pas de danse sur le carrelage, puis se mit à guetter le départ des deux parleurs imprudents.

Robert Martin, du comptoir à hot-dogs, le vit courir vers une cabine téléphonique. Maryse, à côté de lui, s'en amusa.

«Sacré Lulu! Une limonade, s'il vous plaît.»

Maryse et Robert se regardèrent, gênés en pensant à la soirée qu'ils avaient passée devant le piano de ce dernier. Ils attaquèrent en chœur: «C'était bien, la soirée...»

Ils se mirent à rire en même temps, s'observant, sans oser se dire tout ce qu'ils auraient voulu.

«Oui, ç'a été très agréable...

— Une très belle soirée..., ajouta-t-elle, hésitante.

— Inoubliable...»

Robert s'interrompit, voulant sans doute éviter de tomber dans les clichés. Ils regardèrent, amusés, Lucien Boivin gesticulant devant le téléphone, sans entendre ce qu'il disait.

Lulu parlait à sa femme: «Jojo! C'est pas possible! Je viens de mettre la main sur un de ces scoops! Tu le croiras pas. Linda va vouloir me tuer. Ça va péter le feu! Quand je rentre? Tout de suite, si tu veux.» Il raccrocha et fonça vers sa voiture.

Sur le terrain, la partie continuait, toujours dominée par Boston. Un match sans histoire.

La performance de Sergei fut minable, malgré les leçons particulières de Sylvie. À sa déception s'ajouta de l'inquiétude lorsqu'il apprit que Gilles Guilbeault l'attendait dans son bureau.

Le temps de sauter dans sa voiture, de filer à toute vitesse sur la route et de grimper quatre à quatre les marches du Colisée, le jeune Russe arriva, en sueur et essoufflé, dans le bureau de Guilbeault qui l'attendait, l'air grave et peiné. Sergei sentit l'angoisse monter en lui; il avait peur pour son fils.

«Misha? demanda-t-il. Il est arrivé quelque chose à Misha?

— Non, Sergei. Je n'ai pas de nouvelles de ton fils. Assieds-toi.»

Gilles se sentait coupable; il avait l'impression d'avoir vendu son fils. Il se leva, s'assit sur son bureau.

«Tu sais, Sergei, on est parfois forcé de faire des choses qui nous déplaisent...

— De quoi parlez-vous?»

Sergei ne comprenait pas ce qui se passait.

«Le National vient de t'échanger aux Flyers de Philadelphie. Je ne pouvais plus faire autrement.

— Échangé? À Philadelphie? Mais vous m'aviez promis...» Il haussa le ton. «Vous m'aviez promis!»

Gilles inspira difficilement. Il sentait sa gorge se serrer. Sergei se prit la tête entre les mains.

«J'avais dit: tant que je pourrais, expliqua Guilbeault, peu fier de lui. Maintenant, je ne peux plus.

— C'est impossible... J'avais demandé ma citoyenneté canadienne. Tout est à recommencer aux États-Unis. Et les Américains détestent les Soviétiques.

— Nous allons tout faire pour t'aider à t'adapter...

— Vous m'aviez promis. Vous aviez aussi promis que mon fils viendrait me rejoindre. Vous m'avez menti! Vous êtes tous des menteurs!»

La colère et la déception le firent parler dans sa langue maternelle. «...Des menteurs! Vous m'avez menti! Vous m'avez laissé croire à une nouvelle vie!

— Sergei, ce n'est pas ce que tu crois. Ça ne fonctionne pas comme ça ici. Personne n'est protégé. Je ne peux rien y faire...

— J'ai quitté ma patrie parce que je vous ai tous crus! Vous m'avez trahi!»

Sergei quitta le bureau en traitant Guilbeault de traître.

Un traître. Il était un traître pour cet homme qui avait tout quitté sur sa parole. Une forte douleur le frappa à la poitrine. Il s'assit, ouvrit un tiroir et en sortit un flacon de comprimés de nitroglycérine. Il en mit un sous sa langue, le laissa se dissoudre, lentement, pendant qu'il essayait de se calmer.

Une demi-heure plus tard, se sentant mieux, Gilles appela Denis Mercure, en vacances à Québec, pour lui annoncer ce qui, de son point de vue, était une bonne nouvelle. La joie et les remerciements du jeune homme l'encouragèrent un peu.

Denis jubilait et se précipita chez Pierre pour lui apprendre la nouvelle. Il entra sans dire un mot et lui sauta au cou.

«Denis! Qu'est-ce qui se passe?

— Merci, mon frère! C'est fait!

— Quoi donc?

— Gilles Guilbeault vient de m'appeler: je suis échangé au National avec Gerry Marshall. C'est formidable!»

Pierre poussa un cri de triomphe.

«Comme dans le bon vieux temps! Denis, la Ligue a pas fini d'entendre parler de nous! On va leur montrer comment on joue quand on est ensemble. Installe-toi, j'emmène de la bière.

— C'est toi qui as parlé à Guilbeault, hein? demanda Denis, reconnaissant.

— Oublie ça, je suis tellement content, répondit Pierre en servant deux bières.

— Devine pour qui ils m'ont échangé. Pas pour n'importe qui: Sergei Koulikov!

— Quoi? s'exclama Pierre, atterré. Pas Sergei!»

«SERGEI KOULILOV ÉCHANGÉ» annonçait la première page du *Métro*. Linda Hébert, furieuse, entra sans se faire annoncer dans le bureau de Ben Belley.

«Qu'est-ce que tu dis de ça?

— Qu'est-ce que tu veux que je dise?

— On s'est encore fait faucher un scoop, Ben. Il nous faut Lucien Boivin.

— Moi, ça me fait rien. Mais le syndicat va chialer. En plus, t'engages ton beau-frère. Ça va jaser...

— Ben, on travaille ensemble depuis longtemps. Tu sais qu'il nous faut le meilleur homme disponible.

— Avant, le meilleur homme, c'était toi, Linda.

— Tu ne veux pas me soutenir? Je vais me débrouiller toute seule. C'est ce que j'ai toujours fait depuis que je suis ici.»

Linda quitta la pièce en claquant la porte. Elle demanda à Marie, la secrétaire des sports, de joindre Lucien Boivin, mais celle-ci l'informa que, d'après sa définition de tâches syndicale, elle n'avait pas à passer de communications. Linda se détourna, les nerfs à vif, sous le regard moqueur de Ben.

«Pierre, je t'aime.»

Pierre se tourna vers Patricia, blottie contre lui dans le grand lit. Il la regarda et sut qu'elle allait mieux. Il lui demanda gentiment:

«Qu'est-ce qui me vaut cette belle déclaration?

— Je voudrais te parler de quelque chose d'important.

— Rien de négatif?

— Non, grand peureux. Pierre, je vais recommencer à travailler. À tourner en rond dans la maison, j'arrête pas de penser à mon père puis ça me fait déprimer. Je vais recommencer, à temps partiel, à l'hôpital. Faut que je m'occupe.

— T'as raison, je suppose. Fais ce que tu veux.»

Sa réaction était peu enthousiaste.

«Ce n'est pas parce qu'on n'est pas bien ensemble..., mais c'est important. Et quand la prochaine saison de hockey va commencer, je vais souvent me retrouver toute seule... Tu ne m'en veux pas?

— Non. Mais j'aimerais que tu penses à une date pour notre mariage. Promis?

— Juré. Mordu.»

Elle le mordit. Il cria.

«Tu m'as mordu!

— Et puis? Tu me mords bien, toi.

— Je laisse pas de marque, moi!

— Je t'en laisserai pas.»

Effectivement, elle ne lui fit aucune marque. Sauf, peut-être, sous les yeux qu'il avait fort cernés le lendemain matin.

☆

Robert Martin se promenait au volant de sa voiture. La journée était belle et il n'avait rien à faire. Il était malheureux. Il entendait, à la radio, la voix de son vieil ami Paul Couture qui animait une émission de bienfaisance. C'était en direct.

Robert savait bien, au fond de lui, que, contrairement à ce qu'il avait dit à Pierrette, il n'était pas parti se promener sans but. En fait, c'était ce qu'il voulait faire, mais il ne le ferait pas. Sans même sans rendre compte, il s'était dirigé vers la maison de Paul. Paul, le «Curé»; lui, le pécheur.

Il arrêta sa voiture dans le stationnement de son ami, coupa le moteur et la radio. Cinq bonnes minutes passèrent pendant lesquelles il resta assis à se demander ce qu'il était en train de faire. Il respira profondément, sortit de l'automobile et sonna à la porte.

«Robert? Quelle bonne surprise?»

Maryse lui souriait.

«Paul n'est pas là? Je pensais que...»

C'était bien ce qu'il pensait.

«Non. Il s'occupe d'une de ses œuvres de charité.»

Comme s'il ne le savait pas. Comme si elle ne savait pas qu'il le savait.

«Ah! Bon, eh bien, je repasserai...»

Pourquoi n'entrerait-il pas?

«C'est drôle, il fait tellement beau aujourd'hui, j'ai pris l'auto, j'ai...»

Il voulait entrer sans le demander.

«Tu veux entrer?» proposa-t-elle timidement.

Il voulait entrer.

«Non. Je serais mieux de... Et puis, pourquoi pas?» dit-il en entrant.

Elle recula. Elle le regarda. Il la regarda, la contempla, admira ce visage qu'il avait appris pendant des années à ne pas voir. Il eut envie de pleurer. Il aimait la femme de son meilleur ami.

«Maryse, je...»

Tout était dit.

«Tu n'as pas besoin de parler, Robert.

— C'est juste que... Je ne veux pas que...»

Sa voix s'étrangla.

«Je comprends.»

Ce qui devait arriver arriva. Les problèmes commençaient mais durant ce moment, et celui qui suivit, ils n'y pensèrent plus.

Les gouverneurs de la Ligue nationale de hockey, qui avaient abandonné le veston et la cravate depuis quelques heures déjà, tenaient une réunion privée. Plusieurs carafes d'eau avaient été posées sur la table pour rafraîchir les dirigeants dans la chaleur torride de cette canicule de juillet. Il y avait plusieurs absents, la plupart en vacances, dont le représentant du National.

Personne de l'organisation de Québec n'avait été prévenu. John Aylmer, à la suite de l'enquête de Frank Burns, avait décidé d'agir. Il était maintenant certain qu'Allan Goldman avait parié contre sa propre équipe.

«Maintenant, vous savez tout. J'insiste pour que cela reste entre nous. Si cela venait à l'oreille des médias...

— Qu'est-ce qu'on va faire? demanda Ronald Courteau, le représentant du Canadien de Montréal.

— Ce n'est pas compliqué, répondit Peter Jerrings, des Maple Leafs de Toronto. Ça fait longtemps que Québec nous cause des problèmes. Qu'on vende la franchise et qu'on la déménage à Houston ou à San Francisco.

— Peter, objecta Courteau, ça n'a pas de sens ce que tu dis là. Le National, c'est une institution à Québec, comme le Canadien à Montréal. C'est l'oxygène de la ville.

— Il n'y a qu'une solution: que Goldman vende le National, reprit Jerrings.

— Ce n'est pas si simple, expliqua John Aylmer. Il faut le convaincre sans créer de scandale. Le prix devra être bon et les conditions excellentes.

— Il vient d'échanger Koulikov, informa Courteau. Il s'est débarrassé d'un gros contrat. Peut-être pense-t-il déjà à vendre.

— Ton mandat est clair, John, conclut Jerrings: forcer Goldman à vendre le National. Nous sommes unanimes là-dessus. D'accord?»

Un à un, chacun des gouverneurs présents acquiesça. John Aylmer ne put réprimer un sourire.

Marc regardait Suzie desservir la table. Souriant devant ce geste vraiment peu féministe, il demanda: «Sais-tu que tu ferais un bonne épouse? Lâche pas, ça te va bien. Qu'est-ce qui te prend, aujourd'hui? Aurais-tu quelque chose à te faire pardonner?»

Suzie pensa une seconde à son escapade avec Louis Marso, puis l'écarta de son esprit. Après tout, il ne s'était rien passé.

«Niaise pas, grand macho, dit-elle. Parlant de macho, tu devais pas apprendre à conduire à Marie-France? C'est une tâche d'homme, ça...

— On en a déjà parlé, dit-il en se renfrognant. Seize ans, c'est beaucoup trop jeune. Peut-être dix-huit...

— Pourquoi t'as dit à Francis qu'il pourrait, lui, à seize ans? intervint Marie-France. Et moi, je devrais attendre à dix-huit ans?

— Oui, Marc, demanda Suzie en le regardant d'un air obstiné. Explique-nous donc ça.

— Ah! Fichez-moi la paix avec ça! J'ai pas le temps de t'apprendre.»

Suzie s'approcha de lui, se fit câline.

«Essaie, au moins. Peut-être qu'elle va tout de suite prendre le tour? Une Gagnon!»

Le visage de Marc s'éclaira un peu. Suzie venait de pincer la corde sensible: l'orgueil du père. Elles réussirent à le faire monter dans la voiture et à le faire asseoir à la place du passager.

«Bon. Il ne faut pas que tu sois nerveuse. Reste détendue.» Il parlait plus pour lui que pour sa fille. «La première chose à faire, c'est de...» Elle attacha sa ceinture sans lui laisser le temps de finir. «C'est ça. Ensuite, tu...» Elle mit le contact. «C'est bien ça. Maintenant, tu...» Elle regarda tout autour de la voiture. «Bon, je te laisse faire», finit-il par dire, impressionné.

Il regarda Suzie en lui manifestant son étonnement. Celle-ci se contenta de sourire sans dire un mot. Ils arrivèrent au panneau d'arrêt que Marie-France n'avait pas vu à sa première sortie. Cette fois, elle exécuta parfaitement la manœuvre, et ce plus prudemment que son père en avait lui-même l'habitude.

Marc jubilait devant les dons évidents de sa fille. Il se retourna vers Suzie:

«Y a pas à dire: nous, les Gagnon, on est doués. Tu vois ce que c'est, le talent naturel?

— Bien sûr. Je suis tout admiration.»

Marc ne comprit pas la raison du fou rire qui suivit sa remarque.

Sergei regarda les deux verres à moitié pleins qui se trouvaient devant lui. Il les prit de ses «deux» mains droites et les vida en même temps. Il observa la vingtaine de verres vides qui étaient sur la table et se demanda, par simple curiosité, pourquoi ils ne glissaient pas tous vers le sol vu l'inclinaison de celle-ci.

La voix de Sylvie se mit à résonner dans ses oreilles, lui causant d'horribles maux de tête.

«Sergei, je crois que tu as assez bu. Ça fait une dizaine de vodkas que tu prends.»

Il la regarda, remarqua sa sœur jumelle qui se tenait à ses côtés, se souvint qu'elle n'en avait pas et se frotta les yeux. Il ne louchait plus, maintenant, et constata, avec déception, qu'il avait bu deux fois moins qu'il ne le croyait. Pour compenser, il commanda une autre vodka. Champagne, toujours à l'écoute de ses clients, surtout quand ils étaient aussi rentables que Sergei l'était ce soir-là, se dépêcha de le servir, contre le gré de Sylvie.

«Sergei, dit-elle doucement de sa voix grave, tu vas aimer Philadelphie. C'est une belle ville.»

Il plaqua ses mains contre ses oreilles pour ne plus entendre le terrible écho qui se promenait de l'une à l'autre. «Trahi... Ce sont tous des traîtres...», murmura-t-il. Il se leva et remarqua de nouveau la forte inclinaison de tout ce qui l'entourait.

Il regarda Sylvie. Sa vue s'embrouilla et il se frotta les yeux encore une fois. Elle était là, plus belle que jamais, sa douce Natasha. Il l'embrassa en répétant plusieurs fois son nom.

«C'est qui, Natasha? demanda Sylvie d'une voix caverneuse.

— Natasha? Mais tu n'es pas Natasha!

— Sergei, rentrons. Tu as trop bu.»

À ces mots, le jeune homme se souvint de la merveilleuse vodka de sa Russie natale. Celle qu'on gardait au froid pour en obtenir un épais sirop glacé, qu'on pouvait boire à grandes lampées sans se brûler la gorge. Celle qu'on pouvait échanger aux touristes contre des jeans. La meilleure et la moins chère au monde à l'intérieur des frontières du pays.

Sergei se tourna vers Sylvie et la regarda avec des yeux immensément fiers.

«Trop bu? Moi, un Russe?»

Ses souvenirs s'arrêtaient là quand il se réveilla le lendemain matin, ou plutôt le lendemain à midi, dans la chambre de Sylvie. Elle était assise à côté de lui, tenant un verre d'eau et deux aspirines. Sergei pensa qu'il avait besoin de plus que cela pour soigner sa formidable gueule de bois.

Péniblement, il se traîna jusqu'à la cuisine où il découvrit le remède ultime: une autre bouteille de vodka.

Sergei décida d'aller chez Pierre Lambert dont il espérait un peu de réconfort et s'y rendit aussitôt. Il le trouva en train de discuter, d'excellente humeur, avec Denis Mercure. Se souvenant de leur longue amitié, il lui cria:

«Traître! Tu m'as sacrifié pour lui. Je te croyais mon ami...

— Je suis ton ami, Sergei, répondit Pierre, mal à l'aise.

— Non! Tu es un traître, comme eux. Je n'ai plus de patrie. Québec, c'était mon nouveau pays. Vous étiez ma nouvelle famille.

— C'est pas si terrible, l'échange. Tu vas voir...

— Vous me faites tous lever le cœur.»

Il recula et se heurta contre Sylvie qui le tira dehors en s'excusant auprès de Denis et de Pierre.

Il semblait que tout le monde avait payé bien cher le caprice de Pierre.

Linda parvint à pénétrer dans l'appartement de Lulu, malgré le désordre qui y régnait. Il fallait qu'elle lui parle et elle était prête à supporter l'insupportable. Lucien lui demanda de ne pas faire trop de bruit, pour ne pas réveiller les jumeaux. Il s'excusa de la recevoir dans un endroit aussi peu agréable, mais il ne pouvait faire autrement: sa femme était à un rendez-vous et aucune gardienne n'était disponible.

«Lulu, je n'irai pas par quatre chemins. Que dirais-tu de venir couvrir le hockey au *Matin*?»

Il la regarda, figé, puis incrédule. Dans toute bonne ville, il existe deux quotidiens importants: l'un à sensation, à gros tirage; l'autre sérieux, à moindre tirage. Passer du premier au second est une importante transition.

«Moi? Au *Matin*? Je n'écris pas assez bien pour ça. Puis, à ce que je sache, toi-même, tu ne me trouvais pas aussi bon que ça.

— Lucien Boivin, ne commence pas tout de suite les négociations. D'abord, tu as le sens de la nouvelle comme pas un à Québec; ensuite, tu es travailleur comme une fourmi; finalement, l'écriture, ça s'améliore avec du suivi. Si tu acceptais mon offre, ça relancerait toute ta carrière.»

Lulu hésitait; il avait peur de ne pas être à la hauteur.

«Et le syndicat? objecta-t-il.

— Je m'en charge. Personne n'a les tripes de faire l'ouvrage comme il faut à la rédaction.

— Mais, il y a Ben Belley aussi. Il m'haït pour me tirer au fusil quand il me voit passer.

— Ben Belley, c'est le moindre de mes soucis. C'est à toi de prendre une décision.»

Linda savait qu'il finirait bien par dire oui; elle le voyait dans ses yeux qui s'étaient mis à briller.

«Lucien Boivin, du journal *Le Matin*... Ça sonne bien, non?» demanda-t-il.

Linda le quitta là-dessus. Le travail était fait.

Pierre avait accompagné Patricia à l'hôpital où elle allait commencer à travailler comme infirmière, à temps partiel.

«Tu ne m'en veux pas? demanda-t-elle gentiment.

— Non. Je trouve seulement qu'on n'a pas passé assez de temps ensemble.

— Ne t'inquiète pas, j'ai besoin de m'occuper, c'est tout. Ça va me faire du bien.

— Je ne m'inquiète pas, répondit-il en souriant. Je commençais à prendre goût à t'avoir avec moi toute la journée.»

Ils marchèrent jusqu'à l'entrée, s'embrassèrent. Patricia pénétra dans l'édifice et lui retourna lentement vers sa voiture.

Soudain, sans l'avoir vue arriver, Pierre se trouva nez à nez avec Lucie Baptiste. Elle était plus belle que jamais, avec ses yeux bleus et sa peau d'or bruni. Il était troublé. Il lui semblait que les trois ans qui s'étaient écoulés depuis leur séparation ne comptaient plus.

«Bonjour, Pierre, lui dit-elle doucement.

— Lucie...

— Tu n'as pas changé, déclara-t-elle avec son léger, mais joli, accent créole. Je suis heureuse de te revoir.

— Tu n'as pas changé non plus...

— Tu vas bien?

— Oui... Tu travailles ici maintenant?

— Oui. C'est ton amie qui vient d'entrer?

— Oui, c'est Patricia..., dit-il, hésitant. Elle a décidé de... à cause de...

— Je sais, termina-t-elle, compatissante, c'est à cause de son père. Tous les journaux en parlaient. J'ai eu de la peine pour vous...

— On remonte la pente. Toi? Ton mari? Ton petit garçon?

— Tu es au courant?

— Je me suis renseigné...

— Il est merveilleux. Tu m'excuses, je suis en retard. Ça m'a fait très plaisir de te revoir. Tu es... toujours aussi beau, tu sais.»

Il la regarda s'éloigner jusqu'à ce qu'elle entre à son tour. Il se sentait revenir dans le temps, aspiré malgré lui à travers les années.

CHAPITRE IV

Marie-France se sentait à présent adulte. D'ailleurs, les seize bougies sur son gâteau d'anniversaire en témoignaient. Elle inspira profondément et les souffla. Son père la regarda tendrement et lui remit un petit paquet, à la forme allongée, emballé dans un papier aux couleurs sobres.

Elle l'ouvrit lentement, freinant son impatience pour faire durer le plaisir. C'était une montre italienne avec un mécanisme suisse, marine, aux lignes dorées. Marie-France, plus touchée qu'elle ne voulait le laisser voir, remercia son père.

«Merci, Marc, dit-elle.

— Marc?

— Je ne vais pas t'appeler «papa» toute ma vie quand même, répondit-elle comme si c'était une évidence.

— Tu n'as que seize ans, tu sais..., dit-il gentiment.

— Ouvre mon cadeau, maintenant!» proposa Suzie, détournant ainsi la conversation.

Suzie avait obtenu pour elle l'une des toutes premières trousses de maquillage de sa gamme «Féline» quelques semaines avant sa sortie officielle. Marie-France, ravie, la remercia avec plus de chaleur qu'elle n'en avait témoigné à son père. Marc regarda la trousse plutôt froidement, puis se tourna vers André Pageau, qui avait assisté à la fête dans un certain mutisme, et lui lança: «Comme ça, elle va pouvoir se donner l'air d'avoir vingt ans, puis trouver que tu as l'air trop jeune pour elle!»

André encaissa le coup, mais Marie-France réagit:

«Papa!

— Marc», lui rappela-t-il.

Suzie, par un coup de coude bien placé, lui ordonna de cesser de la taquiner. Il se contenta de rire sans méchanceté, n'en revenant pas de voir sa fille jouer les grandes dames.

André Pageau donna son présent à Marie-France: une lettre accompagnée d'une chaîne à laquelle pendait une breloque en forme de cœur. Émue, la jeune fille ne se gêna pas pour embrasser son ami, sous le regard désapprobateur de son père.

Suzie intervint et leur proposa d'aller finir la soirée tous les deux dans une discothèque. Les adolescents sautèrent sur l'occasion et quittèrent leurs aînés sur-le-champ.

«Elle grandit vite! fit remarquer Suzie. Ça doit te faire drôle. Ça t'inquiète?

— Sa mère n'est plus là. Qui va lui expliquer... Sûrement pas toi; t'es la première à l'encourager à sortir!

— Veux-tu bien me dire de quoi t'as peur?

— D'un coup qu'il lui arrive quelque chose, qu'elle prenne un verre de trop..., qu'on lui offre de la drogue, je sais pas...

— Elle est sage, ta fille. Profitons plutôt de la soirée, pour une fois qu'on est ensemble.

— Ouais...» Il réfléchit un peu. «Avec Francis chez ses grands-parents, puis Marie-France à son camp de vacances, on va avoir un mois, rien que pour nous deux.

— Entre mes voyages à Montréal, on devrait pouvoir se voir assez souvent...»

En entendant ces paroles, Marc se renfrogna.

«Avec ton fameux concepteur! Il est partout, mais je ne l'ai jamais vu.

— Marc, dit-elle doucement, ce soir, nous sommes ensemble. Ne gâchons pas la soirée.»

Il la regarda, songea à quel point il l'aimait et il le lui dit:

«Je t'aime, Suzie. Je veux vivre avec toi, pas seulement te rendre visite quand tu en as le temps.

— Ça recommence, fit-elle sèchement.

— Je m'excuse, Suzie, dit-il d'une voix chevrotante.

Quand je suis avec toi, j'ai un nœud qui se fait... ici. Tu es la plus importante partie de ma vie...

— Ne me mets pas tout ça sur les épaules...»

☆

Pierre franchit la porte de *La Veuve Joyeuse* d'un pas décidé: il était résolu à expliquer à Sergei les circonstances de son échange. Il se sentait coupable d'avoir été la source de tous ses ennuis.

Comme on le lui avait dit, Sergei était toujours affalé dans le même coin du bar. Le Russe regardait la salle vide d'un œil morne. Il sirotait sa vodka sans dire un mot et semblait perdu dans de lointaines pensées. Pierre s'approcha et s'assit à sa table.

«Sergei..., commença-t-il, je voulais que tu saches que je n'ai pas demandé que tu sois échangé. J'ai demandé à Gilles s'il n'y avait pas moyen de ravoir Denis dans l'équipe, mais...» Pierre était embarrassé. «Mais je n'ai jamais pensé que tu ferais les frais de l'échange.»

Sergei le regarda, blasé, s'apercevant bien que, malgré les apparences, c'était à lui de réconforter son ami.

«Je sais. Ce n'est pas de ta faute. Excuse-moi pour l'autre jour, j'étais bouleversé.

— Tu sais, mon vieux, on passe tous par là.»

Sergei le regarda.

«Pierre, pour moi, c'est différent. Je suis un Soviétique. Le Canada est un pays ouvert, politiquement, mais pas les États-Unis.

— Les gens des Flyers vont t'aider.

— C'est là qu'ils ne pourront pas m'aider, dit Sergei, moins froid, en posant sa main sur son cœur. Tu ne peux pas comprendre. Ici, à Québec, j'avais des amis. J'arrivais à oublier Misha, à oublier ma mère, à oublier Moscou. J'étais heureux, j'étais chez moi.»

Il commanda une autre vodka.

«Son chez-soi, on le transporte avec soi. Tu seras toujours Sergei Koulikov, où que tu ailles.»

Pierre essayait de le réconforter. Sergei se pencha au-dessus de la table, le regarda dans les yeux.

«Justement. Sergei Koulikov demeure un Russe où qu'il aille.»

Pierre baissa les yeux. Sergei lui donna une tape sur l'épaule. La tension baissa.

Lucien Boivin entra et les interpella aussitôt avec sa bonne humeur habituelle:

«Tiens! Justement les deux que je voulais rencontrer. Quel effet ça fait d'être un Flyer, Sergei?»

Les deux joueurs aimaient bien Lulu, mais préféraient éviter d'aborder ce sujet. Pierre lança une banalité:

«Tu le sais comme nous, c'est toujours dur d'être échangé.

— Surtout quand on t'a fait une promesse, laissa tomber Sergei.

— Oui? Explique, demanda Lulu à l'affût.

— Il avait cru que, d'une certaine manière, Guilbeault s'était engagé à ne pas l'échanger, répondit Pierre.

— J'ai été trahi par le National, affirma Sergei sur un ton neutre.

Guilbeault m'avait promis que je resterais à Québec.»

Lucien nota sur-le-champ sa déclaration. Elle était trop belle pour être laissée de côté.

Allan Goldman était confortablement installé dans le salon des membres de l'hippodrome de Toronto. Il suivait, totalement concentré, à travers la grande baie vitrée, la course de chevaux qui avait lieu sur le terrain, une centaine de mètres plus bas.

Pétard Mouillé, son poulain, avait talonné le meneur durant une bonne partie de la course, pour ensuite laisser poliment passer les cinq autres chevaux. Goldman, philosophe, déchira ses billets.

S'il avait parié sur un cheval portant un nom pareil — qu'il méritait fort bien, d'ailleurs —, c'était pour la simple et bonne raison qu'on le donnait perdant à trois cent cinquante contre un. Il avait toujours été fasciné par de tels misérables canassons. On y perdait presque à tous les coups, mais quand on y gagnait...

Allan fut tiré de ses pensées par Peter Jerrings, propriétaire des Maple Leafs de Toronto, qui l'avait invité et qui avait mis à sa disposition le salon de l'hippodrome.

Évidemment, ces courtoisies d'hommes d'affaires avaient toujours un but.

«Je ne savais pas que tu aimais les courses de chevaux, dit-il pour la forme, en serrant la main de Jerrings.

— Je parie surtout sur les hommes. Satisfait de l'échange de Koulikov? C'est un gros morceau que tu as laissé partir là, non? Enfin, pas aussi gros que Lambert, bien sûr.»

C'était à ça qu'il voulait en venir.

«C'est pour ça que tu m'invites à Toronto? Pour me parler de Lambert? Ou pour me parler de la réunion des gouverneurs où je n'ai pas été invité?»

Allan ne l'avait pas avalée, celle-là.

«Ce n'était qu'une réunion de routine...

— Si c'est pour Pierre Lambert, il n'est pas à vendre, fit Goldman sur le ton qu'il employait en jouant aux cartes.

— Mais si la situation changeait?

— Tu peux toujours me faire une offre, répondit Goldman d'une voix mortellement ennuyée. On ne sait jamais.

— Un million pour son contrat, offrit Jerrings en souriant. Six cent cinquante mille pour lui, par année.»

Goldman fit une moue désintéressée. Il remercia Jerrings de son hospitalité et le quitta pour aller prendre le prochain vol pour Québec.

Durant le court trajet vers la Vieille Capitale, le propriétaire du National réfléchit à l'offre de Jerrings. S'il pouvait faire monter les enchères encore un peu sans montrer sa main...

À Québec, sa limousine l'attendait, avec Nadine et Maurice.

Celle-ci lui sauta au cou et l'embrassa.

«Alors? demanda-t-elle.

— Ça mise fort et c'est moi qui donne», répondit-il, optimiste. Ils montèrent dans la voiture et le chauffeur prit la direction du Colisée.

En cours de route, Baril fit à Goldman un exposé de sa situation financière.

«Monsieur Goldman, il faut voir les choses en face. Seul, je n'y arriverai pas. Mais si vous prenez vos affaires en main comme vous en êtes capable, vous pouvez sauver l'essentiel.

— Et c'est quoi, pour toi, l'essentiel?

— Le National. En vendant le reste de vos avoirs, vous remboursez toutes vos dettes, sans problème, et vous aurez toujours le National. Avec le départ de Koulikov, vous avez un gros salaire de moins à payer. Si on pouvait couper encore trois quarts de million dans les contrats...

— Tu penses à Couture et à Martin?

— Oui. Marc Gagnon serait prêt à les échanger. C'est Gilles Guilbeault qui s'y oppose.

— C'est peut-être lui que je devrais changer.»

La limousine les laissa au Colisée et le chauffeur alla conduire Nadine à l'appartement d'Allan; elle ne se sentait pas concernée par ses affaires.

Goldman salua tièdement d'un *«gentlemen»* en entrant dans la salle de réunion où se trouvaient Guilbeault, Gagnon, son adjoint et un dépisteur de l'équipe visiblement dérangés par cette intrusion.

«Je vois que vous semblez tous fort occupés, remarqua Allan, un peu vexé de la réaction de ses employés.

— On s'occupe de notre affaire, répondit Guilbeault sur un ton de reproche.

— J'ai réengagé Maurice, au cas où tu te demanderais ce qu'il fait ici. J'ai d'ailleurs un chèque de trois cent mille dollars au nom de l'Association des joueurs.»

Guilbeault, démonté, regarda Baril lui remettre le chèque; il se sentait humilié.

«Ça ne vous dérange pas si on parle de l'équipe? demanda Goldman qui, visiblement, voulait en venir à un point précis.

— C'est vous le boss, grogna Gagnon, cynique.

— J'ai suivi le repêchage. Je ne suis pas content. A-t-on vraiment besoin de deux défenseurs de trente ans?

— Couture et Martin? devina Gagnon.

— Oui. Il faut se rajeunir.

— Martin et Couture, ce sont les piliers de l'équipe, opposa Guilbeault.

— Personne n'est intouchable dans une équipe! s'écria Goldman. Pas même Pierre Lambert!»

À ces mots, Guilbeault s'empourpra et demanda à tout le monde de quitter la pièce pour avoir un entretien avec le propriétaire.

«Je ne veux pas parler du budget. Tu les as, tes trois cent mille.

— Oui, je les ai. Mais si je n'avais pas échangé Koulikov, où les aurais-tu trouvés?» Le ton montait. «Tu ne peux pas jouer comme ça avec l'argent du National, ou tu vas nous mener à la faillite! Ensuite, c'est moi qu'on va accuser d'incompétence. Nous sommes déjà dans le rouge.

— Justement, je veux que tu fasses le ménage dans l'équipe. Il y a trop de gros salaires. Les gars vieillissent. Pense à Couture, Martin, Templeton, White...

— On dirait que tu étais sérieux en parlant d'échanger Lambert!

— J'y pense!» cria Goldman.

Guilbeault n'y tint plus. Il repensa avec tristesse à leur belle coopération du passé.

«Je sors d'ici avant d'oublier à qui je parle. Qu'est-ce qui t'arrive, Allan? Tu es prêt à détruire le National pour éponger tes dettes de jeux?

— Gilles, ça fait longtemps qu'on se connaît, mais, là, tu commences à dépasser les...»

Le bruit de la porte qui se refermait violemment lui coupa la parole.

☆

Les quelques jours que Patricia avait consacrés à son nouveau travail lui avaient fait beaucoup de bien. Œuvrer pour le bien-être des gens était, sans conteste, plus réconfortant que de penser à la mort de son père.

Elle était dans une chambre en train de changer une bouteille de sérum quand un médecin entra. Patricia, légèrement surprise, reconnut Lucie Baptiste, l'ancienne flamme de Pierre. Leurs regards se croisèrent. Elle eut l'impression que Lucie l'avait également reconnue, bien qu'à sa connaissance, elles ne s'étaient jamais rencontrées auparavant.

Patricia, ne sachant comment aborder la situation, se contenta de signaler que la patiente ne s'était pas encore réveillée. Lucie prit quelques notes, puis lui sourit.

«Je crois que nous avons un ami commun, dit-elle d'une voix douce. Je vous ai vue avec Pierre le jour de votre arrivée. Il avait l'air heureux.

— Je l'espère...», répondit Patricia, intimidée devant la beauté et l'intelligence du regard de Lucie.

Celle-ci se durcit et examina la patiente: elle n'aimait pas perdre son temps durant le travail. Elle demanda à Patricia de venir l'avertir au moment où la malade s'éveillerait. Avant qu'elle ne sorte, Patricia déclara, hésitante: «Lucie, je suis heureuse de te rencontrer...»

Les deux femmes se sourirent. Elles étaient animées de la même chaleur et de la même bonté.

«Soyons amies, proposa Lucie.

— J'aimerais beaucoup», répondit sincèrement Patricia.

Linda, agacée, relut une autre fois l'article de Lucien Boivin. Toutes les confidences de Sergei Koulikov. La une, sur laquelle s'étalait une grande photo du joueur soviétique, avait pour titre, à la manière sensationnaliste et tapageuse du *Métro*: «J'AI ÉTÉ TRAHI.»

Et en plus petit: «J'avais oublié mon pays, maintenant je m'en souviens.»

En fait, par sa lourde bureaucratie, *Le Matin* rappelait à Linda les pays de l'Est. Elle avait décidé d'engager Lucien Boivin, mais le syndicat, et Luce Gagné en tête, en avait décidé autrement. N'y tenant plus, Linda décida d'aller en parler une fois de plus à Ben Belley.

Elle l'accrocha alors qu'il quittait son bureau, manifestement dans le but de l'éviter. Il devança sa requête.

«Je sais! J'ai lu *Le Métro*.

— J'ai beaucoup de respect pour Jean-Luc Girard, dit-elle, aussi directe que lui, mais à quarante-huit ans, il n'a plus l'âge de couvrir le hockey.

— Linda, fit-il, harassé, Girard a demandé officiellement le poste. C'est lui qui avait le plus d'ancienneté. Je ne pouvais faire autrement sans recevoir un grief du syndicat.

— Et c'est le syndicat qui va rattraper les scoops qu'on s'est fait faucher par Lucien Boivin? C'est décidé, je l'engage aujourd'hui même. Arrange-toi pour me débarrasser de Girard.

— T'es bien forte, s'impatienta-t-il. Tu as fait chier tout le monde tant que tu l'as voulu pendant dix ans. Mais, là, tu t'attaques à un gros morceau.

— C'est fini, le niaisage. Je veux Lucien Boivin, je vais l'avoir.»

Elle le planta là et retourna immédiatement à son bureau. Elle composa le numéro de Lucien.

«Oui, allô.

— Lucien? C'est Linda.

— Salut! Qu'est-ce que je peux faire pour toi, la belle-sœur?

— As-tu réfléchi à mon offre?

— Un peu...

— J'ai besoin de ta réponse avant six heures.

— Six heures? T'es folle?

— Non. Sans ça, on oublie tout. D'accord?

— Quoi? Tu pourrais...»

Elle raccrocha.

«Qui c'était? demanda Johanne.

— Ta sœur! Elle vient de s'énerver. Il faut que je me décide ce soir.

— Tu en as envie, ça se voit.»

Lulu prit un air soucieux, accentué par les cernes que lui donnaient les crises de larmes nocturnes des jumeaux.

«Mais si j'accepte et que Radio-Canada t'engage, qu'est-ce qu'on fait avec les enfants?

— Lulu, je n'ai pas l'intention de rester à la maison. Je sais que c'est dur pour toi, mais on va trouver quelqu'un. On est pas le premier couple où les deux personnes travaillent et ont des enfants.

— Ils sont jeunes.

— Lucien, on ne s'est pas encore disputés. Je te le dis, on va faire notre vie et les enfants s'adapteront, pas l'inverse. On s'aime? On va s'en sortir.»

Elle s'approcha de lui, plus tendre.

«Embrasse-moi. Je veux être la première à embrasser le nouveau journaliste du *Matin*.

— C'est vrai que ça sonne bien, constata-t-il sans faire un geste. Lucien Boivin du *Matin*.

— Oui. Il y a juste un problème.

— Quoi donc?

— Tu ne pourras plus porter ce chapeau: ta tête est trop grosse.»

Peter Jerrings, après son entretien avec Allan Goldman, avait invité Mike Ferguson, l'agent de Pierre Lambert, à venir jouer une partie de golf avec lui. Le mois d'août est sans doute celui qui convient le mieux à ce sport et la journée était magnifique. Les deux hommes frappèrent d'excellents coups d'approche.

«Et si on montait la mise à cinquante dollars du trou? demanda Ferguson qui savait que la meilleure façon d'en venir à parler d'argent était de parler d'argent.

— Et pourquoi pas à cent dollars? répliqua Jerrings avec le sourire.

— Tu aimes jeter ton argent par les fenêtres, Peter, mais je sais que tu ne le fais jamais sans raison. Est-ce que tu vas faire durer le suspense longtemps?»

La demande, cette fois-ci, était directe.

«Que dirais-tu d'un trou de six cent cinquante mille dollars?

— Je dirais que tu veux un de mes joueurs et je dirais que j'en ai seulement trois qui valent ce prix.

— Le seul qui m'intéresse, c'est Pierre Lambert. Il joue son année d'option la saison prochaine et je sais que le National n'a pas l'argent pour le payer.

— Ah! Ça ne dépend pas de moi, ces choses-là... Je peux seulement parler de ton offre à Lambert.»

L'autre le regarda d'un air entendu.

«Tu n'es pas devenu le meilleur agent des ligues majeures en laissant les décisions à tes joueurs.»

Ferguson perdit la partie par onze coups.

Marie-France ne conduirait plus l'auto de son père avant un mois: elle partait en colonie de vacances, plutôt à contrecœur, ayant l'impression que Marc voulait se débarrasser d'elle. Elle gara la voiture dans le stationnement de l'école, qui avait organisé le voyage, puis salua les quelques filles qu'elle connaissait pendant que Marc sortait ses bagages de la voiture.

La jeune fille n'était pas contente de partir, ça se voyait.

«Tu verras, tu vas aimer ça. Tu vas faire du canot, de l'équitation... de tout, quoi.»

Même lui n'avait pas l'air convaincu.

«Ce n'est pas toi qui y va.»

Marc la regarda avec affection et un peu de remords. Il lui fit signe d'approcher, la serra contre lui, lui demanda de sourire.

«On ne se verra pas pendant un mois. C'est la première fois que tu pars si longtemps. Tu vas être sage?

— Je suis toujours sage», répondit-elle.

Son visage s'éclaira quand elle vit arriver André Pageau. Elle alla aussitôt à sa rencontre, laissant là son père, déconfit.

André lui avait apporté une rose. Touchée, elle l'embrassa sans penser à la présence de son père.

☆

Mike Ferguson, attablé dans un restaurant de Québec avec Gilles Guilbeault, regarda le chiffre — trois cent mille — griffonné par ce dernier sur un napperon de papier.

«Ridicule. Pierre Lambert ne jouera pas une autre saison avec le National pour des miettes pareilles.

— C'est tout ce que nous pouvons nous permettre. Et je suis généreux. Je pourrais attendre à l'an prochain pour négocier.

— Lambert peut aller chercher le double avec n'importe quelle autre équipe de la Ligue. D'ailleurs, il y a des rumeurs disant que Toronto serait intéressé à l'acquérir.

— Quoi? Tu rêves en couleurs! Lambert, on l'a, on le garde. Ce n'est pas une question d'argent. Il va falloir me passer sur le corps pour l'échanger.»

Pour toute réponse, Ferguson prit le napperon à son tour et y inscrivit: cinq cent mille. Guilbeault lut, les yeux ronds.

«Laisse tomber le dessert. À ce prix-là, tu parles tout seul.

— Gilles, paye-le ou échange-le, sinon Pierre Lambert n'endossera pas l'uniforme cette année.

— J'en ai vu d'autres qui ont voulu faire la grève!» répondit Gilles, imperturbable.

Ils changèrent de sujet de conversation.

☆

Pierre se sentait bien. Patricia le massait doucement, mais fermement. Cela lui permettait d'oublier ses soucis. Cet état de bien-être le quitta d'un seul coup quand Patricia appuya trop fort dans le creux de ses reins. La vieille douleur refit surface. Il retint un cri.

«Pierre, va voir un docteur.»

Il se tourna du mieux qu'il put pour la voir.

«Je l'ai, mon docteur.

— Je suis sérieuse».

Son ton l'était aussi.

«Tu devrais prendre rendez-vous avec le docteur Bergeron.

— Le docteur de l'équipe? Pour que toute la ville sache que j'ai mal au dos?

— Il y a d'autres médecins à Québec...»

Patricia ne put s'empêcher de penser à sa rencontre avec Lucie.

«Tu as raison. Mais pour m'aider à me sentir mieux, il n'y a personne comme toi.

— J'ai rencontré quelqu'un que tu connais.

— Oui? Oui?

— Lucie Baptiste.

— Ah.

— Tu ne m'avais pas dit que tu l'avais rencontrée l'autre jour.

— Tiens, non. On s'est seulement dit bonjour. Je n'y ai plus repensé.

— C'est une femme magnifique.

— C'est du passé tout ça, dit-il, mal à l'aise.

— J'ai seulement dit que c'était une femme magnifique. T'as pas à t'excuser.

— Je ne me suis pas excusé. J'ai seulement oublié de te dire que je l'avais vue une minute. D'ailleurs, c'est toi qui en as parlé.

— Pourquoi tu te mets sur la défensive?

— Pourquoi on parle d'elle tout à coup? demanda-t-il en haussant la voix. On était bien, puis parce que j'ai vu, non, parce que tu as vu quelqu'un que j'aimais il y a deux ans, tu...

— Quelqu'un que tu as beaucoup aimé, rappela-t-elle d'une voix douce mais légèrement affligée.

— Je ne peux pas l'empêcher d'exister parce que... Ah!

dit-il, énervé. Écoute: c'est fini entre elle et moi. Tu t'inquiètes pour rien... jalouse!»

Patricia n'était pas tellement jalouse, mais peut-être inconsciemment peu sûre d'elle.

«Oui. Je suis jalouse, un peu. Tu ne parles jamais d'elle.

— Une chance!

— Tu ne penses plus à elle? Jamais?

— Jamais.»

Il avait dit cela sans qu'elle puisse voir l'expression de son visage.

☆

Les calculs de Jerrings avaient été bons. Mike Ferguson avait demandé un rendez-vous à Allan Goldman pour discuter du contrat de Lambert. Celui-ci le reçut, assisté de son comptable, dans son bureau du Colisée.

«Je ne te suis pas très bien, Mike, dit Allan, le visage inexpressif, comme de coutume. Je ne me mêle jamais des affaires de Gilles Guilbeault. Le contrat de Lambert, c'est son domaine.

— J'ai déjà joué au poker, moi aussi, répondit Ferguson, impatient. Quand j'ai annoncé que Toronto s'intéressait à Lambert, il n'était pas au courant.

— Et alors?

— Ça veut dire que c'est le propriétaire, toi, que l'on est venu voir.

— Comme je te l'ai dit, c'est l'affaire de Gilles, répondit l'autre en sortant un cigare.

— D'accord. Pierre Lambert ne jouera pas sans un nouveau contrat. C'est le message que j'ai transmis à Guilbeault. C'est à toi de jouer.»

Il le quitta sur ces mots, l'air peu satisfait.

Goldman jeta un coup d'œil significatif à Baril qui partit à son tour sans dire un mot. Allan demanda qu'on joigne Peter Jerrings et obtint rapidement la communication.

«Peter? Je n'ai pas très bien entendu, l'autre jour, à

l'hippodrome, mentit-il ouvertement. De combien avait-on parlé? De un ou de deux millions?

— Ma foi, répondit l'autre en entrant dans le jeu, je croyais que c'était de un million, mais il est très possible que ce soit de deux.

— J'avais mal entendu. Je te remercie. Il est possible que je te donne de mes nouvelles très bientôt.»

Les enchères montaient. Sa main était belle.

Une fois de plus, l'équipe était réunie autour d'un terrain de balle molle. Le match d'exhibition l'opposait, cette fois-ci, aux policiers de la ville de Québec. Les profits seraient versés à la fondation Patrick-O'Connell, nouvellement créée à la demande de Pierre. Patricia, émue, reçut le chèque destiné à venir en aide au sport amateur.

Comme à l'habitude, le plus intéressant se déroulait dans les estrades plutôt que sur le terrain. Le «Curé» demandait à Robert, qui semblait soucieux, ce qui n'allait pas. Marc vit arriver Suzie accompagnée d'un jeune blanc-bec aux allures efféminées. Templeton et White projetaient de faire la grève si on ne les payait pas en devises américaines.

Pierre, quant à lui, dut quitter précipitamment le match. Il avait discrètement pris rendez-vous chez un chiropraticien compétent, mais pas trop connu, pour faire examiner son dos. Les radiographies que celui-ci lui fit passer révélèrent une hernie discale.

«Vous voyez cette tache blanche sur la radio? Vous pouvez peut-être éviter l'opération avec beaucoup de repos et des exercices d'élongation.»

Pierre réfléchissait.

«Quand la saison commence-t-elle? demanda le médecin.

— Fin septembre.

— Hors de question que vous recommenciez à jouer d'ici là. Vous avez besoin d'un minimum de trois mois de repos.

Sinon, votre dos risque de s'endommager irrémédiablement et vous pourrez dire adieu au hockey.

— Ça, docteur, c'est mon problème. Je vous demanderai seulement de n'en parler à personne. Secret professionnel.»

Le médecin acquiesça.

☆

Lucien contempla la luxueuse salle de rédaction du *Matin.* Il y avait de la moquette sur toute la surface du plancher plutôt qu'un carrelage bon marché. Des plantes vertes, égayant l'atmosphère, profitaient largement des rayons du soleil qui entraient par la grande baie vitrée. La téléphoniste, juchée sur une estrade à la manière d'un disc-jockey, passait leurs appels aux journalistes, où qu'ils soient dans l'immense pièce.

Rien à voir avec la sombre salle de rédaction du *Métro,* que ses souvenirs rendaient quatre fois plus petite, où les bureaux étaient séparés par des cloisons modulaires. Ici, tout le monde se voyait, échangeait son opinion sur l'actualité, empruntait le téléphone ou le terminal du voisin.

Lucien avança timidement au milieu des tables recouvertes de paperasse. Les journalistes, tous syndiqués, le regardèrent en feignant une indifférence qui cachait mal leur hostilité. Il se sentait l'air stupide, avec sa boîte de carton remplie de babioles dont il n'avait pas voulu se débarrasser en changeant d'employeur. Se demandant où il allait s'installer, il se dirigea vers le grand bureau isolé par des cloisons de verre, dans le coin de la salle, qu'on lui avait décrit comme étant celui de Ben Belley.

Le rédacteur de la section des sports l'y attendait de pied ferme. Lucien hésita un moment sur le seuil de la porte. Belley, déplaisant comme de coutume, le força à se décider:

«Tu rentres ou tu sors?

— Bonjour, monsieur Belley..., commença Lucien.

— Tu vas m'appeler Ben à partir de maintenant ou tu vas avoir des problèmes!

— Compris, monsieur Belley, s'oublia Lulu.

— Prends le bureau du fond et tâche de ne pas te faire remarquer», ordonna Ben en se plongeant dans la lecture d'un papier.

Lucien ne bougea pas, cherchant quelque chose à dire.

«Dépêche-toi! aboya l'autre, impatient.

— Oui, mons... Ben.»

Lucien s'éclipsa.

Luce Gagné, la présidente du syndicat, dont le sale caractère n'avait malheureusement rien à envier à celui de Belley, l'interrompit alors qu'il plaçait une photo de sa petite famille sur son nouveau bureau.

«Installe-toi pas trop vite! Si tu penses que ta belle-sœur va faire la loi ici, tu te trompes. Le syndicat dépose un grief contre toi aujourd'hui même.

— Ça commence bien.

— Mais avant — question technique — il faut que tu verses ta cotisation syndicale comme les autres, dit-elle d'une voix presque gentille.

— C'est fort, ça! Il faut que je paye pour lever un grief contre moi. Ça commence bien, y a pas à dire.»

Linda, l'autre femme forte du journal, lui ordonna de venir immédiatement dans son bureau. Luce lui souhaita toute la malchance du monde en le regardant s'éloigner.

«Ça commence vraiment bien!» répéta-t-il pour lui-même.

☆

Jacques Mercier regardait tourner la soixantaine de garçons sur la patinoire municipale de Fribourg. Tous voulaient devenir des joueurs de hockey et, pour cela, Mercier ne connaissait qu'un moyen: la transpiration. Il lui importait peu qu'ils ne soient âgés que de dix à douze ans; leurs parents avaient payé le gros prix pour les inscrire à son école et ils allaient en avoir pour leur argent. Les jeunes garçons s'épuisaient sous ses exhortations.

Jacques détourna son attention de l'entraînement pour aller rejoindre sa femme et son fils qui étaient venus le saluer.

C'étaient peut-être les deux seules personnes à qui il montrait un peu de tendresse. Jimmy marchait maintenant presque normalement, à l'aide d'une canne. Judy tenta de modérer l'intransigeance de Jacques face à ses élèves.

«Jacques! Ce sont des enfants.

— C'est une école de hockey ici, pas une maternelle», répondit-il, imperturbable.

Un petit chauve, que Jacques reconnut comme le remplaçant de Frédéric Tanner, Claude Bertolly, venait vers eux, accompagné d'un grand homme dont les yeux bleus, les cheveux blonds et les traits taillés au couteau révélaient une origine scandinave. Le premier lui présenta le second.

«Monsieur Mercier, je vous présente votre nouvel adjoint: Olaf Sandstrom. Il est Suédois.

— J'ai tous les assistants dont j'ai besoin, répondit sèchement Mercier sans lui serrer la main.

— La Fédération croit qu'une initiation aux méthodes américaines compléterait bien sa formation, d'ailleurs excellente, et il vous appuiera solidement.»

Jacques Mercier les regarda tous les deux et repensa à l'offre de Tanner.

Le Matin avait organisé un tournoi de tennis pour venir en aide aux personnes handicapées. Outre son objectif de bienfaisance, ce genre d'événements permettait d'établir des contacts en rassemblant des gens de milieux influents: des journalistes, des hommes d'affaires, des politiciens...

Frédéric Tanner s'y était donc rendu. Il serra la main de Joan Faulkner lui qui présenta sa fille, une superbe blonde qui avait grandi dans le pouvoir, le luxe, le jet-set, et la solitude.

«Ma fille: Vanessa, qui a étudié en Suisse.

— C'est là que j'ai eu les meilleurs professeurs de ski, dit-elle.

— Je suis charmé, mademoiselle, répondit Tanner, toujours galant.

— Monsieur Tanner représente un groupe suisse, Davillos, en mal d'investissements.»

Tanner cligna de l'œil devant la perspicacité de Joan Faulkner. Elle était aussi bien informée qu'on le lui avait dit.

«On ne peut rien vous cacher.» Il la quitta sur ces mots, voyant d'autres invités approcher pour faire la connaissance du phénomène Faulkner.

Vanessa, belle et indifférente, se promenait, en soupirant d'ennui, au milieu des personnalités que sa mère avait invitées. Les hommes la dévisageaient, admiratifs, sans éveiller le moindre intérêt en elle. L'un d'eux, particulièrement séduisant, eut tout de même droit à un léger froncement de sourcils. Elle l'écarta, cependant: elle n'avait jamais vu sa photo sur aucune couverture de magazine. Elle eut un vague frisson de dégoût en voyant Lucien et Johanne, visiblement impressionnés devant le clinquant de ce buffet.

«As-tu vu la fille de Faulkner? demanda Lucien, le souffle coupé.

— Elle est bien trop grande.

— Ouais..., fit-il en changeant de sujet. Tout le monde du *Matin* est ici. Il n'y a pas beaucoup de gens que je ne connaisse pas.

— En tout cas, on dirait que tu voudrais en connaître une en particulier...»

Lucien s'en voulut d'avoir émis ce commentaire. Ils virent arriver une grande femme, très élégante, blonde, seule, dégageant une ferme assurance. Le sourire qu'elle leur adressa leur fit se rendre compte, à leur grande surprise, qu'il s'agissait de Linda.

Linda Hébert était une très belle femme qui, pour des raisons professionnelles et personnelles, ne se mettait que rarement en valeur. Ce soir-là, elle avait décidé de bien paraître et y était parvenue. Elle portait une robe superbe qui dénudait ses épaules, s'était rajeunie de dix ans grâce à un maquillage discret et avait dénoué ses cheveux pour les laisser tomber en cascade. Seule Vanessa Faulkner pouvait l'éclipser, mais sa beauté n'aurait jamais la maturité de celle de Linda.

C'était, d'ailleurs, l'avis de Frédéric Tanner qui, pour la première fois, la contemplait à son aise. Ils s'étaient déjà rencontrés, deux ans auparavant, alors qu'elle lui avait arraché le scoop de l'année: le départ de Jacques Mercier pour l'Europe. Leur contact avait été froid et mû par des intérêts strictement professionnels, radicalement opposés. Cette fois, il espérait faire mieux et alla à sa rencontre.

«Mademoiselle Hébert, commença-t-il chaleureusement, je suis ravi de vous voir ici.

— Frédéric Tanner! Que faites-vous à Québec? Vous êtes à la recherche d'un autre Jacques Mercier?»

Elle se souvenait parfaitement de leur premier contact.

«Non. J'ai quitté la Fédération européenne de hockey. Je ne suis plus qu'un simple homme d'affaires.

— Et quelles affaires traitez-vous? demanda-t-elle en suivant son instinct de journaliste.

— Il est malheureusement trop tôt pour que vous puissiez annoncer quoi que ce soit, répondit-il prudemment, mais avec courtoisie.

— Alors, vous ne m'êtes d'aucun intérêt.»

Elle fit une moue désabusée et s'en alla. Tanner encaissa en souriant. Il adorait son caractère.

☆

Marc, morose, sirotait un scotch en regardant Suzie nager dans sa piscine. Elle vint s'appuyer sur le bord de celle-ci, le plus près possible de lui.

«Pourquoi tu ne viens pas? proposa-t-elle. L'eau est bonne.

— J'ai pas le goût.»

Elle sortit de l'eau, se sécha et vint s'asseoir à ses côtés.

«Qu'est-ce que tu as, ce soir? demanda-t-elle, attentive.

— Rien.

— Marc, tu n'es pas bien, en ce moment? On est

ensemble, il n'y a personne pour nous déranger.» Elle se fit rêveuse, passionnée. «J'ai envie de danser. J'ai envie d'être avec toi. Tu me serrerais dans tes bras, tu me dirais des choses. On a toute la nuit...

— Je ne sais pas ce que j'ai. Je suis seulement tendu. C'était plus simple quand je n'avais qu'à jouer, dit-il, plein de ressentiment. Au moins là, j'avais des chums. Maintenant, je vois les joueurs qui me regardent, puis je vois que, pour eux, je suis l'écœurant qui les pousse pour les faire produire.

— Tu te fais des idées. Dis-toi bien que tu n'es pas comme Jacques Mercier: tes joueurs te respectent, toi.

— Peut-être. Mais Jacques Mercier gagnait, lui.

— Arrête de penser à ça! Je vais à Montréal, demain. Ce soir, je veux que tu t'occupes de moi.

— Encore ton Marso? Ça lui prend bien du temps à monter ta campagne publicitaire!

— T'es jaloux..., murmura-t-elle, avec un sourire en coin.

— Moi? Jaloux? D'un petit trou de cul comme ça? Franchement!

— T'es jaloux!»

Suzie se moqua un peu de son ami. Lui, bon joueur, mais pas tout à fait, se leva et avança sur elle, avec un drôle d'air.

«Approche donc, un peu, toi...» Elle recula en riant. «Aie pas peur, je te ferai pas de mal...

— Qu'est-ce que tu vas me faire?

— Tu verras bien!

— Faut m'attraper, d'abord!»

Elle plongea, il la suivit. Ils jouèrent un peu dans l'eau, puis s'embrassèrent.

Pierre était venu rejoindre Patricia à l'hôpital, tard dans la soirée, pour qu'ils rentrent ensemble. Il pénétra dans la cafétéria et la chercha des yeux dans la clientèle dispersée. Elle était en train de discuter avec quelqu'un qu'il ne pouvait voir à cause d'une colonne. Heureux de la trouver, il se rendit à sa table.

«Bonsoir, Pierre. Assieds-toi, on parlait de toi justement.»

Il se retourna pour voir son interlocuteur. C'était Lucie Baptiste, souriante.

«Ça va, Pierre? demanda celle-ci.

— Parfaitement... Vous parliez de moi?

— Tu ne m'embrasses pas? fit remarquer Patricia, sans remarquer la gêne de Pierre.

— Bien sûr.» Il l'embrassa. «Vous parliez de moi? répéta-t-il, curieux et inquiet.

— Oui, répondit Lucie. On parlait de ton dos. Il faut que tu sois prudent: un dos, c'est encore plus complexe qu'un genou.

— Pourquoi un genou? demanda Patricia.

— Pierre et moi nous sommes rencontrés alors qu'il soignait une blessure à un genou, expliqua Lucie.

— Je ne savais pas. Il faudra tout me dire.»

Elles se sourirent.

«Je vais tout vous raconter sur le grand Pierre Lambert.»

Les deux femmes le regardèrent en riant. Il aurait voulu être ailleurs.

☆

Robert attendait nerveusement, couché sur le lit de la chambre qu'il avait louée à Montréal. Il jetait de fréquents coups d'œil à sa montre. La pièce était suffisamment anonyme pour ne pas lui rappeler davantage ce qu'il allait faire.

L'important, c'était qu'elle vienne.

On cogna à la porte. Il sauta sur ses pieds. Maryse entra. Ils se regardèrent. Sans se quitter des yeux, ils se déshabillèrent et s'embrassèrent. Il y avait autant de peine que de passion dans leurs gestes.

Robert déposa Maryse sur le lit, acheva de la dévêtir. Ses mains tremblaient légèrement. Il caressa lentement son corps, gardé intact par des années de vie saine et sans histoire. Il posa ses lèvres sur son cou, penché sur elle. Elle sentait son souffle irrégulier sur sa peau et se serra contre lui, pour s'imprégner de sa chaleur.

Ils restèrent longtemps l'un contre l'autre, sans parler. Elle le caressa à son tour, parcourut de ses mains sa poitrine velue, un peu grisonnante. Aucune croix en or ne venait la gêner. Elle huma sa peau, la goûta, puis grimpa sur lui et plongea son regard dans ses yeux noirs, y vit son tourment et son désir.

Refusant de s'interroger, ils continuèrent à se caresser, d'abord doucement, puis fébrilement. À genoux au-dessus de lui, elle se fondit en lui. Elle sur lui, lui dans elle, ils se laissèrent emporter par un plaisir intense et troublé.

Baignés de sueurs, ils se calmèrent lentement, chacun d'un côté du lit. Elle se pencha au-dessus de lui, posa un chaste baiser sur ses lèvres, passa sa main sur sa joue. La gorge serrée, la voix chevrotante, elle murmura:

«L'Amour est fort comme la Mort;

«La Jalousie inflexible comme l'Enfer;

«Ses flammes sont des flammes ardentes:

«Un coup de foudre sacré.

«Les Grandes Eaux ne pourraient éteindre l'Amour,

«Et les Fleuves ne le submergeraient pas.»

Robert la regarda, sans comprendre:

«Qu'est-ce que c'est?

— Le seul passage de la Bible qu'il ne m'ait jamais lu.»

Elle appuya sa tête sur son torse et pleura sans bruit.

Sylvie, les yeux rouges, regardait Sergei faire ses dernières valises pour Philadelphie.

«Je ne peux pas, Sylvie. Ce serait un mensonge.

— Tu ne veux pas de moi, c'est ça? On serait heureux à Philadelphie. On pourrait être heureux...

— Je ne sais pas. Si j'étais resté à Québec, peut-être. Mais, maintenant, je ne sais plus. Laisse-moi du temps.

— T'en fais pas. Je connais le discours. Je sais quand on ne veut plus de moi. Adieu, Sergei. Tâche d'être heureux.»

Elle le quitta ainsi. Il la regarda s'en aller, lui-même trop malheureux pour essayer de la retenir.

☆

«Quelle émission, vous dites? Ça parle de politique, ça; je n'ai rien à voir avec la politique...»

Maroussia, qui venait d'arriver, observait Gilles, tendu, fatigué, en train de se faire expliquer pourquoi il devait participer à une émission de politique. Elle lui sourit, contente de le voir, et remarqua, légèrement inquiète, des cernes sous les yeux et une pâleur inhabituelle.

«J'ai échangé Sergei Koulikov pour des raisons de hockey, expliqua-t-il, impatient. C'est clair? S'il a des problèmes avec l'immigration américaine, appelez l'immigration américaine.» Il fit une pause, laissant, avec irritation, son interlocuteur exposer ses arguments. Il s'énerva: «Quoi? Je ne lui avais rien promis! Un joueur de hockey, c'est un joueur de hockey. Quand bien même il serait chinois ou hindou.» Il raccrocha en poussant un long soupir.

«Je vois que monsieur Guilbeault est de bonne humeur, constata sa femme.

— Du tout. Les intellectuels ne me lâchent pas à cause de Koulikov. C'est devenu une affaire d'État.

— Gilles, tu dois te reposer. Tu n'as pas pris une journée de vacances de l'été. Tu ne prends plus de marches, ni le temps de relaxer...

— Où veux-tu que je trouve le temps? coupa-t-il. Explique-moi!

— Après ta crise d'angine, il y a deux ans, tu mettais tes priorités de vie ailleurs que dans le travail...

— Je sais...» Gilles n'aimait pas penser à ce dur moment.

«J'ai loué un chalet près de Charlevoix. Une petite merveille. Nous y allons pour une semaine. Pas de téléphone ni de télévision. Rien que toi et moi.

— Maroussia, je ne peux pas. Pas en ce moment...

— Si, tu peux. Tu peux parce que je t'aime et que tu

m'aimes, et que je tiens trop à toi pour te laisser te crever le cœur à l'ouvrage.

— Je ne peux pas, je te jure que je voudrais bien...

— Eh bien, moi j'y vais, dit-elle en se levant, raide et offusquée. Si tu veux me voir, tu as l'adresse du chalet sur ton bureau, à la maison. Continue de travailler, Gilles Guilbeault, je sais ce que c'est d'être veuve.»

Elle s'en alla en claquant la porte. Il la suivit, mais, au moment où il mit la main sur la poignée, il s'arrêta.

Pierre, au volant de sa voiture, se rendait chez Robert Martin, à la recherche de quelqu'un à qui se confier. Il le trouva en train de repeindre sa clôture, sa femme s'occupant de la finition.

«Comment as-tu fait pour le convaincre de s'y mettre? demanda Pierre, admiratif.

— Il s'est offert lui-même, répondit Pierrette. Il ne tient plus en place, ces jours-ci. J'en profite!

— En tout cas, moi, je fais une pause, fit Robert en posant son pinceau. Une bière, le Chat? offrit-il.

— Non, merci.»

Pierre avait l'air soucieux. Ils marchèrent lentement vers les chaises de jardin, s'éloignant de Pierrette. Robert le regarda, compréhensif.

«Qu'est-ce qui se passe?

— Rien.

— Comme ça, tu es venu me voir pour me dire bonjour?

— Des histoires de femmes..., marmonna Pierre.

— Qu'est-ce que tu veux dire? demanda Robert précipitamment.

— J'ai revu Lucie Baptiste.

— Ah bon! s'exclama Robert, soulagé. Le coup au cœur?

— Pour être honnête, oui. Le pire, c'est que c'est à cause de Patricia. Elle l'a rencontrée à l'hôpital et elles ont décidé de devenir amies. Qu'est-ce que je peux y faire?

— Rien. Ça fait encore plus mal dans ces cas-là.

— Je pense que Patricia a senti que je ne filais pas. Elle me parle tout le temps d'elle, me demande si j'y pense encore, si Lucie est plus belle qu'elle, si j'étais plus heureux avec Lucie qu'avec elle... Puis moi, je peux juste lui dire non. Mais j'ai tellement peur de lui mentir en disant ça.

— Je te comprends. On est jamais à l'abri de ces choses-là, je te le dis.

— De quoi tu parles?

— Euh, je disais ça comme ça. Lucie, elle, comment elle l'a pris?

— Elle? J'en sais rien. Elle m'a seulement dit qu'elle était heureuse. Elle s'est mariée et elle a un enfant, maintenant. C'est moi que ça a mis à l'envers.

— Faudrait pas trop jouer avec le feu...»

Il y eut un silence. Pierre continua:

«Sais-tu ce qui m'inquiète? J'aime Patricia, je veux la marier, lui faire des enfants, mais... il me semble que je n'ai jamais été ébloui comme je l'étais avec Lucie.

— Qu'est-ce que tu veux savoir? Si tu aimes encore Lucie? Si tu aimes Patricia? Moi, je pense que tu les aimes toutes les deux, c'est ça, ton problème. Il y en a une que tu aimes parce qu'elle est toujours avec toi; l'autre, c'est le coup de foudre, la grande passion...» Il se mit à parler d'une voix étrangement passionnée. «Tu te sens tordu jusque dans tes tripes.

— Je n'irais pas jusque-là, répondit Pierre en souriant vaguement.

— Mon Pierre, ça va se décider entre toi et toi. T'es pas un gars à aimer les mensonges. J'espère seulement que ça ne fera pas trop mal.

— Je devrais peut-être venir te voir plus souvent, fit Pierre, ému.

— Un jour, ça sera peut-être mon tour, répondit Robert, énigmatique.

— Toi?»

☆

«...C'est ça. Nous allons donner une conférence de presse mardi, à cinq heures, au York de Toronto. Il faudrait que Lambert y soit pour quatre heures.» Allan Goldman raccrocha. Sa nervosité à peine atténuée par les quelques verres de scotch qu'il avait pris, il se précipita au garage pour y prendre sa Ferrari.

Hugo, remarquant le bruit d'une puissante voiture qui s'arrêtait devant la maison en faisant crisser ses pneus, regardait avidement les clés qui miroitaient devant ses yeux. Son beau-père les lui remit, hésitant.

«Tu payes pour la moindre égratignure, compris? Et si j'apprends que tu as pris une goutte d'alcool avant de prendre le volant, ça aura été ta seule occasion de la conduire.

— Compris. Merci, Gilles!»

Hugo sortit prestement de la maison et vit Allan Goldman qui s'apprêtait à cogner à la porte. Il démarra dans un terrible vrombissement qui fit frissonner Gilles. Ce dernier invita son employeur, visiblement préoccupé, à entrer.

«Qu'est-ce qui se passe, fit Guilbeault, observateur. Je t'ai rarement vu aussi nerveux.

— Maroussia n'est pas là?

— Elle se repose dans le bout de Charlevoix. Veux-tu un scotch? demanda Gilles, qui ne buvait pas.

— Non, merci. Il faut que je te parle immédiatement.»

On aurait dit qu'il avait à faire un terrible aveu.

«Vas-y. Tu commences à m'inquiéter.

— J'ai effectué une très importante transaction, il y a un quart d'heure.

— Et alors? La finance, c'est ton problème; moi, c'est le National...

— Je viens de vendre le contrat de Pierre Lambert aux Maple Leafs de Toronto.

— Contre qui? s'exclama Gilles, incrédule, qui se demandait quelle vedette pourrait satisfaire un échange pareil.

— Personne. Je l'ai vendu contre deux millions comptant.

— Quoi?

— J'ai vendu Pierre Lambert, pour deux millions de dollars, à Peter Jerrings.

— T'es fou. Il faut que ça soit ça. Québec va te crucifier sur la Grande Allée. Pierre Lambert, c'est le sang de l'équipe, la seule vraie étoile du National. Ils vont te lyncher, Allan!

— Je n'avais pas le choix, Gilles. Il me fallait cet argent.

— Sors d'ici, Allan! Sors d'ici avant que je ne me fâche. Tu sais ce que je penses de toi? T'es un vendu, un Judas! Fous le camp! Dehors!»

Goldman se durçit, mais évita le regard de Gilles. Péniblement, il articula:

«Gilles, je n'ai rien entendu. Tu n'as rien dit, *my friend*. Tu es toujours le directeur général du National. Appelle Lambert pour lui annoncer la nouvelle.

— On n'a plus rien à se dire. Je ne travaille plus pour toi. J'ai été engagé par un homme d'affaires honnête, pas par un traître qui joue des hommes au poker! Je n'enverrai jamais le télex au bureau de la Ligue, jamais!

— Réfléchis, Gilles. Baril va s'occuper de Pierre...

— C'est tout réfléchi. Tu n'as plus de directeur!»

☆

«Peter Jerrings, je vous prie. Pierre Lambert, du National.

— Pierre! mon ami. Tu es le bienvenu dans l'équipe. Tu fais maintenant partie des Maple Leafs de Toronto.

— On vient de me l'apprendre. Je n'y crois pas encore.

— On vient d'acheter ton contrat pour deux millions, cash. Et nous allons t'en offrir un nouveau de six cent cinquante mille par année.

— C'est impossible...

— C'est on ne peut plus sérieux. Nous avons déjà informé la Ligue nationale. Nous sommes fiers de t'avoir avec nous.

— Attendez, ça va bien trop vite pour moi. Je vais appeler mon directeur général.

— Gilles Guilbeault a été prévenu. J'ai une faveur à te demander, Pierre. Pas un mot à personne. Demain, à cinq heures, à Toronto, la nouvelle sera annoncée lors d'une conférence de presse. Tu vas être présenté aux journalistes torontois. Ça va être fantastique!»

Ils raccrochèrent. Pierre se tourna vers Maurice Baril, qui venait de lui apprendre la vente de son contrat. Celui-ci évitait son regard. Il lui remit deux billets d'avion pour Toronto. Pierre commença à voir son transfert de façon concrète.

«Le National m'a vendu. Pour de l'argent? Je ne peux pas croire que Gilles aurait fait ça.

— Gilles n'a rien eu à voir là-dedans, expliqua Baril, triomphant. C'est monsieur Goldman qui a effectué la transaction. Ça m'étonnerait que Guilbeault reste directeur général encore longtemps...»

Baril s'en alla. Pierre, sous le choc, s'assit quelques instants. «Toronto... ils m'ont vendu aux Maple Leafs... déménager... vivre ailleurs... quitter Québec...» Il se massa longuement le front. «Patricia.» Il enfila une veste, sauta dans sa voiture, fonça jusqu'à l'hôpital.

«Patricia O'Connell? Une infirmière.

— Monsieur Lambert! Comment allez-vous? Allez-vous nous donner une bonne saison, cet hiver?

— Euh... je vais essayer. Où puis-je trouver Patricia?

— Aucune idée. Demandez à la réception. Je suis un fan du National, vous savez. Québec est fière de vous!»

Pierre traversa le long corridor qui menait à la réception, demanda à quel service travaillait Patricia. Avant qu'on ne lui réponde, on l'avait encore complimenté sur son talent de joueur de hockey. Patricia était affectée à la surveillance d'un couloir, au troisième étage.

Pierre grimpa les escaliers quatre à quatre, en pensant à ses partisans qui mettaient leur confiance en lui. Il aperçut Patricia, qui lisait un gros bouquin pour se tenir éveillée. Elle leva la tête, lui sourit.

«Qu'est-ce qui me vaut ce plaisir? demanda-t-elle, surprise.

— Tu es bien assise?

— Oui. Mais qu'est-ce que tu as? T'es bien excité!

— Penses-tu que tu pourrais aimer vivre à Toronto?»

Patricia réfléchit quelques secondes, pensa à ses cousins anglo-saxons qui menaient une existence morne dans la métropole canadienne.

«Pas vraiment, je ne peux pas dire. Dans le fond, je serais bien partout où tu serais. La blonde d'un joueur de hockey...

— Le National m'a vendu aux Maple Leafs. Je viens de parler à leur propriétaire, je dois être à Toronto à cinq heures demain, pour une conférence de presse. Je veux que tu viennes avec moi.»

Elle le regarda, effarée.

«Je vais essayer d'être raisonnable. Mais ça arrive tellement vite!»

Marie-Anne fut réveillée, au milieu de la nuit, par la sonnette de la porte d'entrée. Encore engourdie, elle ouvrit à un Gilles Guilbeault à l'air catastrophé. Elle l'invita à entrer et lui prépara un thé, tandis qu'il lui racontait les événements de la journée.

«Je ne peux plus continuer. J'ai démissionné, il n'y a rien à faire.

— Je sais que c'est dur, Gilles, mais tu devrais attendre. Réfléchis encore un peu. Il y a trop de choses qui se passent en ce moment dans l'équipe.

— C'est une question d'honneur. Je veux être capable de me regarder dans un miroir. J'aurais honte d'entrer dans mon bureau à l'avenir.

— Écoute mon conseil: demain, téléphone à ta secrétaire et dis-lui que tu es malade. Ça va forcer Goldman à réagir. Fais confiance à ton avocate.

— Tu es plus qu'une avocate. Tu es une amie, et je t'en suis reconnaissant.»

Marie-Anne observait le petit garçon désorienté qui se révélait sous cette carapace de patriarche. Toute l'affection qu'elle avait pour lui se libéra. Elle l'embrassa passionnément, sans lui laisser le temps de réagir, et quand il le fit, il la repoussa doucement. Elle le regarda, peinée.

«Une amie, Marie-Anne.

— Je suis aussi une femme.

— C'est comme ça. Je dois m'en aller, maintenant.

— Je t'ouvre la porte.»

Linda, Belley et Lucien, surexcités, venaient d'apprendre qu'une conférence de presse d'une grande importance aurait lieu à Toronto d'ici quelques heures. Ils en cherchaient désespérément le sujet.

«Tu vas tout vérifier, Lulu, demanda Linda.

— Vérifier quoi? C'est simple, le National nous prévient d'une conférence à Toronto: un joueur de Québec a été échangé aux Maple Leafs.

— Ou un dirigeant? intervint Lucien.

— Comment?

— J'ai essayé de rejoindre Gilles Guilbeault. Il n'est pas à la maison, et sa secrétaire m'a dit qu'il souffrait d'une indigestion.

— C'est possible.

— Ça ne se peut pas! Guilbeault est mince comme un fil, il est végétarien et il n'a pas bu une goutte d'alcool depuis des années. Ça fait pas d'indigestion, les mangeux de salades!

— De toute façon, déclara Linda, on va en avoir le cœur net. Lulu, tu as le temps d'attraper le vol de deux heures. Tu vas être au York pour cinq heures.»

Aylmer avait eu une discussion animée avec Mike Ferguson. Il avait fait valoir que l'échange de Lambert nuisait à l'équilibre de la Ligue nationale. C'était vrai, mais c'était aussi une bonne façon de contrôler le jeu. Devant Joan

Faulkner, il allait prendre la position inverse, celle de la non-intervention.

«C'est exactement ce que vous vouliez. Avec les dettes de Goldman et le départ de Lambert, vous pourrez acheter le National pour une bouchée de pain, et déménager la franchise à Hamilton.

— Oui. Mais qui va remplir l'aréna? Le National, sans Lambert, ce n'est plus le National. Je veux transférer une franchise à Hamilton, mais au prix où vous me vendez vos terrains, et au coût de l'aréna que je dois y faire construire... j'ai bien peur que cela ne soit plus possible. Sans Lambert, je ne marche plus.

— À quoi voulez-vous en venir?

— Bloquez la vente de Lambert.

— Impossible.

— Pourquoi? Cela se fait au base-ball.

— Hors de question.

— Et pourquoi, monsieur Aylmer?

— Si je bloque la vente, le prix du club va monter en flèche, et rien ne m'assurera que vous pourrez construire votre aréna sur mes terrains.

— Autrement dit, vous avez le pouvoir de bloquer la vente, mais vous désirez que je vous garantisse l'achat de vos terrains, même si l'aréna n'y est pas construit.

— Ce n'est pas si simple. Je vais m'exposer à beaucoup de critiques, ma position de président de la Ligue rend délicate toute intervention dans le genre...

— Vous n'avez pas le choix. Vous le savez. Bloquez sa vente.»

Vanessa Faulkner, qui avait tout entendu de la pièce voisine, admira une fois de plus la merveilleuse rapacité de sa mère.

Pierre et Patricia, nerveux, dans le vestiaire du Maple Leafs Square Garden, attendaient impatiemment l'arrivée du nouvel entraîneur de Pierre, Brian Harvey. Patricia se serra contre lui et demanda:

«Ça ne te rend pas trop nerveux, l'échange?

— Non. C'est la façon dont ça s'est passé qui m'inquiète. Je suis sûr que Goldman est passé par-dessus Gilles Guilbeault pour vendre mon contrat. J'ai peur qu'il n'en fasse une question de principe. Il doit être furieux.

— Mais toi, comment tu te sens?

— Ça fait partie de la vie d'un joueur de hockey, je suppose. Toronto a une équipe jeune, un bon entraîneur. Ça devrait aller, si tu es encore là.»

Elle le regarda tendrement.

«Toi, t'es un vrai joueur de hockey. En autant que tu aies une rondelle, un bâton et une patinoire, t'es heureux. Un vrai chat.»

Ils se retournèrent en même temps et virent Peter Jerrings et Brian Harvey entrer.

«Bonjour, Pierre! fit joyeusement l'entraîneur. Bienvenue dans l'équipe. Bonjour, madame. Tu ne peux pas savoir à quel point je suis heureux de t'avoir avec nous, Pierre. Avec toi, on va gagner la coupe Stanley dès cette année!

— Merci. Je vous promets de donner tout ce que je pourrai aux Maple Leafs.

— Je t'ai déjà désigné comme le nouveau capitaine de l'équipe. Tu vas être notre leader. Tiens.» Il lui remit un chandail aux couleurs torontoises. «On y a déjà cousu le C.»

Pierre l'enfila. Il se vit dans une glace. Sa respiration se fit plus difficile. Il murmura, pour Patricia:

«Je me rends compte que je vais quitter le National pour toujours.

— Ça fait mal, hein?

— J'ai une boule dans l'estomac. Mais c'est déjà fait.»

Il prit une profonde inspiration, son visage se durcit.

«Toronto, à nous deux!»

CHAPITRE V

À cinq heures moins le quart, Lucien faisait son entrée dans la salle de conférence du York de Toronto. Il salua les quelques journalistes qu'il connaissait, perdus dans la masse inhabituelle de reporters. Chacun y allait de ses suppositions sur la raison de leur présence. La plupart étaient certains qu'il s'agissait d'un échange avec le National.

Lucien fit part de son idée à Guy Drouin, arrivé un peu plus tôt:

«D'après moi, c'est Gilles Guilbeault ou Jacques Mercier.

— Peut-être Pierre Lambert, répondit l'autre, impressionné par les préparatifs de la conférence.

— Pierre Lambert? Es-tu fou, Guy? C'est lui, la concession. Sans lui, le National ne survivrait pas!

— On va le savoir d'ici dix minutes», rappela Drouin en consultant sa montre.

Les dix minutes parurent interminables à la cinquantaine de journalistes impatients. Le silence se fit quand un grand blond d'une trentaine d'années, au sourire agressif et habillé à la dernière mode, se présenta devant le micro. Ted Smith, le directeur des relations publiques, s'apprêtait à commencer la conférence.

«Gentlemen! salua-t-il vivement. Les Maple Leafs de Toronto vous ont convoqués à cette conférence pour vous annoncer l'une des plus importantes transactions de son histoire. Je laisse cet honneur à notre président. Messieurs, Peter Jerrings.»

Quelques applaudissements polis, mais discrets, accueillirent le président des Maple Leafs, qui affichait un sourire particulièrement fier. Les journalistes le regardaient s'installer au micro avec impatience. Il entama un petit discours fort ennuyeux sur les exploits passés de son club de hockey.

Les journalistes écoutèrent tranquillement sans prendre de notes. Dans les coulisses, Pierre Lambert et Ted Smith écoutaient aussi, attendant un signal de Jerrings pour faire leur entrée. Brian Harvey vint rejoindre Smith précipitamment: John Aylmer, au téléphone, demandait à parler à l'un des dirigeants de l'équipe.

Smith se précipita sur le combiné, échangea quelques mots saccadés avec Aylmer, puis alla rejoindre à toute vitesse Peter Jerrings qui était sur le point de dévoiler le sujet de la conférence.

Une fois de plus, les journalistes retinrent leur souffle. Jerrings avait quitté la scène et laissé le micro à son directeur des relations publiques qui annonça, avec un air crispé, que la conférence était retardée pour une durée indéfinie. Les protestations fusèrent de tous les coins de la salle.

Pierre, toujours en coulisses, s'impatientait lui aussi.

«Qu'est-ce qui se passe? demanda-t-il, nerveux.

— Je ne le sais pas plus que toi», répondit Brian Harvey.

Ils observèrent Jerrings, en sueur et visiblement mécontent, en train de protester au téléphone.

Une rumeur de mécontentement montait dans la salle de conférence. Lulu, n'y tenant plus, fonça dans un couloir, échappant aux agents de sécurité qui en bloquaient l'accès. Il eut juste le temps d'apercevoir Pierre Lambert dans un chandail des Maple Leafs avant qu'on ne lui ferme une porte au nez et qu'on ne l'empoigne solidement pour le ramener avec les autres journalistes.

«Et puis? lui demanda Drouin, curieux.

— Ah!...» Il tenait un scoop et ne le lâcherait pas. Pour toute réponse, il se contenta d'adresser un sourire espiègle à son collègue. Il sentit son cœur battre la chamade en voyant Ted Smith revenir au micro, mais se calma quand il constata que celui-ci ne faisait que demander à l'assistance de patienter encore un peu.

Au même moment, John Aylmer concluait son entretien téléphonique ainsi: «Nous nous sommes bien compris, Peter? La vente de Lambert est annulée. Tu ne fais rien. Tu ne déclares rien. Ma décision est finale. C'est pour le bien de la Ligue. D'accord?»

Peter Jerrings raccrocha, dépité et furieux. Ted Smith, paniqué, vint lui demander ce qu'il fallait faire.

«Dis-leur que la conférence de presse est remise, avec nos plus plates excuses. Tu ne leur donnes aucun commentaire.

— Mais, monsieur Jerrings, nous avons fait venir cinquante journalistes, nous pourrions seulement...

— J'ai dit: aucune déclaration! C'est clair?»

Le président, gêné, s'approcha de Pierre, confus.

«Nous avons un gros problème. Suis-moi, on doit se parler.» Ils s'éloignèrent un peu. «Nous avons besoin de toi, Pierre. Nous allons nous battre.

— D'abord, voulez-vous me dire ce qui se passe?

— John Aylmer vient d'annuler la transaction. Il paraît que c'est pour les meilleurs intérêts de la Ligue. Nous allons nous défendre, c'est du chantage.

— Vous voulez dire que rien n'est encore officiel?

— Non. Mais tu restes avec nous. On va poursuivre la Ligue.»

Pierre se renfrogna, retira son chandail bleu et blanc et, irrité, le remit à Jerrings. «J'en ai plein le cul, moi, de vos manigances. Débrouillez-vous tout seul.» Il prit Patricia par le bras et tous deux quittèrent précipitamment la pièce, sans dire au revoir.

Ils réussirent à éviter les représentants de la presse qui ne retenaient pas leurs commentaires désobligeants envers l'organisation des Maple Leafs. Seul Lucien était occupé à autre chose: il communiquait au *Matin* le scoop qu'il venait d'obtenir.

«T'es sûr de ton coup? demanda une nouvelle fois Ben

Belley. Est-il échangé ou pas? S'ils ont annulé la conférence, il n'y a rien d'officiel. D'accord! J'y vais avec PIERRE LAMBERT DANS L'UNIFORME DES MAPLE LEAFS et un gros point d'interrogation. Lucien, ça va chauffer!»

☆

«Satisfaite?

— Assez. Mais un quart d'heure de plus, et nos projets tombaient à l'eau.

— Vous n'aviez qu'à me garantir plus tôt l'achat de mes terrains.

— De toute façon, la vente de Lambert était effectivement contre les intérêts de la Ligue.

— C'est à moi seul d'en juger.

— Je sais...»

Joan Faulkner toisa Aylmer d'un regard condescendant, qu'il fit semblant de ne pas remarquer.

«Maintenant, vous avez toutes les cartes en main pour forcer Goldman à vendre», lui dit-elle, triomphante.

Aylmer se contenta de grommeler. Il n'aimait pas se voir donner des ordres, même camouflés sous une suggestion. Il salua froidement la femme d'affaires qui quittait son bureau. Il n'était pas très fier de lui: une fois de plus, il avait plié devant elle.

Il fit convoquer Allan Goldman. Le propriétaire du National se présenta le lendemain, furieux contre lui.

Les deux hommes, debout, se faisaient face au-dessus du bureau de John Aylmer. Ils avaient les traits tirés par le surmenage des dernières heures. Chacun tenait, avec acharnement, une position peu défendable.

«Cette fois, accusa Goldman, tu es allé trop loin. Je vais te traîner devant tous les tribunaux d'Amérique!

— J'ai bloqué la transaction de Lambert pour défendre les intérêts de la Ligue, répliqua fermement Aylmer, ainsi que me l'autorise notre constitution.

— Tu vas me le payer! affirma l'autre une fois de plus.

— Ferme-la, Goldman!» cria Aylmer, à bout de patience. Il sortit un épais dossier d'un tiroir, contourna le bureau et, soudainement très autoritaire, déposa violemment le document devant Allan. «C'est ton dossier. Ce qui s'est passé avec Lambert n'est que le début de tes problèmes. Et si on parlait de tes dettes de jeu?

— Vous me faites espionner, maintenant? demanda Goldman, soudain moins agressif.

— Tu peux perdre tout ton argent au jeu, si tu veux, Allan. Mais quand tu prends des paris d'un certain genre, *the puck stops here*. On se comprend?»

Goldman le regarda, vaincu. Il acquiesça silencieusement et s'en alla. Aylmer, seul, soupira en fermant les yeux.

«Moi, je pense que si Lambert part, le National va être dans la cave pour longtemps...», déclarait un des auditeurs de l'émission sportive d'André Simon. Suzie écoutait distraitement en faisant sa gymnastique et se demandait ce qui arrivait à son frère. Elle fut interrompue par la sonnette de la porte d'entrée.

C'était Marc qui, justement, ramenait Pierre et Patricia, avec leurs bagages. Suzie les regarda entrer, fatigués, et leur sourit:

«Salut, les rescapés de Toronto!

— Pas de blagues avec ça, s'il te plaît, supplia Pierre. Ç'a été toute une expérience. Et maintenant, je ne peux même plus entrer dans ma propre maison à cause des journalistes qui me courent après. Ça fait réfléchir quelqu'un. Ça le fait réfléchir pas mal.» Il hésita un instant, puis déclara à Marc: «Tu pourras le dire à Guilbeault: je ne chausse pas un patin avant d'avoir un nouveau contrat.

— Une minute, Pierre. On a tout fait pour empêcher l'échange, ça a sûrement fait pencher la balance...

— Et je devrais vous remercier? demanda Pierre, sceptique. Écoute ce que les gens disent de moi.» Il augmenta le volume de la radio.

«D'après moi, Lambert était prêt à s'en aller, mais il en a trop demandé, ce qui fait qu'à la dernière minute il a tout cancellé. Il est chanceux, il peut revenir. Mais il se fout de nous autres, ses fans...»

«De la bonne presse, hein?» commenta Pierre. Marc ne répondit pas. Suzie, voyant un certain malaise s'installer, coupa la radio. À ce moment, le téléphone se mit à sonner.

«Allô? Bonjour, Hugo. Oui, je te le passe.» Suzie tendit le combiné à Pierre. Celui-ci avait l'air un peu surpris, mais se doutait de la raison de l'appel de son frère.

«Salut, Hugo.

— Bonjour, Pierre. Je te félicite de ne pas être passé à Toronto, c'est une ville ennuyante.

— Merci.

— Mais je t'appelais pour autre chose.

— Combien?

— Rien de grave...

— Ça veut dire que ça ne coûtera rien?

— J'ai juste un peu abîmé l'auto de Gilles...

— Et tu n'as pas d'argent pour payer la réparation...

— Je ne vais quand même pas la mettre sur son compte!

— Combien?

— Oh! À peine six cents...

— D'accord. Mais ce n'est pas pour te faire plaisir. C'est pour lui éviter un infarctus.

— Merci!»

Pierre raccrocha, regarda sa sœur, souriant mais déconcerté. Elle avait visiblement compris de quoi il avait été question.

Pierre devint soudain plus sérieux.

«Gilles, lui? Où est-il?»

Gilles était dans le bureau d'Allan Goldman, journaux sous le bras, attendant, furibond, que celui-ci mette un terme à sa conversation téléphonique. L'homme d'affaires, remarquant son humeur massacrante, se dépêcha d'en finir avec son interlocuteur pour se consacrer à Guilbeault. Il le regarda, essayant de garder une certaine autorité, mais ne parvenant pas à cacher son embarras.

«Tu vas encore m'engueuler, dit-il.

— «Les jours de Guilbeault comptés au National!» cria Gilles en jetant le premier journal sous le nez de Goldman. «Un nouveau directeur au National?», «Qui a voulu vendre Lambert?»

C'était ce qu'annonçaient en gros titres les divers quotidiens de Québec. Gilles s'assit, le visage blême, et annonça gravement:

«Je n'ai plus le choix, Allan. J'ai rédigé ma lettre de démission.

— Gilles...

— Je ne peux plus diriger le National de Québec. C'est fini. Je suis la risée de toute la Ligue.

— Je vais attendre quelques jours avant d'accepter cette lettre, déclara Goldman d'un ton conciliant, tout en se levant. C'est l'émotion qui te fait parler, Gilles.

— Comme tu voudras. Mais je ne serai pas au bureau. C'est fini pour moi.

— Gilles, attends. De toute façon, je vais avoir besoin de toi ailleurs dans l'entreprise. Tu demeures vice-président, d'accord?

— Des paroles. Tu n'es plus le gars que j'ai connu. Las Vegas et Atlantic City t'ont fait tourner la tête.»

Le vieil autobus jaune à bandes noires roulait bruyamment sur une petite route de campagne. Sa carrosserie usée n'était pas responsable de ce tapage. À son bord, en effet, une trentaine de jeunes filles âgées de quatorze à seize ans riaient et chantaient à tue-tête. Seul le conducteur restait silencieux. Il se demandait si sa pression pourrait monter encore longtemps. Dans le rétroviseur, il observait les trois meneuses qui trônaient sur la banquette arrière.

Julie, Isabelle et Marie-France discutaient joyeusement en criant pour se faire comprendre à travers le brouhaha. Et comme chacune des trente jeunes filles voulait également se faire comprendre, personne ne comprenait plus rien. Marie-France prit l'initiative de faire taire tout ce beau monde. Elle poussa un puissant «chhhhutt!» et fut suivie par ses deux copines, puis par tout l'autobus, ce qui fit qu'à un moment donné trente personnes s'ordonnaient à elles-mêmes de se taire.

Le silence finit par s'imposer, et tout le monde s'était retourné vers Marie-France. Celle-ci regarda une de ses amies, fière de pouvoir maintenant se faire entendre, et s'aperçut qu'elle avait oublié ce qu'elle voulait dire. Elle resta silencieuse pendant quelques secondes, puis éclata de rire. Tout l'autobus l'imita.

À l'autre bout du véhicule, le chauffeur soupira. En deux heures, c'était la dixième fois que cela se produisait. Il observa une fois de plus les trois pies qui s'étaient remises à jacasser de plus belle.

«Ce sont les plus belles vacances de ma vie! déclara Marie-France. J'ai tellement ri! Vous êtes mes meilleures amies.

— On pensait pas que tu étais comme ça, répondit Isabelle. T'es vraiment une fille super.

— Tu vas t'ennuyer de Nicolas, intervint Julie. Il te trouvait de son goût...

— Pas moi, statua sèchement Marie-France. Je le trouvais niaiseux.

— Moi, reprit Isabelle, en autant qu'un gars est beau, je perds la tête!

— Moi, je suis déjà en amour, dit Marie-France à voix basse.

— Avec qui? Allez, parle! demandèrent en même temps les deux filles en se serrant contre elle.

— Laissez-moi tranquille. Vous ne le connaissez pas.»

Le long véhicule avec son chargement d'adolescentes approchait maintenant de Québec et arriverait à destination d'ici un quart d'heure. Les cris avaient beaucoup diminué; les filles s'étaient fatiguées, en même temps que leurs cordes vocales.

L'autobus se stationna. Des dizaines de parents attendaient déjà dans la cour de l'école, dont Marc Gagnon. Il observait les jeunes demoiselles descendre une à une, impatient de serrer sa fille contre lui. Marie-France sortit parmi les dernières. Son père remarqua immédiatement son changement d'apparence. Elle s'était outrageusement maquillée et portait des vêtements plus négligés, qui se voulaient légèrement «punk», sans vraiment y parvenir. Marc grimaça un instant, puis se mit à sourire. Marie-France le vit, hésita une seconde, puis s'approcha pour l'embrasser.

«Ouais. T'as grandi, dit-il, oscillant entre le mécontentement et l'amusement.

— J'ai pas grandi, j'ai changé, répondit-elle solennellement.

— Tes bagages sont où?» demanda-t-il, optant pour l'amusement.

Elle le mena vers l'autobus, mais ils furent arrêtés par le père d'une des copines de Marie-France. C'était un admirateur de la première heure de Marc, l'ancien joueur vedette et l'entraîneur hors pair du National.

Marie-France, qui, depuis sa tendre enfance, voyait son père signer des autographes, ne put s'empêcher de sourire. Ça fait toujours drôle de voir son père se faire saluer chaudement par de parfaits inconnus.

Pierre, l'esprit encore un peu embrumé, venait de se réveiller. Il entendait des rires provenant de la pièce voisine. Il s'assit sur le lit, s'ébouriffa les cheveux et posa un baiser sur la tête de Patricia qui dormait encore. Il enfila sa robe de chambre et sortit de la pièce.

Suzie était en train d'examiner des esquisses de sa gamme de mode avec un jeune homme sympathique, aux manières un peu efféminées mais pleines de charme. Pierre, les yeux bouffis, lui sourit aimablement. Sa sœur les présenta l'un à l'autre.

«Pierre, Louis Marso.

— Suzie m'a beaucoup parlé de vous, fit Pierre.

— Content de te rencontrer, répondit Louis. Sais-tu que tu m'as fait peur avec ton faux départ pour Toronto? J'ai cru que la campagne de publicité tomberait à l'eau...»

Pierre tiqua. Chaque fois qu'il rencontrait quelqu'un touchant aux affaires ou à la publicité, il avait l'impression de n'être plus qu'une marchandise à vendre. Balayant cette pensée de son esprit, il demanda:

«Est-ce certain que ça va marcher, votre campagne? Le parfum et le maquillage, ce n'est pas mon fort.

— C'est le mien, par contre, intervint Suzie. La vente de mon agence de mannequin m'a fourni suffisamment de fonds pour me lancer dans les cosmétiques. C'est la grande aventure! Ça va marcher. Les Lambert vont faire un malheur.

— Est-ce que j'ai le choix? demanda Pierre en blaguant. Quand tu t'es décidée à faire quelque chose...

— Il faut que je me sauve, coupa Marso. Enchanté d'avoir fait ta connaissance, Pierre.» Il embrassa Suzie sur les deux joues. Elle le renconduisit à la porte. Pierre se pencha sur les esquisses, sans vraiment les regarder. Il était songeur. Suzie revint doucement vers lui.

«Ça n'a pas l'air d'aller fort, remarqua-t-elle. Tu penses encore à Toronto?

— Non.»

Il y eut un silence.

«Quand tu as revu Marc, après...» Pierre hésita, mal à l'aise.

«Tu peux en parler. Ça ne me fait plus mal, maintenant.

— Après la mort de Patrick, comment t'es-tu sentie?

— Contente. Marc, je l'ai toujours beaucoup aimé.

— Ce n'est pas ce que je veux dire.

— Explique-toi. Comment veux-tu que je devine?

— Je... J'ai revu Lucie Baptiste. Ça m'a viré à l'envers. Je me demande si je ne l'aimerais pas encore.»

Elle le regarda, compréhensive. Prudemment, elle lui conseilla: «Tu es le seul à le savoir, mon grand frère. Mais si j'étais à ta place, je ferais en sorte d'en avoir le cœur net avant de me marier. Je crois que Patricia mérite au moins ça.»

☆

Robert Martin se dirigea vers la porte, surpris. Il n'attendait personne et se demandait qui avait bien pu sonner. Il n'avait vu personne depuis plusieurs jours et sa mauvaise conscience l'avait enfermé dans un spleen peu enviable. L'image de Maryse, belle comme le jour, ainsi que celle de Paul, toujours aussi amical dans son ignorance, le hantaient maintenant en permanence.

Il eut le souffle coupé pendant un court instant en trouvant derrière la porte un Paul Couture visiblement anxieux et malheureux. Robert respira un bon coup et l'invita à entrer, sur le ton le plus enjoué qu'il pût adopter.

«Entre, mon Curé. Tu es toujours le bienvenu chez moi.»

Paul entra, l'air abattu. Robert, extrêmement mal à l'aise, essayait d'engager la conversation.

«Quelque chose ne va pas, Paul? Tu veux une bière? Je vais chercher des bières.» Il se dirigea vers la cuisine, mais Couture l'arrêta.

«C'est Maryse.»

Robert ne se retourna pas, cachant à son ami l'expression de panique qui était apparue sur son visage exsangue. Les deux hommes ne dirent rien durant un instant qui parut une éternité à Martin. Paul rompit le silence.

«Tu es mon ami, Robert. Je peux te parler. Entre moi et Maryse, ça ne va plus... Je sens que je vais la perdre. Si je la perds, je...» Il ne continua pas sa phrase et plaqua sa main sur ses yeux. Robert sortit deux verres et une bouteille de scotch. Il s'assit à ses côtés, posa sa main sur son épaule.

«Paul, tu te fais des idées. Cale-moi ça.

— Tu sais bien que ce n'est pas une solution.

— Ah non?» demanda-t-il en buvant son propre verre d'un

trait. La sonnerie du téléphone l'interrompit alors qu'il s'en versait un deuxième. Paul, silencieux, s'était mis à prier et le laissa répondre. Il ne vit pas l'air catastrophé de Robert qui répondait que ce n'était pas le bon numéro. Pas plus qu'il ne sut que c'était Maryse qui avait appelé, prise de panique et de remords.

Pas plus qu'il ne sut pourquoi Robert ingurgita un deuxième verre, puis un troisième...

☆

Comme cela leur arrivait souvent depuis la fin de la dernière saison, Pierre Lambert et Mike Ferguson discutaient contrat autour d'une table d'un restaurant de Québec. Les événements des derniers jours avaient convaincu Pierre de passer à l'action. Il parlait de son plan à son agent. Celui-ci était partagé: l'attitude agressive de son protégé lui plaisait, mais le moyen qu'il voulait utiliser lui semblait exagéré.

«Penses-y deux fois, Pierre. La grève, c'est toujours un dernier recours. Un athlète vit sur sa popularité. Tu vas être la cible de nombreuses critiques.

— Je sais. Mais ça ne serait pas la première fois qu'un joueur de la Ligue ferait la grève pour obtenir justice. Et le public a pardonné aux autres.

— Oui. Mais jusqu'où es-tu prêt à aller?

— Je vais manquer le camp d'entraînement. Et s'il le faut, la saison entière.

— C'est un gros risque.

— J'ai été le pion de toutes les manigances de Goldman. Et ça ne date pas seulement de Toronto. Si je n'arrive pas à obtenir ce que je veux maintenant, je ne l'aurai jamais. C'est fini. Je veux gagner ce que je vaux.

— Et mon mandat, c'est quoi?

— Un contrat de trois ans de deux millions de dollars. En plus d'assurances dont je vais te parler.»

Mike Ferguson se mit à sourire. Il entrait dans le jeu.

☆

Les vingt et un gouverneurs de la Ligue nationale écoutaient attentivement la lecture de leur président, John Aylmer.

«Le premier item est maintenant clos: ma décision de bloquer la vente du contrat de Pierre Lambert a été entérinée par dix-neuf voix contre deux, celles de messieurs Goldman et Jerrings, comme on pouvait s'y attendre.

«Rappelons que cette transaction n'avait rien de sportif, poursuivit-il, car les amateurs de Québec ne recevaient rien en retour de leur meilleur joueur. De plus, ce départ aurait fait du National une concession très fragile, avec une équipe vieillissante et un marché déjà restreint.

— Je proteste! insista Allan Goldman. Ce que vous avez fait s'appelle de la dictature. Vous m'avez brimé dans mes droits d'homme d'affaires. Je vais vous poursuivre personnellement et collectivement!»

Son intervention ne parvint qu'à alourdir davantage l'atmosphère déjà étouffante de la vaste salle de réunion. Les dirigeants étaient assis autour d'une immense table ovale de chêne massif, à laquelle siégeaient Aylmer à un bout et Goldman, en sueur, à l'autre. Le président, totalement maître du jeu, observa une fois de plus son adversaire. Il reprit son discours.

«En tant que président de la Ligue nationale, je me dois de protéger les intérêts des spectateurs et d'assurer à leur équipe une chance honnête de compétition. Ma décision est finale et sans appel. Passons maintenant au deuxième item, qui requiert les deux tiers des voix. Monsieur le secrétaire, veuillez lire la proposition de vote.»

Le secrétaire s'éclaircit la gorge, prit son souffle et se mit à lire la longue proposition.

«Que monsieur Allan Goldman, propriétaire du club de hockey le National de Québec, vende son entreprise dans les six mois suivant l'adoption de cette proposition. À défaut de quoi, la Ligue nationale, conformément à ce que prévoit sa constitution, reprendra la concession au prix des livres comptables et l'opérera jusqu'à ce qu'elle trouve un acheteur.»

Goldman, rageur, se leva et frappa la table du poing.

«C'est impossible! Vous n'avez pas le droit!

— Si, nous l'avons, répondit Aylmer, imperturbable. Et nous sommes généreux. Nous allons taire à jamais — si vous collaborez — la raison de cette vente précipitée. Sinon..., menaça-t-il tacitement. Nous passons au vote.»

Sans hésitation, les gouverneurs adoptèrent la proposition à vingt voix contre une. Allan regarda fixement Jerrings, dont il avait espéré un soutien symbolique, mais ne se vit même pas rendre son regard. Aylmer déclara la réunion close, et Goldman fut le premier à quitter la salle.

La routière allemande de Marie-Anne peinait sur la cahoteuse route de terre des Laurentides, dans les alentours de Stoneham. La suspension, qu'elle avait crue jusque-là parfaite, n'arrivait plus à amortir la rocaille et les nids-de-poule qui abondaient dans ce coin perdu. Une vieille pancarte de bois peinte à la main indiqua à Marie-Anne qu'elle était arrivée à destination.

Elle avança péniblement entre les arbres et aperçut un petit chalet construit en bois rond. Elle stationna sa voiture. Une centaine de mètres plus bas, un petit rivière tumultueuse frayait bruyamment son chemin à travers son lit de roc. Assise sur une grosse pierre ronde, une silhouette familière tendait une ligne dans le courant. Marie-Anne marcha jusqu'au pêcheur.

«Franchement, Gilles, avais-tu vraiment besoin de venir te cacher ici?

— Je ne me cache pas, répondit-il d'un ton égal, apparemment peu surpris.

— Raconte ça à tout le monde qui te cherche.» Elle attendit un peu. «Le National a besoin de toi.

— Pas concerné. J'ai remis ma démission. Je ne pouvais plus continuer.

— Tu n'es pas sérieux. Tu ne peux pas te permettre de démissionner sur un coup de tête.

— Ce n'est pas un coup de tête. Goldman a passé par-dessus moi pour vendre la superstar de l'équipe. Qu'est-ce qu'il me reste à faire?

— Réagis! Je ne suis que l'avocate du club et je m'y sens profondément attachée. Toi, c'est presque l'œuvre de ta vie. Tout le monde le sait, Goldman est intoxiqué par le jeu, c'est un malade. Il faut te battre.

— Et comment? demanda-t-il, sceptique.

— En restant. En acceptant n'importe quel job qu'il va t'offrir. Si tu restes proche, dans l'organisation, tu pourras agir le moment voulu.» Elle frissonna. «Tu n'aurais pas du café sur le feu?

— Je peux en faire.»

Ils demeurèrent silencieux un long moment, buvant le café que Gilles avait préparé. Celui-ci était songeur. Marie-Anne le regardait affectueusement. Elle s'inquiétait de sa décision prochaine.

Au bout d'une longue conversation au coin du feu, elle était parvenue à le convaincre.

«Tu as raison. J'ai un bon contrat, je vais forcer Goldman à le respecter. Et si je peux faire quelque chose, il vaut mieux que je le fasse de l'intérieur de l'organisation.

— Voilà qui est sage. Tu vas voir, la crise va passer.

— Je te remercie, Marie-Anne. Sans toi, j'allais faire une bêtise.» Son ton était sincère, mais elle sentait qu'il était purement amical. Déçue, une fois de plus, elle annonça qu'elle était prête à retourner en ville.

«Tu n'y penses pas?

— Tu veux que je reste? demanda-t-elle avec une note d'espoir.

— Pourquoi pas? Il y a une chambre pour les invités.

— Pour les invités...», répéta-t-elle sur un ton morne.

Encore une fois, Allan avait joué et perdu. Il adoucissait le goût de la défaite en buvant un scotch bien tassé. Les yeux clos, les jambes détendues, il se laissait aller dans le confortable fauteuil de cuir de sa chambre d'hôtel, se demandant vaguement combien de temps encore il pourrait suivre ce train de vie.

Plusieurs milliers de dollars étaient encore partis en fumée dans les courses de chevaux. Il s'en foutait. Mieux, il aimait ça. À chaque fois, il ressentait ce pincement de plaisir coupable, masochiste.

Mais depuis longtemps, le plaisir de perdre, qui avait remplacé celui de jouer, s'était transformé en besoin. Chaque semaine, Maurice Baril lui présentait l'état de ses finances et, inconsciemment, Allan jouait automatiquement tous ses bénéfices, ses marges de crédit, ses budgets discrétionnaires. Il s'endettait. Les banques le fuyaient. Il n'était plus que l'ombre du jeune homme d'affaires brillant et dynamique qu'il avait été.

Cette prise de conscience fut interrompue par Nadine qui rentrait d'une balade en ville. Elle ramenait plusieurs sacs. Il la regarda mornement.

«Comment vas-tu? s'enquit-elle en voyant son air épuisé.

— *Fine*. J'ai juste quelques petits problèmes.

— Comment trouves-tu ma robe?» demanda-t-elle pour lui changer les idées.

Effectivement, c'était une très jolie robe qui lui allait à ravir. Allan se contenta de demander:

«Combien?

— Oh! Pas cher. Quatre cent quatre-vingts dollars.»

Allan se referma sur lui-même, grognon. Nadine vint le taquiner gentiment, mais se vit repousser d'un geste brusque. Elle fit une moue peinée. D'une voix douce, elle lui demanda:

«Qu'est qu'il y a? C'est sérieux, cette fois, je le sens.

— Je dois vendre le National, dit-il en soupirant profondément.

— Ton club de hockey? Pourquoi?

— Il faut que je vende, fit-il, impatient.

— Alors, vends. Du moment que tu ne perds pas d'argent...

— Je n'y avais pas pensé comme ça, répondit-il en souriant. Tu as parfaitement raison: si je vends avec profit, je sors gagnant. Seulement, il va falloir rajeunir l'équipe, liquider les gros contrats, ou personne ne voudra l'acheter.»

Allan réfléchit pendant quelques secondes, une lueur calculatrice dans l'œil. Puis, avec un air décidé, il déclara:

«Nadine, je vais te laisser pour quelques jours. Je dois faire un voyage.

— Tu ne m'emmènes pas? dit-elle, déçue.

— Si je dois vendre le National, il me faut un homme pour faire le grand ménage. Et cet homme, je sais où le trouver.»

«Le café est prêt!» cria Suzie depuis la cuisine. «Lève-toi, grand paresseux!» La porte de la chambre s'ouvrit sur un Marc Gagnon fatigué mais heureux, en peignoir. Il avança vers Suzie, la prit par la taille, l'embrassa amoureusement. Ils demeurèrent enlacés silencieusement un long moment.

«Tu ne peux pas savoir comme j'aime me réveiller ici, avec toi, Suzie. Je m'excuse de recommencer avec ça, mais, pourquoi tu ne veux pas qu'on vive ensemble?

— Marc..., soupira-t-elle, soudainement dégrisée. On en a déjà parlé cent fois. Tu as tes enfants, ta carrière, j'ai la mienne. Je ne veux pas devenir la deuxième. On est bien comme ça. Attendons.

— C'est ça! attendons, répéta-t-il, mécontent. Attendons quoi? Que tu te trouves un autre homme!

— Oh... Ma grosse terreur est jalouse? siffla-t-elle, amusée.

— Je suis pas jaloux, hostie, arrête-moi ça!»

La sonnerie du téléphone retentit.

«Je vais répondre, fit Suzie, sautant sur l'occasion pour éviter une scène pénible.

— Non. Laisse le répondeur.»

Le magnétophone récita le court message traditionnel et la voix de Louis Marso se fit entendre: «Allô, superstar. C'est Louis, le génie, qui voudrait te parler. Si tu es encore au lit, ce n'est pas la peine de rappeler, c'est pour te dire que j'arrive vers onze heures et que j'attends avec anxiété le moment où le son harmonieux de ta douce voix frappera mon tympan mélomane... Je t'embrasse derrière l'oreille gauche, ta favorite...»

Marc, déjà énervé, devint furieux. Ses joues s'empourprèrent et il se mit à crier:

«Pourquoi pas entre les deux seins, tant qu'à y être? Ce petit tabarnak-là viendra pas m'écœurer jusque chez nous!

— Pas chez nous: chez moi, répondit sèchement Suzie. Et je te ferai remarquer que Louis est un gars sympathique, un bon ami, mais qu'il ne se passe rien entre nous.»

Elle parlait dans le vide puisque Marc était parti dans la chambre, s'était rhabillé et avait pris sa veste dans le placard. Il lui jeta un dernier regard hargneux et s'en alla en claquant la porte. Il avait oublié de boire son café.

La seule idée qui lui passa dans la tête fut de se rendre au Colisée. Au moins, là, il était pratiquement sûr de rencontrer quelqu'un avec qui discuter. Au pire, il pourrait toujours se défouler dans la salle de musculation.

Décidant d'aller prendre des nouvelles de Gilles, Marc se dirigea vers son bureau. Ce fut Maurice Baril qu'il y trouva en train de fouiller dans les dossiers de l'équipe.

«Qu'est-ce que tu fais là, toi? demanda-t-il, irrité.

— Monsieur Guilbeault a remis sa démission, d'après ce que l'on m'a dit. Monsieur Goldman est à Chicago et le travail doit être fait. Jusqu'à nouvel ordre, j'assume l'intérim.»

Marc se pencha, examina quelques dossiers et en remarqua un qui portait son nom. Il le prit et l'ouvrit.

«Écoute, comptable, qu'est-ce que tu es censé savoir de mon contrat? À part le montant de mon chèque et mes rentes différées, ça ne te regarde pas.

— Les choses ont changé, répondit Baril en tentant de reprendre le dossier. Cette organisation a besoin d'ordre.

— Touche pas à ça. C'est pas de tes affaires.» Marc le regarda une seconde dans le blanc des yeux. «Ça veut dire que tu es en train de mettre ton grand nez dans les contrats de

Martin, de Lambert, de Couture, de Templeton, et puis du mien par-dessus le marché!»

Marc ramassa les dossiers éparpillés sur le bureau, les empila et les prit sous son bras. Baril le regarda faire, éberlué. L'entraîneur lui fit part de sa façon de penser.

«Mon hostie de coquerelle, t'es chanceux que je ne te sorte pas d'ici à coups de pied dans le cul!

— Donne-moi ces dossiers, ils ne doivent pas sortir de cette pièce. Je te l'interdis, tu comprends?

— Jappe donc plus fort, Baril! Couche-toi, dans le fond de ta niche! Tu me fais vomir.»

Marc s'en alla, confisquant les contrats de ses joueurs.

Sergei, pour la première fois depuis son transfert aux Flyers, allait rencontrer ses nouveaux coéquipiers. Il avança timidement dans la salle de musculation du Spectrum. Les joueurs, à l'entraînement, le regardaient bizarrement ou, pire encore, ne le regardaient pas du tout. Le pâle sourire qu'il avait en arrivant disparut.

Larry Craig, le capitaine de l'équipe, vint le saluer.

«Bienvenue à Philadelphie, Sergei. L'immigration ne t'a pas causé trop de problèmes? Je vais te présenter aux gars.»

Ils s'approchèrent d'un groupe de joueurs qui étaient en train de discuter et qui se dispersèrent aussitôt qu'ils les virent arriver. Gêné, Craig le mena vers un autre joueur qui faisait des exercices individuels.

«Bill Mason. Sergei Kolikov.

— Koulikov», corrigea Sergei.

Mason ne répondit pas et s'en alla. Le capitaine s'excusa.

«Ne t'en fais pas. Ils ne sont pas encore habitués à avoir un Rouge dans l'équipe. Ça va leur passer. Karl!» appela-t-il.

Un grand blond aux yeux bleus et aux traits nordiques s'approcha d'eux et serra la main de Sergei avec amabilité. Craig parut soulagé.

«Karl Lindstrom. Sergei Koulikov. Karl est Suédois.»

Le capitaine le laissa là pour aller répondre à un journaliste qui avait observé la scène.

«Croyez-vous sortir gagnant de cet échange? demanda le reporter.

— Je trouve qu'il a trois défauts: il est Russe, il est Russe, et il est Russe», répondit Craig en observant Sergei, de nouveau seul, et sans doute pour un long moment.

☆

«Monte, Danny. Elle ne viendra pas.»

Danny, déconcerté, jeta un coup d'œil sur Frank qui avait décidé de ne rien faire pour lui remonter le moral. Il regarda avec appréhension l'autobus qui devait bientôt partir pour Winnipeg, d'où ils prendraient l'avion pour Québec. Il avait espéré que Debbie viendrait lui dire au revoir, peut-être même faire avec eux le trajet jusqu'à la capitale du Manitoba. Le lourd véhicule se mit à remuer sous les vibrations du moteur. Frank réitéra sa suggestion.

«Viens. Elle n'arrivera plus, à cette heure.

— Elle m'a dit qu'elle viendrait.»

Frank monta. Danny attendit encore un peu, mais quand le bruit du moteur se fit plus fort, il se décida à monter aussi. À l'intérieur de l'autobus, son frère rangeait ses valises dans le compartiment à bagages du plafond, l'empêchant de s'asseoir.

«Tu l'aimes tant que ça? lui demanda Frank.

— Bien oui, je l'aime. On avait fait des projets. Elle m'avait dit qu'elle viendrait. Je comprends pas. Qu'est-ce que je vais faire?

— Si tu l'aimes, elle va être là.

— Veux-tu te tasser que je passe?» ordonna Danny, irrité.

Frank obéit avec un sourire narquois et s'affala sur un siège, laissant apparaître, du côté opposé de l'allée, Debbie, sagement assise, regardant d'un air doux son fiancé.

«Il semble que tu sois pris avec moi, Danny Ross.»

Elle se leva et ils s'embrassèrent sous le regard amusé de Frank.

☆

Étienne Tremblay, plus intimidé qu'il ne voulait le laisser paraître, passa par l'entrée secondaire du Colisée de Québec. Le gardien lui demanda sans ménagement son nom. Il se présenta, un peu mal à l'aise malgré son tempérament agressif.

Juste derrière lui, Denis Mercure arrivait et avait vu la scène. En riant, il dit au gardien:

«Charley, tu fais encore peur aux petits gars!

— Non. Mais il faut bien que je vérifie leur nom.

— Lui, c'est Étienne Tremblay, le premier choix du National au repêchage. Puis les deux qui entrent, ce sont Danny et Frank Ross.

— Toi, ça fait plaisir de te voir, Denis.

— Pas autant qu'à moi, tu peux en être certain!»

Denis accompagna Étienne jusqu'à la patinoire. Les souvenirs affluèrent dans sa mémoire.

«La première fois que je suis entré, j'avais de la misère à parler tellement j'étais ému.

— Bien moi, déclara Tremblay, apparamment sûr de lui, je me dis que je suis capable. Sans ça, ils ne m'auraient pas repêché. Je ne suis pas nerveux.

— Certain?» demanda Denis, amusé.

Étienne se retourna, fit quelques pas en regardant autour de lui, une expression ambitieuse et décidée sur le visage.

«C'est vrai que Pierre Lambert fait la grève? demanda-t-il en souriant.

— Si tu rêves de prendre sa place, le jeune, tu te mets une grosse commande sur les bras», répondit Denis, avec un sourire autrement significatif.

☆

Pierre faisait les cent pas depuis le matin. Sa première journée de grève le rendait nerveux. Pour la centième fois au moins depuis qu'il s'était levé, le téléphone sonna. Il continua à tourner, laissant son répondeur automatique faire le travail.

«Le Chat? C'est Lulu. Moi, je fais mon job, c'est tout. Si c'est vrai que tu fais la grève, rappelle-moi à la maison, sinon, je vais te courir après toute la journée.»

Patricia, qui venait de se réveiller en entendant ces mots, vint consoler Pierre. Elle le serra dans ses bras et il soupira:

«Ça va être une grosse journée.

— Tu es certain d'être dans ton droit. C'est à toi de ne pas lâcher.

— Merci, chérie. C'était en plein ce que j'avais besoin d'entendre.

— Goldman t'exploite. Je le sais.

— J'ai préparé du café, tu en veux? offrit-il, attentionné.

— Non. Je n'ai pas envie de café, ces temps-ci.

— Qu'est-ce que tu as? demanda-t-il, intrigué.

— J'ai l'air d'avoir quelque chose? répondit-elle sur un drôle de ton.

— Non! Bon, moi, je vais courir. Il faut que je me tienne aussi en forme que l'équipe. Et puis ça va me détendre les nerfs. Toi?

— Si on pouvait manger ensemble, ce midi...

— D'accord, à midi!»

Sur ces mots, il l'embrassa et s'en alla faire son jogging.

Les deux hommes ne s'étaient pas vus depuis quelques années, mais ces retrouvailles ne les faisaient pas déborder de joie. Leur relation était strictement professionnelle, et bien que Goldman ne lui ait pas encore annoncé le but de sa visite, Jacques Mercier se doutait qu'il s'agissait de quelque chose d'important puisque l'homme d'affaires de Québec s'était donné la peine de venir jusqu'en Suisse pour le voir.

Effectivement, Allan Goldman, le visage ravagé par le manque de sommeil, avait une offre impressionnante à faire à son ancien entraîneur. Mercier ne put s'empêcher de répéter ce qu'il venait d'entendre:

«Vous m'offrez le poste de directeur général du National de Québec!

— Avec pleins pouvoirs, précisa Goldman. Le club vieillit et j'ai besoin d'un homme qui a du caractère.

— Et Gilles Guilbeault?

— Il aura un emploi de vice-président avec le National.

— L'affaire Pierre Lambert, n'est-ce pas?

— Je vais être franc. Gilles Guilbeault n'a plus la poigne qu'il avait. L'équipe est en danger. Il y a trop de vétérans qui gagnent trop, pas assez de jeunes, les assistances baissent. J'étais sur le point de le forcer à démissionner.

— Je suis avant tout un coach.

— Mais tu as de la poigne. Et ta réputation de gagnant te précède. Il me faut quelqu'un qui n'ait pas peur de faire le ménage, et quelqu'un dont les décisions soient respectées. Quelqu'un qui peut relever le défi.»

Allan s'y était pris exactement de la bonne façon. Jacques Mercier ne mordait qu'à un seul appât, celui du défi, et il venait de lui en présenter un très gros. L'entraîneur de Fribourg se mit à sourire, ses yeux brûlant légèrement.

«Pleins pouvoirs? demanda-t-il, visiblement intéressé.

— Pleins pouvoirs. Et un contrat de cinq ans.

— Je vais réfléchir.

— Tu as quarante-huit heures, pas une de plus.»

☆

Le camp d'entraînement allait bon train. Des quarante joueurs qui tournoyaient sur la glace, seulement vingt feraient partie de l'équipe régulière. Là-dessus, pratiquement que des vétérans et seulement une ou deux recrues.

C'est là que tout se déroulait: lesquels auraient les nouvelles places? Danny Ross s'en était assurée une au printemps dernier et ses performances sur patin confirmaient que le choix avait été bon. Son frère, par contre, était plus lent.

On vérifiait l'habileté des joueurs par un match simulé. Étienne Tremblay, qui se débrouillait bien jusque-là, venait de rater un tir facile. Découragé, il resta planté sur la glace tandis que le jeu repartait dans l'autre direction. Marc Gagnon fit arrêter la séance par un coup de sifflet. Il s'approcha du jeune joueur avec un air courroucé. Robert Martin observait la scène en silence.

«Écoute, le jeune. Il y a deux choses que tu n'as pas fait comme il le fallait. Quand la rondelle arrive du coin, ne lève jamais la tête pour regarder le but. Tu es censé savoir où il est. Bob!»

Robert s'installa dans le coin et, de là, envoya plusieurs rondelles vers Marc, qui les expédia sans hésitation dans le haut du filet, l'une après l'autre. Il revint vers Étienne.

«Manquer une passe, ce n'est pas grave. Mais rester planté devant le but, sans revenir aider la défensive, ça me lève le cœur! Si tu crois que tu vas faire l'équipe en marquant une couple de buts faciles, tu t'es trompé de maternelle.»

Marc siffla de nouveau, mais plus longuement, pour signifier que la séance était terminée. Étienne rentra au vestiaire, peu fier de lui. Plus loin, les journalistes attendaient l'entraîneur du National. Devinant quel serait leur principal sujet, celui-ci les devança en déclarant: «Je n'ai aucune nouvelle de Pierre Lambert. Préparez d'autres questions.»

Jacques Mercier entra à l'Opéra national de Suisse, où sa femme menait une brillante carrière de cantatrice. Il avançait, mains dans les poches, discrètement, pour ne pas déranger les acteurs et chanteurs qui répétaient. Il les regarda faire un moment, puis aperçut Judy. Il y eut une pause durant laquelle ils se firent face sans dire un mot. Jacques avait une nouvelle importante à annoncer à sa femme, et cela le mettait mal à l'aise.

«Tu as l'air fatigué. L'offre de Goldman t'a empêché de dormir?

— Je dois donner une réponse ce soir. J'ai pris ma décision.

— Vraiment, Jacques? Tu es décidé?

— Oui. Je vais accepter le poste. Toi et Jimmy...

— Je t'ai toujours laissé libre dans tes décisions, le coupa-t-elle sèchement. Et, moi aussi, je veux rester libre dans les miennes. Je demeure ici, Jacques, c'est ici qu'est ma carrière. Je continue.» Sa voix était pleine de colère et de tristesse. Le visage de Jacques se décomposa.

«Judy... Je pensais que...

— Tu peux aller à Québec. Je reste ta femme. Nous nous verrons de temps en temps, mais je veux vivre en Europe. Je suis heureuse ici.

— Et Jimmy?

— Il a quinze ans. Tu lui demanderas ce qu'il veut faire. Je vais me plier à sa décision.

— Tu es sûre qu'il faut en arriver là?

— Personne n'est forcé à rien. Toi, tu veux partir. Moi, je veux rester.»

Il y eut un silence gêné. Judy se détendit et l'encouragea: «Allez, mon grand, va voir Jimmy. Tu vas voir, tout peut s'arranger dans la vie.»

Il sourit tristement et acquiesça à contrecœur.

☆

Gilles n'avait pas eu le temps de mettre des vêtements propres. Sa barbe avait quelques jours. Il portait encore sa charude chemise à carreau, sa lourde veste de chasse et son chapeau de feutre informe, et espérait que sa femme ne fût pas encore rentrée, pour qu'il puisse se refaire une image présentable.

Malheureusement, elle était là. Et pas contente du tout. Elle le regarda quelques secondes, horrifiée par son état lamentable. Elle était habituée à voir un dirigeant bien vêtu et soucieux de son apparence. Gilles sentait qu'elle était prête à éclater.

«Gilles, enfin, d'où tu sors? Ça fait trois jours que je te cherche.

— J'étais dans un camp de chasse. J'avais besoin de réfléchir.

— Et moi, dans mon chalet à Charlevoix, je ne t'aurais pas permis de réfléchir, je suppose?

— Bien non. Je voulais être seul. Il se passe des choses trop compliquées pour en parler. Même à sa femme.

— Bien sûr, répondit-elle, de plus en plus en colère. Et qu'est-ce que ça donne d'être ta femme? Te regarder scruter des films de hockey jusqu'à trois heures du matin? Ou pire, te laisser te tuer à force de travail?

— Tu exagères, Maroussia. Je n'ai justement pas besoin de ce genre de crises. C'est pour ça que j'étais dans le bois, expliqua-t-il, s'énervant à son tour. Alors, arrête, tout de suite!

— Écoute-moi bien, Gilles Guilbeault: je vivais avant de te connaître et je vivrai après. Quelle est la signification de notre mariage, pour toi? Vers quoi on va?»

Elle criait presque.

Gilles ne voulut pas répondre, déjà trop préoccupé. Il se réfugia dans la salle de bains et prit une longue douche. Chaude.

L'exercice de sélection des recrues était maintenant terminé. Les joueurs, revenus au vestiaire, se déshabillaient. Les jeunes avaient la mine basse, ils avaient peur d'avoir à passer une autre année dans les ligues mineures. Nounou, qui revoyait cette scène à chaque début de saison, avait du mal à se retenir de sourire. Il s'approcha de Frank et d'Étienne qui, malgré son optimisme habituel, faisait une tête d'enterrement.

«Vous deux, ordonna-t-il, faites ça vite. Le coach veut vous voir.»

Les deux joueurs l'interrogèrent d'un regard suppliant. Nounou décida de plaisanter.

«Il a l'air en maudit...

— On est coupés de l'alignement, nous aussi? demanda Frank, abattu.

— Dépêchez-vous, répondit le soigneur en souriant. Je pense qu'il va vous demander de prendre un appartement en ville.»

Danny, qui avait écouté en silence, se précipita pour féliciter son frère. «Je suis tellement content pour toi! Tu peux pas savoir comment!» Les deux Ross, obéissant sans doute à une vieille coutume familiale, s'expédièrent l'un à l'autre un grand coup de poing dans l'estomac.

Nounou remarqua que les autres jeunes joueurs avaient été catastrophés par la nouvelle. Il alla voir l'un d'entre eux, qui était affalé sur son banc, la tête entre les genoux.

«Travaille fort, mon gars. Il y a toujours des blessés dans une saison.»

L'autre leva la tête, son visage s'éclaira. Il remercia le soigneur d'un air pathétique.

Après que tout le monde se fut douché et vêtu, Marc fit réunir les heureux élus de l'alignement régulier de la prochaine saison. Une dernière formalité restait à remplir: il devait leur faire comprendre ce qu'impliquait leur titre de joueur régulier dans une grande équipe. Ils allaient maintenant devenir des vedettes, des noms et des visages connus.

Comme à chaque année, la direction avait invité le responsable de la sécurité de la Ligue nationale à venir prononcer un petit discours que les anciens connaissaient déjà, mais que tous prenaient très au sérieux. Marc le présenta: «Les gars, Frank Burns, de la sécurité de la Ligue. Il a certaines choses à vous dire.»

Le petit homme à l'air sévère avança au centre de la pièce. Il commença sans grands détours: «Messieurs. Il y en a ici qui savent déjà tout ce que je vais leur dire. Ça ne fait rien. Il vaut toujours mieux se rafraîchir la mémoire avant d'avoir des ennuis, qu'après. Vous êtes maintenant des personnes connues, des personnalités publiques. Cela vous confère des avantages, mais aussi des inconvénients. Ils sont faciles à résumer: la drogue, l'alcool, le gambling et les femmes.

«Face à la dope, vous le savez, la Ligue est sans pitié. Certains de vos amis ont gaspillé leur carrière pour un petit joint. Vous n'y touchez sous aucune considération.

«L'alcool, c'est une autre affaire. C'est légal, mais ça peut être dangereux. Une bonne bière, c'est parfait. Trop de bières, à l'extrême, ça peut vous conduire là où ça a mené Pelle Lindbergh. Au cimetière.

«Le jeu, maintenant. Vous autres, c'est clair, vous ne pariez pas. Ne gagnez même pas un dollar pour le plaisir. Ce qui est le plus dangereux, ce sont les bookmakers qui vous entourent. Ils feraient n'importe quoi pour obtenir un renseignement supplémentaire. Ceux qui sont blessés dans votre équipe, ceux qui sont en forme. J'ai ici une liste des discothèques, des bars et des restaurants où ils se trouvent. Si vous voulez un conseil, évitez ces endroits. La liste va vous être distribuée.

«Les femmes. Vous êtes assez grands pour savoir mener vos vies. Ce n'est pas de nos affaires. Mais la Ligue tient à vous mettre en garde contre les petites groupies. Sauvez-vous de n'importe quelle fille qui a l'air d'avoir seize ans et qui dit en avoir dix-huit. Elle pourrait vous monter un bateau et en avoir quatorze. Elles sont jolies, à cet âge-là. Attendez quand même qu'elles vieillissent. C'est plus sûr.

«Des questions? Non? Merci de votre attention. Bonne saison.»

Les joueurs se regardèrent, soupirèrent. Chacun se leva pour prendre congé. Le discours de Burns avait fait son effet.

☆

Patricia était soucieuse. C'était l'heure de sa pause et elle avait décidé d'en profiter pour aller demander le résultat des tests qu'elle avait passés. Elle avait consulté un médecin de l'hôpital, le docteur Villeneuve, un gynécologue. Elle cogna à la porte de son bureau.

Gentiment, le médecin la fit entrer et s'asseoir.

«Je crois avoir un bonne nouvelle pour toi. Les tests sont positifs. Tu es enceinte.»

Patricia, illuminée, se contenta de murmurer des choses incompréhensibles. Elle pensa avec amour à la surprise qui attendait Pierre. La mort de son père était maintenant complètement acceptée. Plus clairement, elle dit:

«Enfin... Tu ne peux pas savoir...

— Je te félicite.» La réponse du médecin était sincère. C'était le genre de nouvelles qu'il aurait voulu toujours avoir à annoncer. Il se fit plus sérieux: «Patricia, est-ce que ta santé est bonne? Tu ne prends pas de médicaments?

— Non... Sauf il y a trois semaines, j'ai fait une gastro-entérite aiguë. Le docteur Bernier m'a appliquée un lavement baryté.

— Un lavement baryté? répéta le gynécologue, soudain inquiet.

— Quoi?

— Patricia, tu es infirmière, tu sais bien qu'un lavement baryté, c'est une radiographie de l'estomac. Et si l'embryon a été irradié...»

Patricia comprit et murmura:

«Mon Dieu!

— Tu peux te retrouver avec un enfant anormal. Les risques sont trop grands. Tu dois interrompre ta grossesse.»

Patricia ne répondit pas. Elle s'enfouit le visage dans les mains, se leva en essuyant ses larmes et sortit précipitamment. Le docteur Villeneuve sentit une boule se former dans sa gorge.

Jacques Mercier marchait, sans se presser, vers le lieu de son rendez-vous, un chic casino de Fribourg. Il avait un goût amer dans la bouche. Sa femme refusait de le suivre, et maintenant son fils en faisait autant. Ce n'était plus à un enfant en chaise roulante qu'il parlait, c'était à un jeune homme d'une quinzaine d'années que la vie avait mûri plus vite que les autres par ses épreuves constantes. Jimmy marchait maintenant à l'aide d'une simple canne et, surtout, sans l'aide de son père. Jacques retournerait seul à Québec.

Il se trouvait maintenant sur la terrasse de l'hôtel. Tel que convenu, Allan Goldman l'y attendait, arborant son air soucieux coutumier et sirotant son éternel cognac. Jacques se demanda un instant pourquoi l'homme d'affaires n'avait pas choisi un endroit plus calme. Il s'assit devant lui.

«Bienvenue à bord, Jacques, dit calmement Goldman.

— Je ne vous ai pas encore donné ma réponse.

— Je me doute que tu n'es pas ici pour me dire non. J'aurais même parié que tu accepterais.»

Les deux hommes se serrèrent la main.

L'amertume n'avait pas encore tout à fait quitté Jacques Mercier.

CHAPITRE VI

Pierre attendait dans le salon d'une auberge en banlieue de Québec. Il avait choisi cet endroit pour sa discrétion, tenant à ce que personne ne le reconnaisse ce soir-là. Il ne cessait de s'agiter dans son fauteuil, qui était pourtant confortable. Un sentiment de culpabilité s'ajoutait à son désarroi: il se demandait si ce qu'il allait faire rendrait vraiment service à Patricia.

Le moment tant attendu et redouté arriva: Lucie franchit le seuil du salon. Pierre se leva maladroitement pour l'accueillir, la dévorant d'un regard fiévreux. Il l'invita à s'asseoir. Ils demeurèrent silencieux un long moment, s'observant plus que se contemplant, puis commandèrent du café.

Pierre passait plus de temps à regarder Lucie qu'à lui parler. Après une demi-heure de silence ponctué de banalités, elle le força à en venir au fait.

«Alors, Pierre, tu te décides à me dire ce qu'il y a de si important?»

Il prit un air à la fois peiné et passionné.

«Il fallait que je te parle. Depuis que je t'ai revue, je suis à l'envers. Je me demande si je ne t'aime pas encore. Je dois savoir.

— C'est normal que ça nous remue quand on revoit quelqu'un que l'on a beaucoup aimé, répondit-elle, compréhensive. À moi aussi, ça m'a fait quelque chose.»

Ils se regardèrent encore, sans mot dire. Puis, à mi-voix, Pierre annonça qu'il avait loué une chambre dans l'auberge même. Lucie baissa les yeux.

Dans un étrange accord, ils se levèrent tous les deux et se dirigèrent, sans se parler, sans se toucher, vers la chambre en question. Arrivés devant la porte, Pierre ouvrit. Lucie hésita. Il lui tendit la main. Ils entrèrent.

Pierre fermait les rideaux pendant que Lucie se déshabillait lentement. Il se dévêtit à son tour. Ils hésitaient entre la passion et l'application.

Il s'approcha d'elle, l'embrassa d'un geste mécanique. Leur sentiment de malaise allait en grandissant. Il la regarda encore une fois, et ne vit qu'une femme parmi d'autres. Plus belle, plus fine, mais simplement une femme.

«Excuse-moi, Lucie, je ne sais pas ce qui se passe..., dit-il, embarrassé.

— Moi non plus. Je crois que nous ferions une erreur.

— Je crois que je l'ai, ma réponse. Ça serait formidable, mais ce n'est pas ce que je suis venu chercher.

— C'est vrai, ça serait super. Mais, nous deux, c'était plus qu'une baise dans une chambre d'hôtel.»

Ils se rhabillèrent aussitôt, nettement plus décontractés. Pierre offrit à Lucie de l'accompagner. Elle sourit.

«Je pense que tu peux dire à Patricia que tu l'aimes vraiment. Tu ne mentiras pas.

— Je sais que ça a l'air fou, dit-il, jubilant. Je suis tellement soulagé... Je ne t'aime plus! Ça ne fait plus mal!»

Allan Goldman avait convoqué les membres de la direction de son équipe. Maurice Baril, affichant un air satisfait, Gilles Guilbeault, abattu, et Marc Gagnon, en survêtement d'entraînement, s'y trouvaient. L'homme d'affaires masquait une nervosité évidente par un aplomb plus ou moins convaincant.

Gilles avait le regard sombre et songeur. Il fixait des yeux un point imaginaire sur le mur. Marc l'observait, se demandant ce qui se tramait. Il pressentait que ce n'allait guère être plaisant, à voir la tête d'enterrement de Guilbeault. Goldman s'éclaircit la gorge et commença à parler, agressif.

«Messieurs, pas de longs discours. Le National traverse une période difficile. La franchise est encore en bonne santé, mais il faut prendre certaines décisions. Gilles Guilbeault a été directeur général de l'équipe pendant dix ans. J'avais besoin de lui dans d'autres fonctions. Ça n'a pas été facile de le convaincre, mais Gilles a accepté de devenir vice-président aux ressources humaines de toute l'organisation. Cela inclut les Saints de Chicoutimi et notre club junior dans l'Ouest.»

Gilles, toujours silencieux et morose, eut droit à quelques mots de félicitation. Marc, incrédule, lui dit, visiblement sans le penser:

«Chapeau, Gilles. Ça a l'air intéressant.

— Ouais... Merci.

— Il fallait quelqu'un pour remplacer Gilles, reprit Goldman. Il fallait un homme qui connaisse aussi bien le hockey professionnel que le National. Il fallait le meilleur homme disponible pour remplacer un grand gérant comme Gilles. Messieurs, je crois l'avoir trouvé... Jacques Mercier», déclara-t-il après une pause.

Marc, qui n'avait pas oublié les nombreuses et pénibles années passées à jouer sous les ordres du sinistre dictateur, poussa un juron et quitta la pièce sans attendre la fin de la réunion.

Il descendit au vestiaire où les joueurs venaient de revenir à la fin de leur entraînement. La clique de journalistes habituelle l'y attendait, au courant des dernières nouvelles. Lucien lui demanda:

«Marc, comment réagis-tu à la nomination de Mercier?

— Quelle nomination? répondit Marc, plus pour chasser cette pensée désagréable que pour berner Lucien.

— Ce n'est pas encore officiel?

— Oui, c'est officiel. Comment je réagis? répéta-t-il, impatient. Comment veux-tu que je réagisse? C'est lui le nouveau patron du National, je suppose que ça va aller.

— Dans le passé, tu as eu des différends majeurs avec lui, n'est-ce pas?

— Ça, c'est le passé.

— Et quelles sont les dernières nouvelles de Lambert?

— Ça, ce n'est pas de mes affaires», conclut-il sèchement en pénétrant dans le vestiaire.

Un collègue de Lucien s'approcha de lui et lui fit remarquer:

«Gagnon et Mercier vont se taper dessus avant le début de la saison, je le sens.

— Simon, si tu sens ça à travers ta moustache, c'est que ça doit sentir fort en s'il vous plaît!»

Dans le vestiaire, la rumeur s'était propagée comme une traînée de poudre. Les vétérans, qui avaient vécu le règne de Jacques Mercier, étaient d'une humeur massacrante. Nounou, tant bien que mal, essayait de leur remonter le moral avec ses blagues habituelles. Il distribuait des jus de fruits comme s'il s'était agi d'une grande récompense.

«Allez, c'est une bonne pratique. Nounou est content de vous autres.

— Ça va, Nounou! Il n'y a personne qui ait le goût de rire cet après-midi.»

C'était Paul Couture qui avait dit cela. Pour que même le «Curé» montre des signes d'agressivité, il fallait que les choses aillent vraiment mal. Nounou, sans se démonter, répliqua:

«Bien quoi? Que Mercier devienne le grand boss, qu'est-ce que ça change dans le vestiaire?

— Ça peut changer bien des affaires, répondit gravement Robert Martin. Si Goldman est allé le chercher en Suisse, c'est qu'il se prépare un grand ménage. Et ça, c'est toujours dangereux. Regarde à Buffalo: ils ont voulu faire le grand ménage et ils ont quasiment tué l'équipe.»

Marc Gagnon, qui discutait avec un de ses adjoints, avança au centre de la pièce. Les joueurs se turent et l'observèrent. Comme les circonstances l'imposaient, il s'adressa à eux.

«Vous le savez déjà, on vient d'annoncer que Mercier est le nouveau directeur général du National.

— Ça ne sera pas un cadeau! s'exclama Templeton.

— Bon. Ils peuvent faire ce qu'ils veulent au deuxième étage, ici, c'est moi qui mène. On a été jusqu'aux semi-finales l'an dernier, et on a encore une bonne équipe cette année. Ne vous occupez pas des affaires du deuxième, c'est ici, dans le vestiaire et sur la glace, qu'on va gagner et perdre.

— Et qu'est-ce qui se passe avec Lambert? demanda Martin à brûle-pourpoint.

— C'est en plein ce que je viens de dire: ne vous occupez pas des affaires du deuxième. Lambert, ça ne nous regarde pas.»

Les joueurs finirent de se rhabiller. Le climat était malsain.

Pierre conduisait sa voiture, sans but précis, à travers les rues de Québec. La radio l'avait informé des changements de postes dans la direction de son équipe. Il était ambivalent face au retour de Jacques Mercier dans l'organisation. D'un côté, c'était un homme dur et peu sympathique; de l'autre, c'était un gagnant qui ne connaissait pas l'hésitation: Pierre aurait sûrement un nouveau contrat bientôt.

Le téléphone de sa voiture se mit à sonner. Comme Pierre s'y attendait, Mercier avait voulu lui parler, à lui, en tout premier lieu.

«Pierre? Jacques Mercier. Tu es au courant?

— Oui. La radio en parle constamment. Félicitations.

— Faudrait régler ton histoire de contrat.

— Je suis bien d'accord.

— Il n'y aura pas moyen d'avoir la paix au bureau. On peut se voir au *Deauville*? Il y avait de bons steaks, dans le temps.

— D'accord. Je vais essayer de rejoindre Mike Ferguson.

— Pierre, je préférerais que ça se passe entre toi et moi. Je veux que l'on se parle d'homme à homme.

— On peut bien se parler d'homme à homme, mais on ne réglera rien sans Ferguson.

— Au *Deauville*, sept heures, ce soir.»

Mercier n'avait pas changé. Il était toujours aussi exécrablement autoritaire. Pierre raccrocha et composa un autre numéro. Patricia n'était pas à la maison, car ce fut sa propre voix, sur le message enregistré, qui lui répondit.

«Patricia, je m'en vais rencontrer Jacques Mercier au *Deauville*. Je t'embrasse, à tantôt.»

Patricia, assise dans le salon, regardait à travers ses larmes le voyant lumineux clignoter sur le répondeur. Elle n'avait pas eu le courage de lui parler, elle se contentait de se protéger le ventre de ses bras et de ses genoux.

Gilles Guilbeault, un peu mal à l'aise, entra dans la boutique de sa femme, frais rasé, une boîte de chocolats à la main. Il avança, un peu gauche, et lui présenta le cadeau, sachant très bien que Maroussia le refuserait.

«Tu sais très bien que je n'en mange pas, Gilles, dit-elle, comme il l'avait prévu, en voyant la boîte.

— Eh bien, moi, au moins, fit-il d'un air faussement innocent, je vais pouvoir me sucrer le bec.

— Comment ça s'est passé, demanda-t-elle, directe.

— Comment voulais-tu que ça se passe? Mal. Mercier prend le contrôle de toute l'organisation. Moi, on m'a mis sur une tablette.

— Pourquoi ne lâches-tu pas tout? insista-t-elle, en colère. Parce que ton avocate te le déconseille?

— Parce que je me dis que ça va changer, répondit-il, peu convaincu. Je connais Jacques. C'est le plus grand coach que j'aie jamais connu. Mais il va détruire l'équipe. Il n'aura pas de patience et, dans ce métier-là, il faut de la patience.

— Tu dis qu'ils t'ont mis sur une tablette?

— Bien, oui. Il faut regarder les choses en face.

— Dans ce cas, ce n'est pas deux semaines de vacances que nous allons prendre, c'est un mois au complet. Et tout de suite.

— Une minute! la coupa-t-il, désappointé. J'ai mon mot à dire, là-dedans.

— Tu tiens vraiment à te faire humilier tous les jours par Jacques Mercier, dans ton propre bureau? Tu veux que les journalistes te pourchassent partout, et tout le temps?

— Non... Pas vraiment...

— De toute façon, tu as absolument besoin de vacances. Tu es un homme épuisé. C'est fait. Un point, c'est tout. Pas de discussion.»

Vu l'état de ses nerfs, Gilles n'opposa pas de résistance à la décision de sa femme. Elle avait raison, se disait-il.

☆

«Alors, la Suisse, c'est ça. Une belle vie. Mais je me sentais loin de la vraie compétition. J'aime quand il faut vaincre ou mourir. C'est là que se trouve l'essence même du sport.»

Jacques Mercier venait de résumer sa vie en Europe. Il prenait rarement le temps de parler personnellement à ses joueurs, Pierre le savait. Son ancien entraîneur lui semblait étrangement plus sympathique qu'avant son départ pour Fribourg. La conversation avait jusque-là été agréable et le sujet du contrat n'avait pas été abordé. Pierre réfléchit à ce que son interlocuteur venait de dire et répondit, songeur:

— Des fois, je me dis que je serais prêt à perdre un bras pour gagner une partie importante.

— Dans ce cas, fit Mercier, soudainement plus professionnel, qu'est-ce que tu attends pour venir en gagner, des parties, avec le National?

— J'attends d'avoir justice, déclara Pierre, maintenant sur ses gardes. Ça aussi, c'est une partie, et bien plus importante que celle qui se joue sur la glace.

— Et c'est quoi, la justice, pour Pierre Lambert?

— C'est être payé à sa valeur, même en tenant compte des différents marchés de la Ligue. Je sais que Québec, ce n'est pas Toronto. Mais je ne demande pas ce que j'aurais fait à Toronto. Ce que je veux, c'est ce que Ferguson est en train de négocier. Cinq cent mille dollars par année.

— Un demi-million? Tu n'y vas pas avec le dos de la cuiller!

— Quatre saisons de cinquante buts, une autre de soixante! Sacrament, je vaux plus que deux cent vingt-cinq mille par année!

— Ah oui? Alors, pourquoi as-tu signé un contrat de cinq ans?

— Parce que j'avais vingt ans! répliqua Pierre, impatient.

— T'avais un agent pourtant, dit Mercier sur un ton sarcastique.

— C'est compliqué, cette histoire-là. Je demande justice pour aujourd'hui, pas pour hier.

— On pourrait monter à trois cent soixante-quinze, avec un contrat de deux ans.

— Nous parlons pour rien.

— Tiens-tu à passer l'hiver à jouer dans ta cour?

— Oui! J'aime mieux jouer sur la patinoire du quartier plutôt que d'aller vous enrichir pour des miettes! répondit Pierre, maintenant furieux. Je vais rester chez moi. Mais, sacrament! quand vous serez dans la merde, ne venez pas m'écoeurer pour rien. Mon chiffre, ou ne vous dérangez pas.»

Refoulant sa colère, il se leva, remercia poliment son patron pour l'invitation et quitta rapidement le restaurant.

Marc, à peine reposé, prenait son petit déjeuner en lisant les journaux. Il regarda Suzie, qui avait passé la nuit chez lui, descendre les marches de l'escalier. Elle portait un simple jean et une veste de cuir. Il se souvint qu'elle devait tourner un message publicitaire ce jour-là et lui demanda:

«C'est comme ça que tu t'habilles pour ton tournage?

— Non. On me maquille et on m'habille sur place. J'ai le trac. Je devrais pourtant avoir l'habitude, mais aujourd'hui, ce sera plus que des photos. Il faudra que j'acte, que je vende mon produit... Heureusement, c'est Louis qui dirige.

— La grosse surprise! s'exclama Marc, cynique.

— Quoi, encore?

— Ce petit faux nez-là, si on le mettait sur une patinoire, il ne se rendrait pas à l'autre bout...»

Marc s'interrompit en voyant Marie-France descendre l'escalier à son tour. Elle arborait son nouveau look «alternatif», composé de noir, de mauve, et de mauvaises idées. Marc fronça les sourcils et la regarda se diriger immédiatement vers la sortie en empochant une pomme au passage. Il l'arrêta.

«Minute, où tu vas comme ça? Ton autobus ne passe jamais aussi de bonne heure.

— Je sais. André m'attend. On va à l'école en moto.

— Écoute, mademoiselle Gagnon, fit Marc, irrité, je t'ai déjà dit que je le voyais trop souvent dans les parages, le brillant André! Tu es trop jeune pour sortir régulièrement avec un gars, c'est clair?»

Un coup de klaxon lui répondit. Suzie et Marie-France se levèrent en même temps.

«C'est Louis! fit Suzie.

— C'est André!» dit Marie-France sur le même ton.

Joyeusement, elles prirent leurs effets et embrassèrent Marc chacune leur tour.

«Tu t'inquiètes pour rien, lui dit Suzie.

— Tu t'inquiètes pour rien, imita sa fille.

— Toi, ordonna Marc en les suivant, tu t'arranges pour que ton «ami» ne nuise pas trop à tes études. Et toi...

— Moi, je n'ai pas d'ordres à recevoir de toi. Bye!

— Bye!» répéta Marie-France.

La porte claqua. Marc, qui trouvait que tout bougeait trop vite pour lui, sortit lentement sur le perron de la maison pour regarder s'en aller — il devait se l'avouer — les deux femmes de sa vie. La moto de l'adolescent démarra dans une grossière pétarade. Suzie lui fit un signe de la main et la BM de Louis Marso quitta doucement le stationnement.

Marc revint à son déjeuner, en essayant d'oublier ses soucis.

☆

Lucien Boivin lisait distraitement son article de la veille en mangeant des toasts détrempées et en buvant un mauvais café. Il ingurgitait avec indifférence la nourriture au comptoir du Colisée, ouvert durant la journée aux employés et aux journalistes. Il leva la tête de son journal en entendant:

«Je me doutais bien que tu serais là.

— Tu viens pour Mercier? demanda Lulu, plus comme une affirmation que comme une question, en voyant son bon ami Guy Drouin.

— Ouais. Je suis censé lui arracher les derniers secrets de Fatima. C'est débile. On connaît Mercier, il ne nous dira que ce qu'il voudra bien nous dire.

— Guy? demanda Lucien après une pause de réflexion. Pourquoi ont-ils limogé Gilles Guilbeault? Je ne comprends plus rien.

— J'ai ma petite idée là-dessus. Je pense que Guilbeault était trop proche de ses joueurs. Goldman voulait un type capable de nettoyer la place, comme Bowman l'a fait à Buffalo.

— Si c'est ça, il va y avoir de l'action. Je ne voudrais pas être dans les souliers de Robert Martin, ou Steve Bradshaw, ou...

— Ou Paul Couture, compléta Drouin... Ou encore Pierre Lambert.

— Ça va se régler, son affaire.

— Pas sûr. Si Mercier veut se servir de lui pour asseoir son autorité...

— Et Guilbeault? As-tu réussi à le rejoindre?

— Non. Mais de toute façon, maintenant, le jeu, c'est Mercier qui le tient.»

Guy et Lucien passèrent une demi-heure plutôt ennuyeuse à parler de la pluie et du beau temps en attendant que le nouveau directeur du National fasse son apparition. Finalement, Mercier se présenta dans le corridor et ils se précipitèrent à sa rencontre. L'homme était souriant, mais n'avait pas perdu sa méfiance naturelle envers la presse. Lulu, maladroitement, lui déclara:

«Jacques, ça nous prend une entrevue sérieuse.

— Moi, je suis toujours sérieux. Et toi? demanda-t-il sarcastiquement.

— Comment: et moi? Je ne vois pas le rapport! protesta Lucien, qui portait encore les stigmates de plusieurs années passées dans un journal à sensation.

— Jacques, as-tu établi des plans pour le National? demanda Drouin, plus neutre.

— Je commence à peine à prendre connaissance des dossiers. Il me faut étudier tous les contrats des joueurs, faire le bilan de nos filiales. Il y a des lacunes énormes...

— Veux-tu dire que Gilles Guilbeault a mal fait son travail? fit Lucien, agressif.

— Lucien, ce que j'ai dit, je l'ai dit, mais il faudrait pas charrier. J'ai parlé de lacunes à combler.

— Mais Guilbeault, qu'est-ce qu'il va faire?

— Allez lui demander. Il relève de monsieur Goldman.

— Quelle est ta priorité pour l'instant? reprit Drouin.

— Convaincre Pierre Lambert de reprendre son poste avec le National. C'est un grand joueur et nous avons besoin de lui.

— Vous allez lui donner ce qu'il demande?

— Lucien Boivin, répondit Mercier, carrément méprisant, je t'ai enduré tous les jours quand j'étais coach. Je ne suis plus obligé de le faire en tant que directeur général.

— Ah oui? fit Lucien, avec une belle assurance. Alors, j'ai des nouvelles pour toi. Je travaille pour *Le Matin,* un journal sérieux, et je fais un travail sérieux. En plus, les gens ont le droit de savoir ce que tu mijotes avec leur club de hockey. Ce sont eux qui payent ton salaire et le mien.

— Eh bien, répondit le dirigeant, comme s'il parlait à un enfant, dis aux gens que Jacques Mercier va poser les gestes qu'il faut pour que le National reste longtemps à Québec pour y gagner d'autres coupes Stanley.»

Les deux journalistes suivirent des yeux le directeur qui s'éloignait d'un pas ferme. Ils se regardèrent, confus.

«Qu'est-ce qu'il a voulu dire par: reste à Québec?» s'interrogea Lucien. Guy se contenta de hausser les sourcils.

☆

Gilles en avait marre.

Une fois de plus, peut-être une fois de trop, il se retrouvait seul dans sa maison. Affalé dans un vieux fauteuil, l'air hagard, il repensait à sa vie dans le hockey.

Une quinzaine d'années plus tôt, une fracture de la hanche avait mis fin à sa carrière de gardien de but. Par désespoir, son ivrognerie de jeunesse s'était transformée en alcoolisme grave. Allan Goldman lui avait alors donné un sérieux coup de main en lui offrant un poste de dépisteur dans le National.

Son flair et sa connaissance du sport lui avaient permis, malgré ses problèmes d'alcool, de gagner la confiance de Goldman. Au bout de deux années comme dépisteur, au cours desquelles il avait découvert, entre autres, deux jeunes joueurs d'une vingtaine d'années, très talentueux, nommés Robert Martin et Paul Couture, son patron lui avait confié le poste d'entraîneur.

Il avait connu une bonne première saison derrière le banc, une seconde excellente, mais la pression des séries éliminatoires l'avait fait craquer. Le National avait dû renoncer à un championnat presque assuré: son entraîneur était constamment pris de migraines et se mettait à boire quand le match devenait trop serré.

Goldman, au lieu de le congédier et de le reléguer aux oubliettes, était venu le voir et lui avait dit: «Gilles, j'ai besoin d'un nouveau gérant. Connais-tu un homme capable de résister à la pression, de régler ses problèmes personnels autant que ceux de l'équipe?»

Guilbeault avait hésité, puis répondu par l'affirmative. Depuis cette époque, il n'avait pas touché à un verre d'alcool, sauf durant deux mois très difficiles une demi-douzaine d'années plus tôt. Le National était devenu une concession respectée dans la Ligue, et avait remporté par deux fois la coupe Stanley.

Gilles avait maintenant l'impression qu'Allan avait tout détruit. Gilles Guilbeault n'était plus qu'un employé encombrant à écarter, un vieil homme mou et sans volonté, dont même l'épouse dirigeait l'existence.

Quelque chose lui revint à l'esprit. Quelque chose qu'il gardait pour ses invités. Il se dirigea vers la salle à dîner, ouvrit la porte du buffet et en sortit, les mains tremblantes, une bouteille de brandy.

Il la posa sur la table, sortit un grand verre, regarda la bouteille longuement, assis devant elle, les mains jointes, puis essuya la sueur qui perlait sur son front. Dans une dernière tentative de résistance, il ferma les yeux. Quand il les rouvrit, la bouteille était toujours là. Il en retira le bouchon, s'en versa une grande rasade, porta le verre à ses lèvres, en huma le contenu.

Il respira l'enivrant et riche parfum de la fine liqueur, puis éloigna le verre de sa bouche et se leva, laissant sa volonté lutter contre le vieil instinct du buveur. Il marcha un peu dans la cuisine, retenant sans cesse son bras qui montait constamment vers ses lèvres.

Il crut céder, mais au moment où le liquide toucha le bord de sa bouche, il se souvint d'un soir où ses propres joueurs l'avaient insulté, profondément humilié, après avoir perdu un match qu'ils auraient dû gagner, n'eût été les erreurs répétées d'un entraîneur complètement ivre.

Toute la honte et le dégoût de lui-même qu'il avait ressentis à l'époque se firent aussi vifs qu'alors. D'un geste furieux, il projeta violemment le verre dans l'évier. Sans attendre, il vida aussitôt le contenu de la bouteille, qu'il vit, exhultant, se perdre dans le tuyau d'égoût.

Il retourna s'asseoir dans le salon, épuisé et en sueur, et eut besoin de quelques minutes pour reprendre son souffle. Il prit alors le téléphone, composa un numéro qu'il avait presque oublié.

«Père Jean-Marie?

— Oui?

— C'est Gilles Guilbeault... Ça ne va pas du tout. Pas du tout. Je peux te parler?

— Vas-y, Gilles, encouragea le religieux d'une voix douce, je suis là pour t'aider.

— C'est la première fois que je viens aussi près de recommencer, en sept ans. Je croyais que c'était fini...

— Tu le sais: un jour à la fois. Demain, ça va aller mieux. Tu as des problèmes?

— Non, seulement que des catastrophes, répondit Gilles, découragé. Il n'y a plus rien qui marche. Maroussia veut que nous partions en vacances. Je crois que c'est tout ce qu'il me reste à faire.

— C'est dur, grandir, hein? fit remarquer le père Jean-Marie, avec humour mais philosophie. Mais dis-toi que le Bon Dieu ne nous en demande pas plus qu'on peut lui en donner. Fais-lui confiance.

— Oh! je lui fais confiance, à lui. Mais moi, je sens que je vais éclater en morceaux.

— Et là, tu aurais le goût de boire? demanda gravement le père Jean-Marie.

— Ça va mieux..., souffla Gilles. Mais tout à l'heure, on aurait dit que la maudite bouteille était en vie.

— Ha! Eh bien, tu as gagné pour aujourd'hui, fit doucement le père en riant. Si c'est encore dur demain, appelle, je serai là... Ça brasse, dans le National? demanda-t-il après une pause.

— Ça brasse, fit Gilles, désespéré. Ça brasse tellement que je suis en train de me faire démolir.

— Gilles? dit le prêtre qui semblait vouloir rappeler quelque chose à son ami.

— Oui?

— Si c'était facile..., commença-t-il.

— Je sais: on s'ennuierait! compléta Gilles en souriant. Sais-tu, j'ai soif. Je crois que je vais me verser un Perrier!

— Au revoir, Gilles. Je crois que ça va aller, maintenant. N'oublie pas: il y a des gens derrière toi.»

Ils raccrochèrent. Guilbeault soupira. Il retourna à la cuisine, rassembla les morceaux du verre brisé et les jeta, puis se servit une eau minérale. Alors qu'il se rafraîchissait tranquillement, le téléphone se mit à sonner.

«Oui?

— Gilles? Linda Hébert.»

Guilbeault se crispa. C'était bien la dernière personne à qui il avait envie de parler en ce moment. Il murmura, à l'écart du combiné: «Évidemment, les vautours veulent leur part de la carcasse.

— Excuse-moi? demanda l'ex-journaliste.

— Rien, fit-il d'un ton sec. Où as-tu trouvé mon numéro?

— Après quinze ans de journalisme, répondit Linda d'une voix qui n'avait pas son agressivité habituelle, trouver un numéro de téléphone n'est pas très difficile.

— Dans ce cas, pourquoi ne m'as-tu jamais rejoint ici? demanda Gilles, cynique.

— Parce que je respectais ta vie privée..., expliqua-t-elle doucement.

— Alors, pourquoi est-ce que tu ne continues pas? questionna Guilbeault, sceptique. Tu tiens absolument à savoir si j'ai le goût de fêter?

— Non. Un de nos journalistes va t'appeler cet aprèsmidi, à ton bureau, pour avoir tes commentaires. Mon appel est personnel.

— Personnel? Comment ça: personnel?

— Je voulais te dire que je me doute de comment tu dois te sentir. Et que ça me fait de la peine. Tu es un homme honnête et je sais que ça doit te faire mal.»

Linda avait parlé à voix basse. Gilles avala difficilement sa salive. Ce soutien inattendu l'émouvait profondément. Linda, devant ce silence, s'inquiéta:

«Je ne t'ai pas blessé, j'espère?

— Non... J'apprécie beaucoup ton coup de téléphone. On n'a pas toujours été d'accord, mais j'imagine que c'est à cause de nos métiers respectifs.

— Bon, j'ai du travail, déclara brusquement Linda, embarrassée elle aussi. Bonne chance, Gilles.

— Merci, Linda. Je te revaudrai ça.»

Gilles reposa le combiné, troublé. Ce coup de fil d'une adversaire lui avait donné plus de confiance que tous les encouragements de son entourage.

☆

La firme Potentiel avait décidé de profiter d'une compétition internationale de montgolfières et des superbes paysages automnaux de l'Estrie pour tourner le commercial de la gamme «Féline». Suzie Lambert, élégamment maquillée, était à bord d'un aéronef et écoutait patiemment les instructions que lui donnait Louis Marso. Il lui tendit un flacon de parfum et l'équipe de tournage fit les derniers préparatifs.

«Écoute-moi bien, superstar, c'est important que tu réussisses du premier coup, expliqua Marso. Tu ouvres la bouteille et le parfum emplit tellement l'atmosphère que le ballon s'élève. Et toi, à la fois surprise et ravie, tu t'envoles vers le septième ciel.

— Tu es complètement fou, j'espère que tu le sais!

— Non. Ce n'est pas fou, c'est génial! Ton parfum, c'est aux jeunes filles que tu veux le vendre, alors, il te faut être folle. Il faut que ce parfum fasse faire des folies.

— Sinon, pourquoi se parfumer, n'est-ce pas?» ajouta Suzie, très féminine.

Par-dessus la nacelle, Louis lui sauta au cou et l'embrassa joyeusement. «Tu as tout compris! Tu es une fille super. Tout le monde est prêt?»

La caméra s'approcha de Suzie, Louis donna ses instructions.

«Tu ouvres le flacon... Tu es ravie... puis surprise...»

Suzie s'exécuta, le ballon se gonfla d'air chaud et s'éleva lentement dans les airs. Elle, qui n'avait jamais connu cette sensation de légèreté, fut sincèrement ravie et surprise. Son expression d'enchantement fut captée à merveille par les caméras, au grand plaisir de Marso qui, de joie, se mit à effectuer quelques pas de danse avec la script.

Suzie, qui prenait de l'altitude, admirait la forêt colorée d'ocre, de rouge et de jaune. Arrivée à une certaine hauteur, elle commença à se demander sérieusement comment on faisait atterrir une montgolfière.

☆

Linda Hébert, Ben Belley, Luce Gagné et Michel Trépanier préparaient l'édition du lendemain. Ils discutaient fébrilement autour de la maquette. Il fallait décider des nouvelles auxquelles on donnerait de l'importance, du contenu des manchettes, de l'ordre des articles à l'intérieur des pages. Chaque numéro était différent des précédents et l'exercice, malgré son aspect technique, se révélait toujours aussi créateur.

«Ça va pour la déclaration du Premier ministre? vérifia Linda. On joue ça fort en une.

— Et le concert rock?

— Une photo seulement, le texte à l'intérieur.

— Tu parles d'un journal de vieux! s'exclama Luce.

— C'est parce que nous attendons une entrevue avec Jacques Mercier. J'attends des nouvelles de Lulu.

— Lulu a des problèmes, intervint Belley. Mercier lui aurait ri au nez, qu'il dit. Il est prudent depuis l'affaire de Pierre Lambert à Toronto. Sa crédibilité...»

Linda n'eut pas besoin d'en entendre plus. Avec mauvaise humeur, elle appuya sur le bouton de l'interphone et ordonna à sa secrétaire: «Trouvez-moi Lucien Boivin. Je veux lui parler.»

«Je ne suis pas très féru en sports, commença Trépanier, mais il me semble qu'il se passe des choses étranges avec le National.

— Des choses très étranges, acquiesça Linda. Il n'y a plus de logique qui tienne. On dirait une vente de liquidation.» Elle réfléchit quelques secondes à ce qu'elle venait de dire. «Oui. C'est ça. Il y a une vente de liquidation qui se prépare.»

Le reste du groupe la regarda, interloqué.

☆

Pour cette séance d'entraînement, le National avait été séparé en deux équipes qui s'affrontaient dans un match simulé. Étienne Tremblay, égoïste, ne se séparait pratiquement jamais de la rondelle, faisant échouer des jeux pourtant faciles et empêchant à plusieurs reprises Danny Ross de marquer.

Frank, les nerfs à vif après un autre jeu avorté, se porta à la défense de son frère dès qu'il se trouva aux côtés de Tremblay sur le banc des joueurs.

«Veux-tu jouer tout seul? Passe-la, l'hostie de rondelle! As-tu peur que mon frère fasse le club à ta place?

— Et toi? demanda Étienne, en rien culpabilisé. Penses-tu que tu vas faire le club?

— Les jeunes, qu'est-ce qui se passe? intervint Robert Martin.

— Le hockey, ça ne se joue pas tout seul! répondit Frank, en colère.

— De quoi il se mêle? Il se prend pour Zorro?» ajouta Étienne, provocateur.

Le match se termina dans le même esprit. Étienne avait continué de frustrer les frères Ross en forçant l'action à tourner autour de lui. En apparence, c'était pour le mieux, car il avait compté deux bons buts; mais, en fait, il avait dû en empêcher encore plus.

Les Ross entrèrent furieux au vestiaire. Danny s'en prit immédiatement à Étienne.

«Tremblay, le maudit puck, mange-le donc, tant qu'à y être!

— Je ne pouvais pas te le passer, tu étais toujours couvert, répondit le Saguenéen avec un large sourire.

— De la marde! cria Frank. Danny a passé la game à attendre tes passes!

— Es-tu le mouton de ton frère, toi? se moqua Tremblay.

— Les gars, calmez-vous! ordonna Martin, ennuyé.

— Non, mais, pour qui ils se prennent? se défendit Étienne. Les coaches, c'est pas eux, à ce que je sache.»

Les plus vieux avaient observé la scène mine de rien.

Dans un coin, Paul Couture, inquiet, fit remarquer à Denis Mercure:

«Ça ne sent pas bon dans le vestiaire. Marc va avoir à brasser la cage, sans ça...

— Pierre va revenir, rassura Mercure, ça va replacer les choses.» Il s'interrompit en entendant le ton des recrues qui montait dangereusement.

«Des petits frogs comme toi, on les mange en Alberta!» criait Frank, à bout de patience.

Tremblay, qui s'énervait à son tour, se leva pour régler son compte à l'Albertain, mais fut aussitôt arrêté par Mac Templeton, dont la taille était un argument convaincant dans n'importe quelle discussion. Mais ce fut l'entrée de Marc Gagnon qui rétablit définitivement le calme dans le vestiaire.

«Vos gueules! vociféra-t-il. Toi, Tremblay, et vous, les frères Ross, vous auriez mieux fait de jouer convenablement plutôt que de vous battre comme des enfants! Grouillez-vous, qu'on vide la place!

— La fin de semaine va être longue, à Chicoutimi», murmura Mercure pour Couture.

☆

Jacques Mercier s'était installé dans l'ancien bureau de Gilles Guilbeault, qui était resté intact, exception faite des photos de Maroussia qui avaient été remplacées par celles de Judy et de Jimmy. Mercier avait demandé à Goldman de venir l'y rejoindre, ayant quelque chose d'important à vérifier.

«Monsieur Goldman, j'ai presque fini de lire les contrats des joueurs et le bilan de l'organisation. Vous allez me répondre franchement, très franchement. M'avez-vous engagé pour fermer le club?

— Pour le vendre, répondit Goldman après une hésitation. Et pour le vendre, il faut baisser les salaires et rajeunir l'équipe. C'est ce que je veux.»

Mercier réfléchit longuement avant de reprendre la parole.

«Pour vendre, vous avez besoin de Pierre Lambert.

— Lambert, ça va. Mais les autres, dehors!

— Et pourquoi moi? Pourquoi ne pas m'avoir prévenu?

— Ça prend des couilles. Je ne crois pas que tu en manques. Et quand à la deuxième question... je voulais que tu t'en rendes compte toi-même. Alors?

— Je veux une part du club, à la vente. C'est ma condition absolue. Sinon, au revoir, monsieur Allan!

— Cinq pour cent, offrit Goldman après avoir médité sur l'état de ses finances.

— Dix pour cent.

— Sept et demi. C'est une affaire.»

C'en était une, effectivement. Le National valait une vingtaine de millions de dollars...

André embrassait langoureusement sa petite amie en lui caressant les seins, les mains sous son chandail, mais pardessus son soutien-gorge qu'il prévoyait, d'après l'expression quasi extatique de Marie-France, pouvoir dégrafer bientôt. Ses projets furent cependant contrecarrés par une plainte de sa copine.

«Arrête, André. Arrête.»

Dans une dernière tentative, le jeune garçon se fit plus insistant. Marie-France se raidit, s'ébroua.

«Quelle heure est-il? demanda-t-elle, mal à l'aise.

— Pas tard. Marie-France, embrassons-nous encore.

— Non. Papa va arriver. Je ne veux pas avoir de problèmes.»

André s'éloigna d'elle, en colère.

«Ton père! Toujours ton père! Quand est-ce qu'on va avoir un peu la paix?

— La saison de hockey va bientôt commencer. Tiens, vendredi et samedi, ils vont être à Chicoutimi.

— Samedi? Toute la journée? s'enquit avidement André, en se faisant plus amoureux que jamais. Il n'y a personne au chalet de mes parents. Ça serait formidable! Penses-tu qu'on pourrait s'arranger? Je serais gentil...»

Marie-France hésita un moment, puis regarda une nouvelle fois son amoureux. Elle sourit et l'embrassa passionnément.

«Oui, ça peut s'arranger. On passerait la journée ensemble, seuls, pour la première fois?»

Ils se caressèrent encore et, cette fois, il parvint à dégrafer son soutien-gorge.

☆

Bien que Linda eût quitté le journalisme, elle tenait absolument à vérifier son intuition de la veille. Elle se souvenait parfaitement que *Le Deauville* était le restaurant de prédilection de Mercier et comptait bien l'y trouver.

L'homme était là, effectivement, prenant tranquillement son petit déjeuner. C'était sa seule faiblesse face aux reporters: il mangeait presque toujours à l'extérieur. Il la vit approcher avec désagrément, mais la salua tout de même.

«Madame Hébert. Il paraît que vous avez eu une promotion? dit-il, laissant percer une pointe de cynisme dans son ton poli.

— Nous sommes dans la même situation, je crois. Mais la tienne, Jacques, n'est pas aussi claire. Je sais une chose...

— Tu as toujours su bien des choses, Linda, coupa Mercier, arrogant.

— Je sais que tu n'es pas un directeur général comme les autres. Tu as une autre mission à remplir que celle de diriger le National. Je ne sais pas laquelle, mais il se prépare quelque chose. Je crois que Goldman s'apprête à vendre l'équipe.»

Mercier resta estomaqué. Linda Hébert n'avait rien perdu de sa sagacité, constatait-il en encaissant, mal, le coup qu'elle venait de lui assener.

«Je ne savais pas que tu écrivais des romans dans ton nouveau job, répondit-il en bafouillant légèrement.

— Non. C'est peut-être de la bande dessinée.» Il y eut

un silence que Linda savoura particulièrement. Elle ne lâcha pas prise. «Pourquoi ne payez-vous pas Lambert comme il le mérite?

— Parce que, expliqua Mercier en détachant les syllabes, j'ai une échelle salariale à respecter.

— Alors, je comprends encore moins. C'est votre meilleur joueur, votre vedette. Il faut que les ordres viennent de haut...»

Mercier profita du répit et partit régler l'addition, laissant Linda à ses spéculations.

☆

Le docteur Villeneuve, une nouvelle fois, tentait de convaincre Patricia d'agir contre ses principes. Elle, têtue, se refusait de se plier à ses arguments. Ses traits cernés et fatigués montraient à quel point elle était rongée par ce dilemme.

«Patricia, tu es infirmière, tu es consciente des risques. Il y a soixante-quinze pour cent des chances pour que le bébé soit anormal.

— Je ne me ferai pas avorter! Pas question que je tue mon enfant pour un simple calcul de probabilités!

— Patricia, nous nous connaissons...

— Si je me fais avorter, et que l'enfant est normal, qui va vivre avec ça le restant de sa vie?

— En as-tu parlé à Pierre? demanda gravement le médecin.

— Je connais Pierre, dit-elle, soudainement évasive. Il veut des enfants. Il m'en parle tout le temps. C'est son rêve.

— Patricia, insista le gynécologue, en as-tu parlé à Pierre?

— Je vais lui dire. Mais en dernier lieu, ce sera ma décision!»

☆

Sergei était surpris de se trouver là. Le vent, froid et sec, soufflait durement sur la surface glacée de ce grand étang. Sur les berges, la triste neige et les vieux arbres rabougris des steppes de Russie le regardaient.

Il tenait le bâton que son père lui avait fabriqué, portait les vieux patins, encore trop grands pour lui, que ses frères aînés lui avaient prêtés. Sur son dos, jurant avec le reste de ses vêtements, le chandail bleu et rouge du National. Il frotta sa petite tête de gamin de dix ans et décida de ne pas s'en faire avec les contradictions de la vie, mais plutôt d'aller rejoindre le groupe de garçonnets qui jouaient plus loin sur la glace.

Joyeusement, il patina maladroitement vers eux, regarda tournoyer leurs chandails orange et noir. Arrivé près d'eux, il les observa un moment, intimidé, se demandant s'ils allaient accepter de jouer avec lui. Un des gamins, plus grand que lui, s'approcha, laissant voir le sigle des Flyers qui se trouvait sur sa poitrine.

«Qu'est-ce que tu veux?» s'enquit-il brusquement, en russe.

Les autres joueurs avaient ralenti leur rythme, sans s'arrêter toutefois, pour suivre la scène.

«Je peux jouer avec vous?» demanda Sergei, toujours en russe.

L'autre examina son chandail bleu, jeta un coup d'œil malicieux en direction de ses compagnons de jeu.

«Ouais, tu peux jouer avec nous», répondit le grand d'un air peu rassurant.

Sergei se mit à patiner. Il se mettait toujours en bonne position pour compter mais ne recevait jamais la rondelle. Le disque de caoutchouc fut finalement à sa portée. Il s'en empara mais fut violemment projeté sur la glace.

Une minute plus tard, le même incident se produisit de nouveau. Les garçons ricanaient maintenant ouvertement.

Une troisième fois, on le fit trébucher. Sergei ne se releva pas. Il se mit à pleurer.

«Pourquoi vous me faites ça? demanda-t-il.

— Parce que t'es un sale traître!» répondit méchamment une voix qu'il reconnut.

C'était Misha!

«Pourquoi tu nous as trahis? demanda le gosse qui arborait le chandail des Flyers.

— Je vous ai pas...

— Si! Tu nous as trahis!»

Les gamins, disposés en cercle autour de lui, se mirent à murmurer, puis élevèrent la voix jusqu'à ce qu'elle ne fût plus qu'un hurlement: «Traître! Traître! Traître! TRAÎTRE!»

Sergei avait beau sangloter et nier sa trahison, les gosses continuaient de l'insulter et de lui cracher dessus.

Finalement, il sentit la glace craquer, céder sous lui, et l'eau insupportablement froide pénétrer ses vêtements...

«NON!» cria Sergei en se redressant dans son lit. Il mit plusieurs minutes à reprendre son souffle et à sortir ce cauchemar de sa tête. Lorsqu'il se sentit plus calme, il décrocha le téléphone, composa un numéro.

Pour la première fois depuis de longs mois, il eut l'occasion de parler russe ailleurs que dans ses rêves.

☆

L'équipe, rassemblée près de l'autobus du National, attendait ses derniers joueurs pour partir vers Chicoutimi. Les vétérans, d'un côté, et les recrues, de l'autre, discutaient tranquillement. Gagnon et Mercier faisaient les dernières vérifications avant le départ.

«Tout est prêt? demanda une nouvelle fois le directeur.

— Ce n'est pas la première fois qu'on prend l'autobus, répondit l'entraîneur, impatient.

— Eh bien, allons-y, ordonna Mercier. Il est dix heures moins cinq.

— Justement: il reste cinq minutes», fit remarquer sèchement Marc.

Les joueurs commencèrent à monter à bord de l'autobus. Une Corvette des années cinquante, arrivant en trombe, attira leur attention. Quelques sifflements admiratifs et moqueurs fusèrent à l'intention d'Étienne Tremblay qui sortait de sa superbe voiture, les cheveux coupés en brosse, lunettes de soleil sur le nez et blouson de cuir sur le dos. Il se dirigea avec un large sourire vers la porte de l'autobus. Mercier, qui détestait toute forme d'arrogance autre que la sienne, s'impatienta.

«Il se prend pour qui? grogna-t-il à Marc.

— Il est jeune. Et à l'heure.»

Les joueurs finirent d'entrer dans le véhicule, laissant derrière eux Gagnon et Mercier, chacun d'eux insistant pour laisser monter l'autre le premier. Cette obligeance n'avait rien de courtois, comme le fit remarquer Robert Martin à un de ses coéquipiers. «C'est le capitaine du bateau qui monte le dernier», dit-il, observateur.

Finalement, Mercier accepta à contrecœur la fausse politesse de l'entraîneur. Ils s'assirent à l'avant de l'autobus.

«On part!» commanda le directeur. Le chauffeur ne bougea pas. Il attendit un léger signe de tête de la part de Marc pour démarrer.

Le voyage fut plutôt paisible pour les joueurs, mais ceux-ci sentaient la tension muette entre leurs deux supérieurs. Après une heure de route, l'inévitable confrontation eut lieu.

Comme à l'habitude, la radio hurlait un air de rock, mais Mercier, après quelques années d'absence, n'appréciait guère cette nouvelle tradition. Finalement, à bout de patience, il se pencha vers le chauffeur.

«Voudriez-vous baisser la radio? On ne s'entend plus.»

Le conducteur hésita, tendit la main vers le bouton du volume. Marc l'arrêta immédiatement en l'appelant par son prénom. «Jean-Marc!»

Les haut-parleurs continuèrent de diffuser les sons stridents des guitares électriques. Le directeur général, mécontent, se leva et baissa le volume lui-même. Il se rassit, sans dire un mot, et prit une expression sévère. Marc, qui tentait de rester calme, attendit quelques secondes, sous les regards curieux de tous les passagers, dont les journalistes, avant de se lever à son tour pour augmenter le volume. À haute voix, sans regarder Mercier, il déclara:

«Les gars aiment ça. Ça les aide à relaxer avant une partie.

— Et qui a dit que c'était la meilleure façon de se préparer pour une partie de hockey? riposta Jacques, en se retournant vers Gagnon, cette fois.

— Moi! Et c'est suffisant! tonna Marc. Jean-Marc, arrête tout de suite, on a un problème à régler.»

Encore une fois, le conducteur hésita. Finalement, il fit ralentir le lourd véhicule et l'immobilisa sur le bord de la route. Tous s'étaient tus et on n'entendait plus que la bruyante radio. Les deux dirigeants s'épiaient agressivement. Marc descendit le premier.

«C'est quoi cette niaiserie-là? Es-tu tombé sur la tête? fit Mercier, méprisant.

— Écoute-moi: je vais très bien, mais on va régler une affaire tout de suite. Qui est-ce qui menait dans le vestiaire quand tu étais coach du National? Toi ou Gilles Guilbeault?

— Moi, admit-il.

— Et dans les avions? Et les hôtels?

— L'entraîneur...

— Je suis heureux de te l'entendre dire. Donc, dans l'autobus, c'est moi qui commande.

— Faudrait quand même pas faire une si grosse histoire pour une radio..., fit Jacques, de mauvaise foi.

— Ce n'est pas une histoire de radio, et tu es assez intelligent pour le comprendre. Il y a trente gars dans le bus qui attendent de savoir qui va les diriger toute l'année. Ils veulent savoir si ils vont pouvoir me chier dessus ou devoir marcher au fouet!»

Le visage de Mercier se durcit. Ils retournèrent en silence dans le véhicule. La radio avait été coupée. Ils se rassirent à leurs places. Les joueurs les observaient, concentrés sur ce conflit. Jean-Marc se retourna et les interrogea du regard. Ce fut Mercier, avec une note de frustration dans la voix, qui répondit:

«Remets la musique.

— Un peu moins fort», précisa Gagnon, triomphant.

Le car redémarra. Les discussions reprirent. Un léger sourire flotta sur le visage de l'entraîneur tout au long du trajet.

Au bout de trois heures de route à travers le parc des Laurentides, l'équipe arriva à Chicoutimi où elle devait affronter son club-école. Les joueurs ne s'inquiétaient pas de ce match d'exhibition contre une équipe nettement moins talentueuse que la leur. Ils auraient dû.

Les jeunes hockeyeurs des Saints, motivés à l'extrême, s'inscrivirent au pointage dès la première minute de jeu, ridiculisant les vétérans Couture et Martin sur un jeu facile.

Paul fut réprimandé dès son retour au banc.

«L'hymne national est terminé, Curé! Où est-ce que tu avais la tête?» gueula Gagnon. Il n'eut pas le temps de continuer: la foule, encore en liesse à la suite du premier but, en applaudissait de plus belle un deuxième.

Lucien et Guy, de la passerelle des journalistes, observaient la réaction de Jacques Mercier. On pouvait le voir serrer les dents sous un visage livide. Il fixait la glace en frappant du poing le comptoir situé devant lui.

«Il va y avoir de l'action en fin de semaine! s'exclama Lulu.

— Je sais, j'ai déjà passé quelques semaines à Chicoutimi, répondit Drouin en faisant allusion au *nightlife* étonnamment mouvementé de la petite ville.

— Mais non! L'action, c'est autour de Mercier qu'elle va tourner. Regarde-lui la face! Il va exploser!

— C'est juste des parties d'exhibition, rassura Guy, il faut pas s'énerver...

— Ce n'est pas des matches d'exhibition comme les autres. Mercier veut des changements.»

Ils reportèrent leur attention sur la patinoire, où l'humiliation de Goliath par David se poursuivait. Les Saints maîtrisaient parfaitement le jeu. Le compte fut porté à 3 à 0, puis à 4 à 0, puis l'écart fut réduit à 4 à 1, par un but chanceux de Bradshaw, pour être ensuite ramené à 5 à 1.

Le seul but honnête du National fut compté, à la toute fin

de la troisième période, sur un jeu travaillé avec acharnement par Denis Mercure et Étienne Tremblay, qui venait une fois de plus de prouver que l'insolence et le talent peuvent aller de pair. Il fut d'ailleurs le seul, quelques minutes plus tard, à entrer au vestiaire la tête haute.

Pour ce but, Frank Ross, qui se trouvait tout près du Saguenéen, ne s'était même pas donné la peine de le féliciter, contrairement aux autres joueurs. Ses supérieurs l'avaient remarqué et, maintenant que le match avait pris fin, discutaient de son cas, et de celui de l'équipe, dans le corridor qui menait aux douches.

«Marc, ça ne se peut pas! déclara Mercier, hagard. Qu'est-ce qui arrive à Couture et Martin?

— Martin a trente-cinq ans, ça lui prend plus de temps à reprendre ses réflexes, rassura Gagnon. Pour Couture, je n'en sais rien. Je ne serais pas surpris qu'il ait des problèmes à la maison.

— Tu ne t'inquiètes pas trop pour eux?

— Oui, je m'inquiète. Mais je suis prêt à leur donner une chance.

— Et Frank Ross? Qu'est-ce que tu en penses?

— Je suis comme toi, Jacques. Je n'aime pas les gars qui n'ont pas l'esprit d'équipe. Lui, il ne joue pas pour le National, il joue pour son frère.

— Fern? demanda Mercier à l'entraîneur adjoint. Tu connais les jeunes?

— Les mineures tout de suite, fut son verdict.

— Marc?

— Les mineures. Ça va servir d'exemple.»

Ils pénétrèrent dans le vestiaire, ne regardant même pas les journalistes qui les y attendaient à l'entrée. L'agent de sécurité referma aussitôt la porte, au nez de Guy et de Lucien.

«Cinq minutes, encore, expliqua le garde.

— Il se fait tard, répondit Lulu. Tu es à Chicoutimi, pas à Montréal!»

À l'intérieur, les joueurs, en piteux état, étaient pétris de honte. On ne parlait pas très fort et quand on le faisait, c'était pour se plaindre. Mercier et Gagnon, silencieux, laissaient peser leur regard sur leur décevante équipe. Marc s'approcha de Frank Ross et lui dit, à voix haute:

«Ross, dimanche, tu joues pour Chicoutimi.

— Pour une partie? demanda le jeune homme, inquiet.

— Non. Pour un bout de temps.»

Jacques Mercier s'avança vers Paul et Robert. D'une voix tranchante, affichant un rictus impitoyable, il leur déclara, assez fort pour que tout le monde entende:

«Ce soir, c'est Frank Ross qui paye. Mais il n'est sans doute pas le seul à mériter un billet pour la Ligue américaine!»

Les deux vétérans baissèrent les yeux.

Les joueurs se rhabillèrent rapidement, sans faire de bruit, sans doute pour fuir aussi vite que possible cette atmosphère lourde et puante qui les étouffait.

Suzie avait terminé sa dernière journée de tournage et se détendait devant une tisane. On sonna à la porte. C'était Pierre.

«Je ne passe pas trop tard? demanda-t-il, un peu gêné, mais souriant.

— Non! Je suis toujours contente de te voir, répondit-elle en l'embrassant. Ça va?

— Oui, ça va. J'aurais aimé être à Chicoutimi avec les gars, mais ça va.

— Patricia?

— À l'hôpital. Service de nuit.

— Ça avance, notre affaire, dit-elle, passant du coq à l'âne. J'ai tourné les messages publicitaires. Dans un mois, nous allons lancer «Félin» pour hommes et «Féline» pour femmes. Tu vas être fier de ta petite sœur!

— Je suis toujours fier de ma petite sœur.

— Attends de voir les pubs. Louis a eu des idées géniales.

— Tu l'appelles Louis...

— Bien sûr. Pourquoi tu dis ça?

— À cause de la façon dont tu en parles, expliqua-t-il, concerné. Suzie, je ne me suis jamais mêlé de tes affaires de cœur, mais...

— Tu veux savoir comment ça va avec Marc?

— Bien... un peu.

— J'aime Marc. J'en suis presque certaine. Mais il y a quelque chose qui me retient d'aller plus loin.

— Tu ne veux pas vivre avec lui?

— Non. Ça ne me tente pas. J'aime mieux notre entente. Je suis sa blonde, je l'achale pas...

— Et lui t'achale pas...»

Suzie lâcha un soupir, entraîna Pierre vers la pièce voisine, où se trouvaient des documents sur sa gamme de produits.

«Laisse tomber, Pierre. Marc et moi, ça peut aller comme c'est là. Viens plutôt voir le design de nos flacons. Génial!»

Marc et Jacques, affalés sur des fauteuils dans la suite de ce dernier, dévoraient du poulet rôti en échangeant leurs observations sur le National et sur le match qui venait de se terminer. Après leur confrontation de l'après-midi, leur relation s'était passablement détendue, suffisamment en tout cas pour qu'ils se parlent librement.

«Je suis vraiment inquiet, dit Mercier en prenant une gorgée de bière.

— Moi aussi, mais pas pour les mêmes raisons.

— Non?

— On a besoin de Lambert pour stabiliser l'équipe. On est en train de prendre des mauvaises habitudes. Les petits jeunes se prennent au sérieux et je n'ai personne pour les remettre à leur place.

— Le club a vieilli, Marc, déclara gravement son dirigeant. Beaucoup trop vieilli. Martin et Couture sont finis.

— Minute! protesta Gagnon. Ces deux-là, ils sont solides. J'ai besoin de vétérans à la défense.

— Et tu fais quoi avec Bradshaw? Et Templeton qui va être suspendu pour quatre matches dès le début de la saison? Les deux approchent la trentaine. Trop vieux, Marc, trop vieux. Il faut faire jouer les plus jeunes, ils manquent d'expérience. Fais jouer E.T. et Danny.

— Essaies-tu de couler Guilbeault? accusa Marc.

— Non. J'essaie de sauver le National. Il faut rajeunir...

— Il faut couper dans les gros salaires, l'interrompit Marc, avoue-le! Il ne faut pas avoir honte des jobs sales!»

Mercier se sentit soudainement las de ces conflits constants, de cette agressivité. Il se leva, peut-être pour clore le sujet et fit quelques pas. Il se mit à penser à la Suisse, à Fribourg, à Judy et à Jimmy. Il regarda Marc, se souvint de toutes ces années passées à le pousser à son maximum, et finalement à sa retraite. Il se rendit compte qu'il était bien seul, de ce côté de l'océan.

«Marc, je ne veux pas être indiscret...

— Quoi?

— Tes enfants... comment ont-ils vécu ça, se retrouver sans mère?

— Au début, ç'a été dur, vraiment dur, répondit Gagnon, songeur. Depuis un an, ça va mieux. Pourquoi tu me demandes ça?

— Oh! Je pensais à Jimmy, je me demandais...»

Marc vit s'éteindre là l'un des rares moments d'humanité dont était capable Jacques Mercier. Ce dernier se secoua, visiblement gêné d'avoir cédé au sentimentalisme, et se leva, déclarant d'un ton décidé: «Demain matin, je monte à Québec pour rencontrer Lambert et Ferguson. Il faut régler cette affaire. Je reviendrai après, pour le match.»

Les joueurs se consolaient de leur humiliante défaite au bar de l'hôtel. Aux tables, les plus jeunes draguaient quelques jolies fans du National, tandis qu'au bar, les plus vieux, assagis par leur situation maritale, buvaient bière sur bière pour tenter de faire taire leur conscience professionnelle. Robert Martin, lui, tentait de faire taire sa conscience, tout simplement.

Denis, malgré les bons moments qu'ils avaient connus durant la partie, sirotait sa bière de façon aussi équivoque. Une fois qu'il eut fini son verre, il décida d'aller se coucher.

«Bon... Dodo. Montes-tu, Robert?

— Une autre! fut la seule réponse de son capitaine.

— Ouais, Bob, ça ne te fait pas de chambrer avec le Curé!

— Mêle-toi de tes affaires!» répliqua-t-il tristement.

Denis haussa les sourcils. Il n'avait jamais vu Robert Martin dans cet état. Il lui tapota aimablement l'épaule en se levant de son banc, puis quitta le bar en saluant de la main ses cadets, qui ne lui répondirent pas, trop occupés qu'ils étaient à conter fleurette à la gent féminine de Chicoutimi.

René Roberge et les frères Ross prenaient un verre en compagnie de trois Saguenéennes. Frank, abattu, était celui qui mettait le moins de cœur à la conversation. Danny tentait de le réconforter.

«Ne te décourage pas, Frankie, dit-il. Tu as vu Martin et Couture, ils ne termineront pas la saison!

— Ma place, elle est dans la Ligue nationale, ajouta son frère d'un ton morne. Si ce n'est pas avec le National, ça va être ailleurs.

— Venez! encouragea Roberge. Je vous invite dans ma chambre. On va fêter!»

Les joueurs et les filles échangèrent quelques regards significatifs. Danny, de son côté, se méfiait. Il se retourna vers son frère. «Moi, je vais me coucher.»

René Roberge réagit immédiatement. «Pas de problème, dit-il. Raymond!» Il se dirigea vers Dupuis, son coéquipier, et lui expliqua de quoi il retournait. Le défenseur sourit en regardant les jeunes filles. Danny, vaguement scandalisé, conseilla à son frère d'être prudent et se dirigea vers sa chambre dans l'indifférence générale.

Au comptoir, Robert Martin avait décidé qu'il était suffisamment ivre pour pouvoir supporter la compagnie de Couture. Il paya et quitta le bar à son tour.

Il se rendit d'un pas lent jusqu'à la chambre qu'il partageait avec Paul. Sans faire trop de bruit, il entra et alla s'allonger sur son lit. À côté, Paul parlait au téléphone. Malgré lui, Robert entendait ce qu'il disait.

«Maryse, on s'est sortis de situations pires que celle-là. Je sais que ça ne va pas, que tu es troublée..., disait-il, peiné. Si je n'avais pas ma foi...»

Paul ferma les yeux; il semblait que sa femme lui répondait quelque chose de blessant.

«Je suis comme je suis, Maryse... D'accord, je t'embrasse. Bonne nuit... Je... je t'aime.»

Il raccrocha, regarda Robert, qui détourna immédiatement les yeux.

Sans même se dire bonsoir, les deux hommes se couchèrent. Ils ne dormirent pas, et s'ils l'avaient fait, ils auraient été réveillés par le vacarme d'une partouze qui battait son plein quelques chambres plus loin.

Frank, René et Raymond avaient parfaitement réussi dans leur tentative de fraternisation avec les résidentes. À plusieurs reprises, le gérant de l'hôtel leur avait demandé d'arrêter leur boucan, mais s'était fait éconduire comme un emmerdeur de la pire espèce.

Il avait donc décidé de prévenir Jacques Mercier en personne et lui expliquait la situation en le conduisant devant la porte des fêtards.

«J'ai essayé de les faire cesser quand j'ai reçu les premières plaintes, dit-il, mais ils ont seulement continué en faisant plus de bruit.

— Vous avez bien fait de venir me chercher, répondit le directeur, visiblement furieux. Mais je compte sur votre discrétion.

— S'il y a des dommages?

— Vous serez remboursé, assura Mercier en arrivant à la source du tapage, ne vous inquiétez pas. Vous m'avez dit que c'était la chambre de Roberge et Dupuis?

Le gérant cogna. Parmi les rires et les cris, une voix rugit un formidable: «Va chier!»

Mercier s'adossa calmement contre le mur en face de la porte. Le gérant cogna de plus belle. Ce fut René Roberge, complètement soûl, qui vint répondre: «Si tu nous crisses pas la paix, on met le feu à...» Il s'arrêta, bouche bée. Son regard venait de croiser celui, cruel et implacable, de son directeur général. Il recula, hébété, devant Jacques Mercier qui entrait dans la pièce, où les cinq autres joyeux lurons s'étaient tus instantanément.

Deux des trois filles, à moitié nues, sinon complètement, se réfugièrent en vitesse dans la salle de bains. L'autre se rhabilla rapidement et s'enfuit. Frank, ivre mort, regardait s'évader son amourette de passage. Raymond se contentait d'avoir l'air con, avec sa corbeille à papier pleine de bière.

La moquette de la chambre était souillée par de la liqueur de malt, dont plusieurs bouteilles gisaient aux pieds de Mercier, qui contemplait la scène d'un œil à la fois méprisant et dégoûté. Et meurtrier, aussi. Distinctement, d'une voix cassante mais affreusement calme, il prononça le verdict: «Dupuis, Roberge, vous prenez l'autobus pour Québec demain matin. Je ne veux pas vous voir à l'hôtel au petit déjeuner. C'est clair? Je vais régler votre cas lundi matin.»

Il se retourna vers Frank Ross, affalé sur un lit, le regard vide. Lentement, pour s'assurer qu'il comprenne bien à travers les brumes de l'alcool, il lui dit: «Trouve-toi une pension à Chicoutimi. Ton séjour dans les mineures risque de durer plus longtemps que prévu.»

Il franchit le seuil de la porte et s'adressa au gérant: «Faites-moi une facture. Je vais prendre ça sur le salaire de ces petits imbéciles.»

Il laissa là les «petits imbéciles», qui ne dirent pas un mot ni ne dormirent de la nuit. Ils la passèrent à se tenir la tête entre les mains et, dans le cas de Frank, à vomir.

☆

L'air était frais et sec et le soleil réchauffait ce matin du début d'octobre. André et Marie-France couraient à perdre haleine sur le vaste terrain de la maison de campagne des Pageau. À bout de souffle, la jeune fille se laissa tomber en riant dans un tas de feuilles mortes.

André se jeta sur elle et ils disparurent une seconde sous le monticule; seuls leurs éclats de rire sortait des feuilles. Le jeune garçon se fit plus sérieux et l'embrassa passionnément.

«Je t'aime, déclara-t-il.

— Moi aussi, je t'aime, répondit Marie-France après un long silence. Mais... j'ai peur.

— Peur de quoi? demanda-t-il un peu niaisement. Veux-tu rentrer?

— Non. Mais je ne peux pas passer la nuit, mon père revient après la partie, ce soir.» Elle se détendit, se lova contre lui. «Je suis tellement heureuse d'être avec toi.»

André l'entraîna avec lui.

Jacques Mercier, de retour à son bureau du Colisée pour quelques heures seulement, tentait de parvenir à une entente avec Pierre Lambert et son agent, Mike Ferguson. Son offre se heurta à un refus outré.

«C'est ridicule! protesta Ferguson. Un contrat de un an avec une option de deux ans! Es-tu devenu fou, Jacques?

— C'est le plus loin que je puisse aller avec mon budget, répondit celui-ci laconiquement.

— Mike, je pense que nous sommes venus pour rien, annonça Pierre, qui était resté silencieux tout au long des négociations. Je veux bien croire que monsieur Goldman ait des problèmes d'argent, mais, moi, je n'ai rien à y voir. Je sais une chose, continua-t-il en se levant, impatient: ces cinq dernières années, j'ai compté plus de deux cent cinquante buts et on a gagné deux coupes Stanley. Je vaux trois fois plus que ce que je gagne en ce moment.

— Faudrait pas exagérer..., dit Mercier, hautain.

— Exagérer? répéta Pierre, presque en criant. Je veux être payé à ma juste valeur. J'ai donné tout ce que j'avais pour le National mais, là, c'est le temps que je pense à moi et Patricia. Je m'en vais! Pas la peine de te déranger si tu ne veux pas me parler sérieusement.

— Je vais te suspendre! menaça Mercier.

— Je m'en crisse!»

Le ton était sincère. Le claquement de la porte le fut également.

☆

André, après être parvenu à allumer le feu dans la cheminée, s'acharnait sur un bout de papier de un pouce par deux. Il désirait prouver ses talents de rouleur de joints à Marie-France qui sortirait bientôt de la douche. Jusqu'à présent, le bilan était négatif: ou bien la chose ressemblait à une saucisse, ou bien son contenu, de qualité fort douteuse, s'en échappait.

Le jeune garçon réussit finalement à mettre la langue sur un joint à la forme vaguement cylindrique. Il le déposa sur une table et mit une dernière fois de l'ordre dans ses cheveux. Il était beau, il y avait du hasch, du vin et, par-dessus tout, la très jolie Marie-France, prête à succomber à ses charmes.

André admira une fois de plus l'atmosphère romantique qu'il avait réussi à créer. C'eût été le soir, elle aurait été parfaite. Le moment attendu arriva: Marie-France, les cheveux humides, vêtue de sa seule robe de chambre, vint s'asseoir près de lui. Il pouvait sentir son parfum, deviner ses formes sous l'épais tissu, admirer la peau dorée de ses jambes. Camouflant son excitation, il servit du vin d'un geste qui se voulait nonchalant.

Après quelques gorgées, André sentit le besoin d'allumer la cigarette de cannabis. Il en prit une grande bouffée, la tendit à son amie, qui se contenta de n'en respirer qu'un peu.

Marie-France posa sa tête sur l'épaule de son ami, qui éteignit le joint prématurément: son odeur désagréable semblait la gêner. Il l'enlaça doucement, la fit glisser sur le tapis et, penché au-dessus d'elle, dénuda ses épaules nerveusement.

«Non..., murmura-t-elle. Va doucement. Je n'ai plus peur.»

André entrouvrit la robe de chambre, découvrant ses jeunes seins aux pointes vermeil.

Ils firent l'amour, un peu maladroitement, mais pas assez pour que Marie-France s'en plaigne.

☆

«Les gens sont dégueulasses! s'exclama Patricia en entrant dans la maison. Tu devrais entendre ce qu'ils disent à l'épicerie!»

Pierre interrompit ses tractions, se tourna vers elle.

«Qu'est-ce qu'ils disent?

— Que tu es un enfant gâté et qu'avec le salaire que tu reçois tu n'as pas à faire la grève.

— Et toi? Qu'est-ce que tu en dis?

— Moi? Je dis qu'ils sont jaloux, répondit-elle, agressive. Ce qui compte, c'est ce que toi et moi pensons.

— Je suis d'accord. En se serrant les coudes, on va passer à travers, même si les gens sont un peu méchants.

— Pourquoi tu la fais, cette grève? demanda-t-elle en se coulant dans ses bras. Pour toi seul?

— Non. Pour toi, pour moi. Pour nous deux, notre avenir...»

Patricia se fit grave et passionnée.

«Pierre, j'attendais d'en être sûre avant de t'en parler, mais j'ai reçu le résultat des tests hier soir.»

Surpris, Pierre mit un instant à bien saisir le sens des paroles que son amie venait de prononcer. Le visage illuminé, amoureux, il la serra contre lui. Elle continua: «Ta grève, mon chéri, tu la fais pour au moins une autre personne. Je vais avoir un bébé.»

Ils demeurèrent un long moment l'un contre l'autre, jusqu'à ce que le téléphone se mît à sonner. Pierre, ennuyé, poussa un profond soupir et décrocha.

Patricia vit son visage prendre une expression de surprise.

«Oui, Sergei. Qu'est-ce que je peux faire pour toi?»

Il l'écouta patiemment, d'abord, l'air incrédule, puis médusé:

«Tu en es vraiment sûr, Sergei?»

Pierre exprima son désarroi en se tordant la bouche.

«Entendu. Si c'est ce que tu désires, je vais le faire. Mais je regrette qu'on ait à en venir là.»

Il raccrocha, catastrophé, et composa immédiatement un autre numéro.

☆

Marc était seul dans sa chambre d'hôtel. La séance d'entraînement n'aurait pas lieu avant une bonne heure et il se sentait mal. Les joueurs étaient indisciplinés et il savait ce que cela voulait dire. L'atmosphère était pourrie; le club, à la veille de faire faillite. Mais une seule chose le préoccupait en ce moment: un jolie et souriante petite tête blonde.

Il téléphona chez lui à Québec. Sa fille était absente.

«Vous dites que Marie-France est partie de bonne heure ce matin? répéta-t-il après madame Patry. Passer la journée dans le Nord avec une amie?

— C'est ce qu'elle m'a dit, confirma la gouvernante.

— Ah, fit Marc, peu enthousiaste. C'est la première fois qu'elle fait ça.

— Je ne suis pas inquiète. Marie-France est tellement une bonne jeune fille.

— Ouais... Vous avez sans doute raison. Au revoir.»

Désappointé, il essaya de joindre Suzie. Ce fut son répondeur qui lui parla. Il dut se contenter de lui laisser un message.

Marc s'écrasa sur le lit et se frotta longuement les yeux.

☆

Johanne, furieuse, entra la première dans l'appartement. Lucien suivait du mieux qu'il pouvait, un bébé sur chaque bras. Une nouvelle fois, elle cria:

«Notre première fin de semaine à l'extérieur! La première! Et il faut que monsieur revienne à Québec, parce que Pierre Lambert vient de l'appeler!

— Jojo, je dois faire mon métier, gémit-il. Je ne peux pas laisser passer une occasion pareille. Un scoop comme ça, tu en as un dans ta vie!

— Et bien, vas-y. Laisse-nous tout seuls.»

Lulu resta bouche bée devant l'injustice de ces propos. Sa nature l'empêchant de se mettre en colère, il ne fit que s'indigner. «Je fais ma part ici! Ma grosse part! Il faut que j'y aille, dit-il en consultant sa montre. Souhaite-moi bonne chance.»

La bise et l'encouragement escomptés ne vinrent pas. Jojo alla s'enfermer dans la chambre. Lulu, près d'exploser, sortit sans attendre pour rejoindre Pierre.

Le vestiaire grouillait. Les joueurs finissaient de revêtir leur uniforme. L'équipe, malgré ses trois membres en moins, semblait prendre ce match plus au sérieux que le précédent. Marc, suivant la tradition, prit place au milieu de la pièce.

«C'est notre dernière partie avant l'ouverture de la saison, commença-t-il fermement. Hier, on a perdu contre notre club-école, il ne faudrait pas avoir l'air deux fois plus con ce soir. Les petits jeunes de Chicoutimi vont essayer de vous provoquer. Mac et les autres, vous ne vous battez pas. Personne n'y gagne à se battre avec des gars des ligues mineures. O.K.? Tremblay, ce soir, c'est ta chance.»

Étienne leva la tête, puis le poing, et déclara d'une voix fière:

«Montrons-leur ce que c'est qu'une grosse équipe!

— Le jeune! appela Bradshaw, fatigué.

— Quoi?

— Ta gueule!»

Le match fut plutôt morne. Aucun but ne fut compté durant la première période. Visiblement, les Saints adoptaient, avec succès, la stratégie du somnifère; profitant de brèches béantes dans la défensive du National, ils comptèrent deux buts sans éclat.

En fait, le moment le plus excitant de la rencontre fut celui où Frank Ross, passé dans l'équipe des Saints, infligea une raclée à Étienne Tremblay. Mac Templeton, qui n'aimait pas voir maltraiter l'un des siens, aussi arrogant fût-il, expédia l'Albertain sur la glace d'une pêche retentissante.

Jacques Mercier, de sa loge, fulminait. Outre le ridicule et l'inutilité de ce combat, il avait remarqué la passivité de Paul Couture, qui se trouvait à quelques mètres seulement d'Étienne au moment de la bagarre. C'était la première fois qu'il voyait le «Curé» s'abstenir de défendre l'un de ses coéquipiers.

Pour couronner le tout, Robert Martin fut blessé à l'épaule et les Saguenéens marquèrent un troisième but.

À la fin du match, les joueurs revinrent au vestiaire, s'habillèrent à la hâte et gagnèrent aussitôt leur chambre respective pour y boucler leurs valises. Personne n'avait envie de fêter et, encore moins de répondre aux questions des journalistes.

Marc, hors de lui, bourrait son sac de voyage sans faire attention à ce qu'il faisait. Il était pressé de prendre l'autobus et de rentrer chez lui. Jacques Mercier vint le rejoindre, inquiet.

«Des nouvelles de Martin?

— Mauvaises, marmonna Gagnon. Séparation de l'épaule, au moins huit semaines de repos. À son âge, ça commence à compter.

— Bon, soupira Mercier. Qu'est-ce qu'on fait avec Couture?

— Comment: qu'est-ce qu'on fait avec Couture?

— Fini. Le Curé est fini, Marc. Si tu n'avais pas joué aussi longtemps avec lui, tu le saurais, expliqua-t-il, impitoyable. J'ai une offre des Maple Leafs pour lui. J'y pense.

— Mais qu'est-ce qui se passe ici! cria Gagnon, dépité. Une vente de garage, ou quoi? Martin: dehors! Lambert: dehors! Couture: dehors! Avec qui je vais jouer, moi? Faut-il que je me prépare à revenir au jeu?

— Charrie pas. Le cas de Lambert va être réglé pour le match d'ouverture.

— Ah oui? fit Marc, incrédule. Il te reste deux jours!»

☆

La voiture de Pierre continuait son périple à travers la nuit. Lui et Lucien s'étaient arrêtés à Montréal pour y prendre un troisième passager et approchaient maintenant d'Ottawa.

Le passager, c'était Sergei Koulikov. Depuis plus d'une heure, Lucien enregistrait la moindre de ses déclarations. Le Russe était déprimé et l'entretien était coupé de longs silences. Mais il ferait quand même la une du *Matin* du lendemain.

«Il me semble que ce n'est pas juste, Sergei, répéta Pierre. Après tout ce qui t'est arrivé...

— Je n'ai pas le choix, répondit tristement le Soviétique. Je me suis trompé: on n'a jamais le choix, même en pays capitalistes.

— Question d'opinion, commenta Lucien. As-tu pensé à ce qui pouvait t'arriver?»

Sergei ne dit rien. La voiture entra dans l'allée de l'ambassade soviétique et s'immobilisa.

«Nous y voilà», annonça Pierre.

Il éteignit et ralluma ses phares plusieurs fois, tel que convenu. Les trois hommes sortirent de l'automobile.

«Es-tu certain que c'est ce que tu veux? demanda Pierre une dernière fois.

— Da!

— Le Rouge, tu le sais que tu retournes en prison? ne put s'empêcher de dire Lulu.

— Tu es vraiment sûr que tu vas continuer à jouer au hockey? s'inquiéta Lambert, toujours sceptique.

— Ils m'ont promis un job d'entraîneur, dit Sergei en souriant tristement. Je vais pouvoir créer des Pierre Lambert.»

De l'autre côté de la grille, l'ambassadeur, accompagné de deux diplomates et de quelques gardes, s'approchait. Lucien prépara son appareil-photo. La cour fut soudain inondée de lumière. Sergei fit quelques pas. La grille s'ouvrit. Il se retourna.

«Je vais retrouver Misha, aussi», dit-il à Pierre et à Lucien. Ce furent les derniers mots qu'ils échangèrent.

L'ambassadeur et Sergei s'approchèrent l'un de l'autre sous le regard de l'objectif de Lucien. Ils se serrèrent la main sur le pas de la grille.

«Je te salue, Sergei Ivanovitch Koulikov», fit le consul.

Sergei franchit la grille, fit un dernier signe de la main à ses amis québécois, les yeux emplis d'une indicible mélancolie.

Le lourd portail de fer se referma sur lui avec un son que Lucien et Pierre n'oublieraient jamais.

CHAPITRE VII

Novembre avait fini de laver la végétation de toute trace de verdure. Le ventre de Patricia s'arrondissait légèrement et la fiche du National, privé de Pierre, se dégradait.

Son équipe avait commencé la saison sans ses services et s'en ressentait: défaites sur défaites ponctuées seulement de quelques matches nuls assez ternes. En raison de la pénurie de vétérans, avec la grève de Lambert et la blessure de Martin, Gagnon et Mercier avaient dû laisser plus de place aux recrues qu'elles ne le méritaient vraiment. Ils avaient également dû rappeler Frank Ross de Chicoutimi et renoncer à toutes sanctions contre Dupuis et Roberge, perdant ainsi beaucoup sur le plan de la discipline.

C'était une équipe n'allant nulle part qui affrontait les Flyers de Philadelphie ce soir-là. Le souvenir de leur cuisante élimination de la saison précédente ne provoquait chez eux aucun désir de vengeance. En troisième période, l'humiliation du printemps se répétait par un compte, très révélateur, de 7 à 2. La défection de Sergei Koulikov n'affectait en rien les Broad Street Bullies, qui n'avaient même pas eu besoin de cogner pour dérouter les Québécois.

La consternation régnait au Colisée. Seul Noël Bégin, exhibant un collier orthopédique, semblait se réjouir de la tournure des événements et regardait avec triomphe s'en aller ses concitoyens déçus.

Les dirigeants du National, de leur loge, écoutaient tristement un commentateur de la télévision faire le constat de cette défaite.

«À cinq minutes de l'issue de cette rencontre, c'est 7-2 pour les Flyers, rappela l'annonceur. Le bilan est sombre: deux nulles, quatre défaites, et Danny Ross, victime d'une entorse au poignet, s'ajoute maintenant à la liste des blessés.

— La grève de Lambert fait mal à l'équipe, poursuivit son collègue. Le jeune Étienne Tremblay a beaucoup de talent mais manque visiblement d'expérience.

— Le jeu reprend, coupa l'autre. La foule scande quelque chose...»

La foule, spontanément, s'était mise à crier:

«ON VEUT LAMBERT! ON VEUT LAMBERT! ON VEUT...»

Jacques Mercier, à bout, éteignit le téléviseur. Il regarda Allan Goldman.

«Il faut que Lambert revienne au jeu, déclara-t-il. Mais pour le faire bouger, il faut hausser notre offre.

— Il n'est pas question de donner un contrat à long terme à Pierre Lambert tant que nous n'aurons pas une offre d'achat pour le National, s'entêta Goldman. Simple question financière.

— Mais j'ai besoin de lui!

— Pas de contrat à long terme!

— Et la vente du National? Du nouveau?

— Je dois rencontrer Frédéric Tanner... Alors, Pierre Lambert attendra!»

La sirène de fin de période mit un terme à leur entretien. Jacques, quelque peu découragé, s'en alla faire sa visite d'après match au vestiaire.

Dans l'antichambre du Colisée, les joueurs gardaient le silence. Nounou, incapable de le supporter, se mit à les encourager du mieux qu'il put, à les enjoindre de se secouer. Il ne reçut que de pâles réponses.

Marc Gagnon, tout aussi silencieux, les observait d'un coin du vestiaire en essayant de trouver le moyen de dépêtrer l'équipe du bourbier dans lequel elle s'était enfoncée. Il se précipita vers Mercier qui entrait dans la salle. Les joueurs levèrent les yeux pour surveiller les deux hommes qui se mirent à discuter à l'écart.

«Ramène-moi Pierre Lambert au plus vite! supplia l'entraîneur.

— Je travaille fort, assura le directeur. Mais c'est loin d'être simple...

— Écoute! On a rappelé Frank Ross, mais ce n'est pas Robert Martin. Je n'ai rien pour me battre. Bradshaw boude, Étienne Tremblay n'a pas de discipline, Mercure a beau travailler fort, ce n'est pas un meneur. Et là, Danny Ross s'est blessé! La suspension de Mac est terminée, mais il me faut Lambert. Qu'est-ce que tu veux que je fasse sans lui, moi?

— Gagner quand même!»

Marc regarda Jacques dans les yeux, sentant sa lassitude se muer en colère. Il n'eut pas envie de discuter de la pertinence de cet ordre et préféra quitter la pièce précipitamment, claquant la porte derrière lui.

Étienne, lui, était le seul à sourire.

☆

Maryse et Robert étaient blottis l'un contre l'autre dans une chambre d'hôtel, maintenant familière. Depuis un bon moment, ils demeuraient immobiles, sans parler, éclairés par un téléviseur silencieux.

«Mon chéri, il est presque onze heures, il faut rentrer, rappela-t-elle.

— Je ne veux plus rentrer, geignit-il. Je n'en suis plus capable. Pierrette est une femme merveilleuse, mais je ne peux plus supporter qu'elle me touche. C'est toi que j'aime! Il faut faire quelque chose.

— Faire quelque chose! Facile à dire. Penses-tu que c'est agréable pour moi? Je suis la femme de ton partenaire à la défense. Je couche avec le capitaine de son équipe. Je me sens tellement minable, c'est pas endurable.

— Tu ne couches pas avec le meilleur ami de ton mari, protesta-t-il, tu l'aimes! C'est différent.

— Qu'est-ce qui arriverait si on apprenait ce qui se passe? C'est vrai que je t'aime, Robert, mais je commence à trouver que ça se complique, notre histoire.

— Dis pas ça. Personne n'a voulu qu'on tombe en amour. C'est pas de notre faute, on est coupables de rien!»

Ils retombèrent dans leur muette mélancolie.

☆

Frédéric Tanner faisait part de son offre d'achat à Allan Goldman dans le bureau de ce dernier.

«Vous aimez la vie à New York? s'enquit Goldman.

— Elle est très mouvementée, répondit le Suisse. Mais j'ai tellement de travail que je ne vois pas le temps passer... Alors?

— Je suis décidé, affirma Goldman. Le National est à vendre, comme je vous l'ai dit au téléphone. Euh... J'aimerais savoir au nom de qui vous parlez.

— Savoir si je suis sérieux? demanda Tanner, un peu narquois.

— Je n'ai pas dit cela.

— Je parle au nom du groupe Davillos, une multinationale suisse intéressée à votre équipe de hockey pour s'en servir comme locomotive promotionnelle. D'ailleurs, nous avons déjà informé la Ligue de nos intentions. Le dossier sera déposé sous peu.

— Le National est une bonne affaire, se vanta Allan.

— Permettez-moi d'en douter, rétorqua le Suisse. Je vois plutôt que votre étoile, Pierre Lambert, est en grève, que votre capitaine est blessé, que votre liste de paye est écrasante, que l'équipe a vieilli et que votre fonds de roulement est à sec.

— Des mesures ont été prises, se défendit l'autre faiblement. Je vous assure, vous n'êtes pas les seuls intéressés par le National.

— Mais nous sommes les premiers à vous faire une offre concrète, expliqua Tanner patiemment, puis, plus insinuant, il ajouta: Monsieur Goldman... Nous nous respectons trop pour vouloir jouer de petites parties de poker. Le National nous intéresse malgré la façon dont il a été administré au cours des dernières années.

— Vous me semblez bien informé.

— Très bien informé. Mais, si vous le permettez, nous reprendrons cette discussion durant le match de ce soir. J'adore les Oilers!» s'exclama Tanner en guise de conclusion.

☆

«Allez-y, les gars! Faut pas lâcher! Bande de salauds...»

Pierre pédalait furieusement sur sa bicyclette d'exercice en encourageant ses coéquipiers. Sur l'écran de son téléviseur, il pouvait voir son équipe subir une nouvelle raclée.

La marque de 7 à 0 en faveur d'Edmonton le mettait hors de lui. Il transpirait sans doute autant que les joueurs qui peinaient sur la glace.

Le jeu venait de s'arrêter. René Roberge, harassé, venait de s'attaquer à l'homme fort de l'équipe adverse. Pierre se mit à crier: «Vas-y, René! Cogne!»

René ne dut pas l'entendre, car en moins d'une minute il se retrouva au banc des pénalités, cachant son nez ensanglanté dans une serviette souillée.

Pierre n'en put plus. Il descendit de sa bicyclette et décrocha le téléphone.

«Mike? demanda-t-il, survolté. Ça n'a plus de bon sens de se faire planter comme ça! Appelle Mercier demain matin. Je veux jouer au hockey, je n'en peux plus de les voir se faire massacrer de même!»

Goldman, Mercier et Tanner, le vieil ami de Mercier, suivaient également la partie, mais du haut d'une loge. Le propriétaire affichait un air sombre devant la piètre performance du National. À l'écart, le directeur et l'homme d'affaires, qui se revoyaient pour la première fois depuis trois mois, discutaient.

«On m'avait dit que tu étais à Québec, Frédéric, dit Mercier.

— Tu dois te douter de ce qui m'amène chez vous..., fit le Suisse.

Jacques fit un signe de tête éloquent en direction des joueurs qui circulaient sur la glace.

«Oui, acquiesça Tanner en souriant. Et je vais avoir besoin de toi, grandement besoin... C'est ton avenir qui est en jeu.» Il s'arrêta de parler en voyant Goldman s'avancer. «Je t'en reparle», souffla-t-il.

«Sept-zéro, c'est une honte, déclara Allan, mécontent.

— La honte, c'est de ne pas avoir Pierre Lambert sur la patinoire, rétorqua durement Mercier.

— Que se passe-t-il avec lui? s'enquit Tanner. Est-il si déraisonnable?

— Déraisonnable? répéta Mercier avec une pointe d'ironie. Comment Pierre Lambert pourrait-il être déraisonnable?

— Je suis fortement déçu, monsieur Goldman, déclara Frédéric. Vous n'arrivez pas à régler vos problèmes internes et Pierre Lambert est essentiel à notre groupe. Je pourrais leur recommander d'y réfléchir à deux fois avant de soumettre le projet d'achat...»

☆

Les joueurs, d'humeur massacrante, signaient à présent des autographes à quelques fans indulgents. Le cœur n'y était pas, même pour Étienne qui était entouré de deux jolies et très jeunes admiratrices. La plus dégourdie, Mimi, lui fit un compliment un peu dérisoire après la lourde défaite du National.

«Tu as bien joué, ce soir, dit-elle avec un sourire aguicheur.

— Tu ne me demandes pas un autographe, aujourd'hui?

— Non, j'en ai assez. Je voudrais avoir un autre souvenir.

— Quoi? Ma photo?

— Ton numéro de téléphone.

— Ça, répondit-il en riant, il faut le gagner! Et puis, t'es pas un peu jeune?

— Pas autant que tu penses...»

☆

Le Colisée s'était vidé, mais Goldman et Mercier avaient encore quelque chose à se dire.

«Monsieur Goldman, on ne pourra plus longtemps marcher comme ça. Il faut faire signer Lambert.

— Tu as raison. Il faut qu'il signe.

— À son prix?

— À n'importe quel prix.»

Marie-France s'arrêta net. Elle observa un moment André qui discutait, l'air serein et souriant, avec une jeune fille. Elle semblait avoir perdu l'exclusivité de son sourire et de ses regards charmeurs. Ravalant ses craintes et le nœud qui lui serrait la gorge, elle s'avança vers lui.

«Salut!» fit-elle.

Les deux la regardèrent, elle froide, lui embarrassé. La fille, avec une moue, salua André et s'en alla.

«Tu m'espionnes? demanda-t-il brusquement à Marie-France.

— Non. C'est qui, elle?

— C'est une amie, y a rien là.

— Ça fait trois jours qu'on ne s'est pas vus. Qu'est-ce qui se passe?

— Rien, rien. Je suis responsable de notre équipe de *Génies en herbe,* s'excusa-t-il pompeusement. Et puis, à ce que je sache, nous ne sommes pas mariés.»

Marie-France changea de tactique et vint se frotter contre lui, posant sa tête sur son épaule. Elle murmura:

«Tu le sais que je suis différente, maintenant...

— Ne parle pas comme ça, dit-il, agressif. Et puis, je voulais te dire...

— Que tu m'aimes toujours?

— Euh... Oui, je vais toujours t'aimer. Mais, là, je trouve qu'on est trop jeunes pour s'engager autant. Je voudrais...»

Marie-France se détacha de lui, prévoyant ce qui allait suivre. André, blasé, observa avec ennui ses yeux s'emplir de larmes.

«Arrête... Arrête! pleura-t-elle. Je t'en supplie...

— Regarde-toi! soupira-t-il. Pas moyen de te parler, c'est vraiment chiant! Salut!»

Il la laissa là, à retenir ses sanglots.

«Linda? Madame Faulkner est là!»

Linda se leva immédiatement, abandonnant sans hésitation son travail pourtant urgent. Joan Faulkner entra, accompagnée d'une très belle jeune femme que Linda eut l'impression d'avoir déjà vue.

«Madame Faulkner, c'est une belle surprise.

— Linda, dit fièrement la femme d'affaires, voici ma fille Vanessa. Elle termine sa maîtrise en journalisme à l'Université Concordia.

— Enchantée. Bienvenue dans la confrérie.

— Je suis vraiment heureuse de vous connaître, dit Vanessa, avenante. Joan m'a beaucoup parlé de vous.

— Et toujours en bien! renchérit sa mère. Linda, ma fille doit prendre de l'expérience. Je veux qu'elle fasse un stage au *Matin*. Je veux qu'elle soit traitée comme tout autre journaliste.

— Ça peut s'arranger avec le syndicat, répondit Linda après une courte réflexion. Dans quel secteur préférerais-tu travailler?

— J'avais une idole. Je veux la remplacer.

— Qui donc? demanda Linda, amusée.

— Linda Hébert.»

La directrice eut quelque mal à réprimer un début de rougeur sur ses joues. Elle s'éclaircit la gorge. La jeune femme poursuivit.

«Sérieusement, je vous admire beaucoup et j'aimerais travailler quelque temps aux sports.»

Linda, dépassée, consulta Joan d'un coup d'œil et déclara:

«Bon. On va voir ce que l'on peut faire.

— Vanessa, fit sa mère gentiment mais avec autorité, va donc visiter la salle, je n'ai pas terminé.»

La jeune femme sortit en saluant de la main.

«Linda, vous connaissez Frédéric Tanner? reprit Joan, prenant un ton plus sérieux.

— Oui. Pourquoi?

— Vous savez peut-être qu'il représente maintenant le groupe Davillos. C'est une multinationale suisse qui cherche à s'implanter au Canada.

— Vous savez, moi, la haute finance...

— On l'a vu en compagnie d'Allan Goldman et de Jacques Mercier.

— Il voudrait acheter le National? demanda Linda, stupéfaite.

— Je ne sais pas, mentit Joan. Je me pose la question.

— C'est grave: le National qui appartiendrait à des Européens... Mais pourquoi Goldman voudrait-il vendre?

— Je sais de source sûre que le National est à vendre, et que ceci découle directement d'un ordre de John Aylmer. Il a six mois pour bâcler la transaction.

— C'est sensationnel! Je sors ça à la une.

— Peut-être vaudrait-il mieux attendre?

— Nous en avons assez pour poser les questions. Ce sera à Frédéric Tanner d'y répondre.»

L'excitation de son employée fit sourire Joan. Linda Hébert ne se révélait finalement pas si difficile à manipuler.

☆

«Qu'est-ce que tu me dis là?»

Jacques Mercier, abasourdi, demandait à entendre une nouvelle fois ce que l'homme venait de lui déclarer.

«Je te le dis, fit l'homme à voix basse. Je ne devrais pas; un directeur d'hôtel, c'est censé être la discrétion même. Mais, maintenant, il y a trop de monde au courant. Ça jase trop. J'aime mieux que tu le saches par moi.

— Robert Martin et Maryse Couture? répéta Mercier, incrédule. Trois ou quatre fois par semaine? Non, tu déraillles!

— Jacques, on se connaît depuis quinze ans! Maryse Couture est la maîtresse de Robert Martin. C'est le grand amour!

— Tu me le jures?

— Tu veux des témoins?

— Non. Laisse faire, répondit Mercier en se détendant un peu. Mais il faut que ça cesse.

— C'est simple: échange Martin, proposa l'hôtelier.

— Non, fit Jacques, songeur. Il est trop populaire.

— Bon! Échange le cocu..., conclut l'autre. Je t'ai fait préparer la suite que tu avais demandée. Une belle fille, toi aussi? taquina l'autre.

— Ouais. Une fille qui s'appelle Pierre Lambert. C'est cet après-midi que ça passe ou que ça casse.»

Pierre et Mike Ferguson arrivèrent. Jacques attrapa une serviette de cuir et tous trois montèrent à la suite qu'il avait réservée pour leurs négociations.

L'offre de Mercier surprit Pierre et Mike. À tel point que ce dernier ne voulut pas laisser son protégé signer avant d'avoir examiné l'épais contrat à la loupe et ce à quatre reprises.

Finalement, au bout de deux litres de café et de trois heures de pourparlers pleins de méfiance, Jacques s'impatienta.

«C'est assez. Ça fait depuis quatre heures et quart qu'on discute. Il n'y a pas d'attrape, ce n'est pas mon genre.

— J'ai attendu un mois, je peux bien attendre encore une demi-heure, répondit Pierre calmement.

— Pourquoi ne jouerais-tu pas ce soir? L'équipe a terriblement besoin de toi.

— Jouer ce soir, ça serait possible? demanda Pierre, visiblement touché.

— Bien sûr que c'est possible, répondit Mercier, enthousiaste. Tu es encore sous contrat, je n'ai qu'à te faire inscrire dans l'alignement.

— Il est déjà sept heures et quart, fit remarquer Ferguson. La partie commence dans quinze minutes.

— Signe, Pierre! encouragea Jacques, sincèrement excité. Je vais téléphoner à Marc, tu vas pouvoir jouer ce soir.

— Qu'est-ce que tu en penses? demanda Pierre à Mike.

— C'est simple. Six cent cinquante mille pour cette saison, plus une année optionnelle. C'est raisonnable.

— C'est énorme, souligna Mercier. Je te jure que je ne pouvais pas faire plus.

— Bon. Ça me va. Passe-moi les contrats.»

Jubilant, Mercier lui tendit la pile de feuillets et sa plume, puis sauta sur le téléphone.

«C'est Jacques Mercier. Passez-moi le vestiaire.

— Oui?

— Marc? As-tu encore le temps de faire un changement?

— Oui. Pourquoi?

— Il vient de signer!

— Es-tu sérieux! Quand...

— On part de l'hôtel.

— Parfait!»

Marc raccrocha, retenant avec peine son envie de hurler de joie. À voix haute, avec un sourire triomphant, il ordonna: «Nounou, va accrocher le chandail numéro 13. Il va servir ce soir!»

Les joueurs, qui étaient demeurés presque silencieux jusque-là, comprirent subitement ce que cela signifiait. Ce fut Steve Bradshaw qui réagit le premier. Renouant avec une vieille tradition que l'équipe croyait avoir oubliée, il s'avança lentement vers une table d'équipement, bâton à la main, inspira profondément, puis éleva sa crosse et la fracassa violemment sur la table en rugissant.

Tous les joueurs se mirent à hurler des cris d'encouragement, puis quittèrent le vestiaire. Étienne Tremblay, qui sortit le dernier, était le seul à être mécontent.

☆

Vanessa Faulkner se démarquait brillamment des autres journalistes, peu soucieux de leur apparence, par sa somptueuse élégance. Elle ne pouvait s'empêcher d'encourager le National, qui connaissait un meilleur début de match qu'à ses précédentes sorties. Lucien, habitué à la stricte neutralité journalistique, lui rappela poliment:

«Pas d'applaudissements sur la passerelle.

— Pourquoi pas? demanda-t-elle, gamine.

— Les gars font leur travail, ils ne sont pas censés prendre parti. Moi, dit-il très sérieusement, je viens ici pour travailler, pas pour m'amuser.

— Tu veux dire que ma mère te paye pour regarder des matches de hockey? le snoba-t-elle.

— Minute! toi là, se défendit-il. Je travaille pour le *Matin,* pas pour ta mère.

— Fâche-toi pas, c'était une blague...»

Lucien, déconcerté, regarda arriver Guy Drouin, plus chic que de coutume et qui portait deux cafés, un pour lui et l'autre pour Vanessa.

Lulu marmonna un commentaire moqueur à propos de cette politesse surprenante, puis reporta son attention vers la patinoire. Une rumeur montait...

Pierre se précipita vers le vestiaire. La première période tirait à sa fin et il ne voulait plus perdre de temps. Avec une hâte frénétique, il se déshabilla et enfila son équipement protecteur, en en omettant quelques pièces. Après avoir juré trois bonnes minutes contre ses patins qui se révélaient interminablement longs à lacer, il se dirigea en dandinant vers le banc.

Marc, en l'apercevant, lui fit un clin d'œil et l'expédia directement sur la glace. Pierre, tremblant d'excitation, se mit en position pour la mise en jeu. À sa gauche, Denis poussa un cri de joie en le voyant. L'arbitre l'observa quelques secondes, perplexe. Mac, à sa droite, exultait: *«Hey, kids, the Cat is back!»* Pierre leva les yeux, contemplant la foule qui lui avait tant manqué, et sourit. Une vague rumeur monta parmi les spectateurs, qui sortirent de leur stupeur à la vue du 13, et se transforma en une extraordinaire ovation. Bientôt, le public du Colisée se mit à scander le nom de Pierre, qui sentait son cœur battre au rythme de ces cris.

Les acclamations s'arrêtèrent net quand les bâtons se heurtèrent avec un son sec au-dessus de la rondelle tombant sur la glace, faisant place à une observation attentive et nerveuse. Pierre s'empara du disque et fila entre les joueurs des Maple Leafs en direction de leur but. Porté par les encouragements de la foule, il sentit à peine la rude mise en échec que lui servit un adversaire. Il parvint à reprendre le jeu en main et fit une passe précise à Denis, qui compta d'un solide lancer frappé.

Les gradins furent secoués par un délire d'applaudissements. Pierre et Denis se jetèrent dans les bras l'un de l'autre, aussitôt rejoints par les autres joueurs s'agglutinant autour d'eux. Nounou retint une larme. Les joueurs reprirent leur place sous le tableau indicateur qui affichait maintenant un compte de 1 à 0 et plus que quelques secondes à jouer dans la période.

La sirène mit fin au jeu. Lentement, les gradins se vidèrent à moitié dans une rumeur de contentement. Jacques Mercier, satisfait du revirement de la situation, descendait dans l'enceinte. Il se faufila entre les spectateurs et alla rejoindre un grand blond d'une trentaine d'années, dont seule la sobre épingle dorée montrait son lien avec les Maple Leafs. C'était Ted Smith, le directeur relationniste de cette équipe. Jacques lui serra la main et, après quelques formules de politesse, lui dit:

«On m'a dit que vous étiez prêts à échanger Marcel Savard.

— Ça dépend contre qui», répondit Smith.

Mercier lui fit part de son offre, à voix basse, pour éviter que des spectateurs ne l'entendent. L'autre haussa les sourcils, étonné.

«Si tu es sérieux, c'est d'accord.»

Puis, sans cérémonie, ils se séparèrent et Jacques prit la direction de la loge des dirigeants.

☆

Le National avait remporté une victoire convaincante grâce, en bonne partie, au retour de Pierre qui, en sueur mais heureux, répondait aux questions des journalistes. Vanessa, intimidée, se tenait derrière Lucien et observait de loin la vedette de l'équipe.

«Alors, Pierre, fit un reporter en lui tendant un micro, un but, une passe, une victoire. Bref, ça ne s'est pas trop mal passé. Ça devrait faire plaisir à tes nouveaux patrons, non?

— Je suis content, répondit simplement Pierre. J'avais le souffle court, mais j'ai tout donné.» Il soupira et s'exclama: «Je m'étais tellement ennuyé des gars! On est repartis!

— Qu'est-ce qui s'est passé pour que tu signes si vite? demanda Lucien, intrigué.

— Ils ont modifié leur offre. Pour les détails, il va falloir vous adresser à Ferguson et à Mercier», expliqua brièvement Pierre. Il changea aussitôt de sujet. «J'ai plus le goût de jaser de hockey. Sacrifice que j'étais nerveux avant de sauter sur la patinoire!» Il jeta un coup d'œil à Vanessa qui, comme hypnotisée, s'était glissée au premier rang.

«Vous avez une question, mademoiselle? demanda-t-il, gêné.

— Moi? fit-elle en se secouant. Non, excuse-moi, j'écoutais. Je trouve ça passionnant.

— Ah bon!» Quelques rires fusèrent parmi les journalistes plus chevronnés, puis Pierre reporta son attention sur Lucien.

«T'as retrouvé ça vite! fit Lulu.

— Je me suis entraîné fort durant ma grève.»

Marc Gagnon, tout aussi heureux et fatigué, observait tranquillement le groupe. Mercier vint le rejoindre pour lui demander de le suivre à son bureau: il avait une importante nouvelle à lui annoncer.

L'entraîneur s'assit et demanda:

«Qu'y a-t-il de si pressé?

— Je viens d'échanger deux de nos gars, lui déclara gravement Mercier, l'air soucieux, ça ne pouvait plus attendre, prends ma parole.

— Et tu vas me dire que tu n'avais pas deux minutes pour me prévenir? répondit Gagnon, irrité. Avais-tu peur que je sois contre?

— Il fallait faire vite. Paul Couture et Frank Ross s'en vont à Toronto contre Marcel Savard et un choix de deuxième ronde.

— Deux défenseurs! s'écria Marc. Le Curé? Es-tu malade?

— Frank Ross n'est pas prêt, tu le sais, s'excusa Jacques. Couture a trente-deux ans, il termine sa carrière et il a de la misère.

— Mais, quand même! Pourquoi lui, pourquoi si vite?

— Je ne peux pas te le dire, ça empirerait les choses. Dis-toi que, pour le bien de l'équipe, il vaut mieux qu'il parte. Il le faut.

— J'ai le choix? Non! va lui dire toi-même, moi, je n'ai pas le cœur.»

Jacques le quitta sans bruit, un peu honteux d'avoir posé ce geste et de constater que, finalement, il avait servi ses intérêts.

☆

Le lendemain fut une journée pénible pour Lucien qui avait couru après tous les dirigeants du National pour obtenir plus d'informations sur la vente du club. Il avait dû se contenter de miettes pour son article, Allan Goldman, Jacques Mercier et Frédéric Tanner s'étant révélés introuvables.

Fourbu, il rentra chez lui et s'écrasa sur le divan de son salon. Johanne l'attendait à côté, dans la cuisine.

«Je croyais que tu viendrais plus tôt, mon Lulu. On devait manger ensemble.

— J'ai pas faim, gémit-il. J'ai eu une journée de fou. D'abord les Suisses qui veulent acheter le National, ensuite les rumeurs d'échange avec Toronto...

— Moi aussi, j'ai eu une grosse journée, le consola-t-elle.

— Oui, admit-il, mais tu as l'air d'avoir survécu, toi...

— Quand tu entreprends un travail que tu aimes, tu vois pas le temps passer. Mais toi, tu travailles trop.

— Il faut bien. Pour les jumeaux...

— Tu veux une bière?» Pas de réponse. Lulu s'était endormi.

Maryse était en train de se peigner, plus pour s'isoler dans la chambre que pour prendre soin de ses cheveux. Paul vint mettre fin à sa fragile tranquillité. Il s'approcha d'elle et la serra contre lui. Elle ne peut s'empêcher de se raidir à ce contact. Il le sentit et s'en inquiéta.

«Qu'est-ce qu'il y a, Maryse? demanda-t-il, peiné. Tu as changé.

— On ne va pas recommencer, grinça-t-elle en fermant les yeux. J'en ai marre de ces grandes discussions qui ne riment à rien! Paul, arrête, veux-tu?

— Comment ça: à rien! Ma femme ne sourit plus, ne fait plus l'amour et je ne devrais pas me poser de question?

— Je pensais que tu avais toutes les réponses dans ta Bible!» lui lança-t-elle, à bout de nerf.

Elle vit le visage de son mari se durcir. Il la saisit par le poignet et la retint fermement, puis lui jeta un regard plein de colère qu'elle soutint avec défi. Au bout d'un instant, il se sentit honteux et la relâcha, ses yeux évitant de croiser ceux de sa femme.

Le téléphone sonna. Maryse répondit aussitôt. Paul vit de la surprise sur son visage.

«C'est Jacques Mercier, murmura-t-elle.

— Oui, Jacques? fit-il, inquiet, en prenant le combiné.

— Paul, tu as toujours été un grand actif pour le National..., entonna le directeur.

— Qu'est-ce que tu prépares? demanda Paul, immédiatement sur ses gardes.

— Tu es échangé aux Maple Leafs de Toronto contre Marcel Savard, répondit Mercier d'une voix inexpressive.

— Échangé? répéta Couture, hébété.

— Ils t'attendent demain soir.»

Il y eut un silence interminable.

«Merci pour tout, Jacques.»

Paul raccrocha. La précédente prise de bec semblait oubliée. Maryse s'approcha de lui.

«Tu es échangé? demanda-t-elle, aussi atterrée que lui.

— Toronto..., murmura-t-il. Que va-t-il nous arriver?

— Je ne sais pas, dit-elle, plus tendre. Je ne sais vraiment pas. Peut-être que d'être séparés pendant quelques temps nous fera du bien...»

Pour la première fois depuis longtemps, ils s'enlacèrent, silencieux.

«Allô?» fit Danny en décrochant de son bras valide. Debbie et Frank le virent pâlir.

«Jacques Mercier.»

Frank prit le combiné que son frère lui tendait, écouta un moment, puis raccrocha violemment.

«Ils m'échangent à Toronto!

— Frank! fit son frère, abasourdi.

— Vous devez être contents, vous ne m'aurez plus dans les jambes!»

Il sortit. Danny voulut le suivre, mais Debbie l'en empêcha.

☆

Pierrette Martin, pressée de se rendre à son cours du soir, s'habillait rapidement en écoutant distraitement la radio. Une nouvelle attira soudainement son attention. C'était la voix de Jacques Lacasse.

«... On vient d'apprendre que le National a échangé les défenseurs Frank Ross et — tenez-vous bien — Paul Couture aux Maple Leafs de Toronto contre Marcel Savard et un choix de deuxième ronde. Nous n'avons pas encore obtenu les commentaires de Jacques Mercier mais la nouvelle nous a été confirmée à Toronto. Je répète...» Un déclic se fit entendre. C'était Robert qui venait de fermer la radio.

Pierrette vit qu'il était bouleversé. Il fixait le mur devant lui, perdu dans ses pensées.

«Paul! mon Dieu..., s'exclama-t-elle. Maryse va être démolie, ils sont tellement unis.

— Pierrette, cesse de dire des conneries! ordonna sèchement Robert.

— Comment: des conneries? protesta-t-elle. Attends un peu, tu es blanc comme un drap. Ce n'est quand même pas la première fois qu'un vétéran est échangé. Je te trouve bien étrange depuis quelque temps.

— Comment peux-tu me trouver étrange? T'es jamais là. Toujours à tes cours!»

Elle lui donna raison en quittant la maison en coup de vent. Robert maudit une fois de plus l'enseignement du soir.

Des journaux étalés sur le bureau faisaient état de la rumeur voulant que le National fût à vendre. Tanner, vaguement embarrassé, tentait de joindre Linda Hébert au téléphone.

«Madame Hébert? Je vois que vous supposez bien des choses. Il vous aurait été plus simple de m'appeler. J'aurais pu tout vous expliquer. Si je confirme la nouvelle? Je préfère vous rencontrer en personne; j'ajoute que j'y prendrais un grand plaisir. Vous êtes occupée? Je suis à Québec toute la semaine, vous n'avez qu'à me rappeler et à me donner l'heure et le lieu.»

Il la salua, légèrement nerveux, et raccrocha. Il jeta un nouveau coup d'œil à la manchette du *Matin* et se mit à sourire en pensant à la vaillance de la presse.

☆

Pierre, à peine fatigué par sa séance d'entraînement, sortait du Colisée, sourire aux lèvres. Il remarqua une splendide Lotus arrêtée non loin de là, puis, sans s'en occuper, se dirigea vers sa voiture. La Lotus le suivit lentement.

Il se décida à se retourner pour voir qui le talonnait ainsi. La voiture de luxe s'arrêta et Vanessa, avec un sourire radieux, en sortit et le regarda avec des yeux inquiétants à force d'être brillants.

«Bonjour, mademoiselle, dit-il, sur la défensive. Vous êtes journaliste? Je vous ai vue dans le vestiaire.

— Je suis contente que tu m'aies remarquée.

— Ce n'était pas difficile! Qu'est-ce que je peux faire pour vous?

— Je t'en prie, on va se tutoyer. Je m'appelle Vanessa Faulkner et je suis stagiaire au *Matin*.

— Pas une autre Linda Hébert! dit-il en riant.

— Sérieusement, j'aimerais devenir aussi bonne qu'elle, un jour. Pierre, demanda-t-elle avec ferveur, voudrais-tu me donner une bonne entrevue? Un vrai tête-à-tête?

— D'accord. Quand?

— Ce soir, après la partie?

— Je préférerais demain, après la pratique.

— Ça va pour demain! Merci.»

Elle remonta dans sa voiture en lui adressant un autre sourire éclatant. Pierre le lui rendit, vaguement inquiet devant ce flot d'admiration.

☆

On discutait intensément dans le bureau de Jacques Mercier. Ferguson l'attaquait de plein front, soutenu par deux de ses clients, Steve Bradshaw et Mac Templeton, qui regardaient leur directeur sans dire un mot.

«Je refuse de jouer à ce jeu-là! s'écria Mercier, surpris par les exigences de Ferguson.

— Ah oui? Pourquoi refuserais-tu d'ajuster les contrats de Bradshaw et de Templeton?

— Ils ont un contrat, qu'ils le respectent!

— Et Pierre Lambert? Il n'en avait pas, lui, de contrat?

— Lambert, c'est différent!

— Différent? intervint Templeton en frappant la table du poing. Qu'est-ce que ça veut dire? J'ai une coupe Stanley de plus que lui, tu vas me dire que ça ne compte pas? Où est-ce qu'il serait, Lambert, si je ne le protégeais pas?

— J'apprécie tout ce que tu as fait pour le National, répondit Mercier en utilisant volontairement le passé, mais c'est non. Pas de réouverture de contrat. Définitif.

— D'accord, répliqua Ferguson. Steve et Mac ne joueront pas ce soir. Ils ne joueront pas tant qu'ils ne seront pas payés en argent américain. Tu veux jouer dur? On va jouer dur!»

Mercier éleva une main, crispé. Les veines de son cou étaient gonflées. Il se mit à hurler.

«Foutez-moi le camp! Templeton et Bradshaw ne sont pas en grève, ils sont suspendus!

— Tu vas le regretter, Jacques!» avertit Ferguson.

Le directeur ne broncha pas et regarda les trois hommes quitter son bureau, presque aussi furieux que lui.

Mais pas autant.

Tanner avait finalement obtenu un rendez-vous avec Linda dans un grand restaurant de Québec. Le repas s'était avéré exquis et un cognac raffiné venait le terminer en beauté. On avait vaguement discuté d'affaires, sans trop de conviction, l'atmosphère ayant été trop agréable pour être sérieuse.

«Le premier conseil que l'on m'a donné lors de ma première visite à Québec...

— Je sais: «Méfiez-vous de Linda Hébert», termina-t-elle en souriant.

— Croyez-vous que l'on verra d'un bon œil l'achat du National par un groupe européen?

— Je n'ai plus tellement envie de parler affaires, le prévint-elle doucement.

— Mais je me demande: qui vous a averti de notre intention d'acheter le National?

— Le vin était délicieux.

— Linda, je dois avouer que j'ai toujours trouvé très agréables nos trop brèves rencontres.»

Elle lui répondit par un sourire charmé, qu'il lui rendit en disant:

«Qu'arrive-t-il à la terrible Linda Hébert?

— Elle passe une merveilleuse soirée, tout simplement...»

La secrétaire eut la surprise de voir entrer son ancien patron, bronzé et reposé, et de le voir se diriger sans se faire annoncer vers le bureau de Jacques Mercier.

«Bonjour Gilles, salua Jacques d'une voix atone. Tu as l'air en pleine forme.

— Pour être en forme, je suis en forme, répondit-il. Je n'ai qu'à voir ce qui se passe au National pour savoir que l'on doit avoir besoin de moi quelque part...»

Mercier, jusque-là plutôt accueillant, fronça les sourcils devant la ferme assurance de Guilbeault.

«Gilles, tu le sais comme moi, il ne peut y avoir qu'un patron au National. Et le patron, c'est moi. Je suis désolé, c'est comme ça.

— Tu sais, déclara Guilbeault, mi-candide, mi-insolent, quand j'ai appris de Miami que l'équipe allait être vendue à un groupe suisse, j'ai fait le bilan. Templeton et Bradshaw sont en grève, Paul Couture est rendu à Toronto et Frank Ross, qui avait le cœur grand comme le Colisée, l'a suivi. Danny Ross et Robert Martin sont blessés, Pierre Lambert se fait matraquer par tous les gorilles de la Ligue et le National est en dernière position de la division. Félicitations, Jacques! Un gros succès. Je ne voudrais surtout pas être à ta place.

— Je suis capable d'assumer mes responsabilités, articula Jacques après une longue pause et une profonde inspiration. Des nouveaux propriétaires, ça ne change pas ce qui se passe sur la glace. Tu veux t'occuper? On n'a pas d'inventaire, on ne connaît pas nos prospects et on n'a pas fait d'évaluation du personnel depuis trois ou quatre ans. Ça sera ton mandat pour le prochain mois. D'accord?

— C'est parfait comme ça. Je vais passer les prochaines semaines sur la route, je ne nuirai à personne.

— Fais un effort, tâche de me comprendre.»

Gilles se leva et se dirigea vers la porte.

«As-tu autre chose à me dire? demanda Jacques avant qu'il ne sorte.

— Vois-tu, tant que tu étais coach, tu étais le meilleur. Mais, là, tu es gérant et tu l'as perdu. Tu sais pourquoi? Parce que les joueurs de hockey, les petits gars, tu ne les aimes pas. Et quand je te regarde, je me dis que, toi non plus, tu ne dois pas t'aimer.»

Il sortit.

☆

«Je te dis que ça va marcher. Elles veulent à mort.

— Je me méfie un peu. Elles ont l'air pas mal jeunes...

— Allez, on va s'amuser.»

Roberge hésitait devant la proposition d'Étienne Tremblay. Il trouvait inutilement risquée l'idée d'une idylle avec de jeunes admiratrices. Tout en enfilant son équipement de jeu, il grommelait quelques réticences, bien qu'il fût, malgré tout, assez intéressé par l'aventure.

Il salua Pierre qui faisait son entrée dans le vestiaire. Le 13 avança vers Robert Martin, le bras en écharpe.

«Salut! le Chat, dit-il. Content de te voir.

— Salut, Bob.»

Lambert s'arrêta, puis examina de plus près le visage blanc et les traits tirés de son capitaine.

«Toi, constata-t-il, t'as des problèmes de femme. Je le sais juste à te regarder la tête.»

Robert s'éclaircit la gorge et répondit, à voix basse:

«Tiens ça mort. Je t'en reparlerai.

— J'espère que ce n'est pas trop grave...», fit Pierre, en le quittant pour aller accueillir un nouveau venu qui, seul dans un coin, finissait d'endosser son uniforme. C'était Marcel Savard, un défenseur costaud de vingt-six ans capable de prendre la relève de Paul Couture.

«Ça me fait plaisir, Marcel, déclara Pierre. Enfin, tu ne me briseras plus les os dans les coins de patinoire.

— Et toi, tu as fini de me ridiculiser sur la glace!

— Bienvenue dans le National, et si tu as besoin de quelque chose, tu nous fais signe.

— Ouais, intervint le soigneur qui passait par là, tu nous fais signe et Nounou va t'arranger ça, mon gars. T'auras pas de problème...

— ... Si tu ramasses tes patins et que tu penses à Nounou dans tes prières de Noël!» chantèrent quelques vétérans, provoquant l'hilarité générale, qui fut aussitôt calmée par l'arrivée de Marc Gagnon, qui semblait être d'une humeur massacrante.

«Tremblay, ordonna-t-il, passe à mon bureau, j'ai à te parler.» Il se retourna vers le reste de l'équipe. «Vous avez lu le journal, ce matin?»

Personne n'osa répondre.

«Vous devriez. Vous vous rendriez compte que, pour voir le nom du National en tête du classement, il faut tenir la gazette à l'envers.»

Il s'apprêta à sortir, s'arrêta devant Étienne, puis renonça devant son sourire arrogant.

«Laisse faire. Je ne suis pas sûr que ça vaille la peine de te parler!»

☆

Allan Goldman, bien mis malgré sa piètre forme, examinait avec nervosité quelques rapports sur l'état de la Bourse. Le téléphone sonna. C'était l'un de ses courtiers, porteur de mauvaises nouvelles.

«Quoi? Vendez, on n'a pas le choix. J'ai besoin de liquide. D'accord.» Il raccrocha brutalement, jura entre ses dents.

«Monsieur Tanner est ici», annonça une voix dans l'interphone.

Le Suisse entra et serra la main de Goldman.

«Alors? demanda celui-ci sans attendre.

— Il y a des trous énormes dans la comptabilité, répondit Tanner sans ménagement. Et l'étude de votre clientèle date déjà de plusieurs années. Tout a vieilli dans cette organisation.

— Êtes-vous intéressé, oui ou non?

— Oui! affirma Frédéric. Mais pas plus de vingt millions de dollars. Nous ne verserons jamais les trente millions que vous réclamez.

— Vous êtes ridicule! s'écria Goldman.

— Pardon? tiqua le Suisse, irrité. Si notre offre vous paraît ridicule, notre groupe s'attaquera à une autre cible, tout simplement.»

Il referma son attaché-case pour bien montrer qu'il était très sérieux. L'autre se renfrogna.

«Excusez-moi, j'ai les nerfs à vif, dit-il. J'aimerais que nos pourparlers amicaux demeurent confidentiels. Je n'aime pas faire les premières pages des journaux.» Il regarda Tanner d'un air entendu.

«Si vous faites référence à mes conversations privées avec madame Linda Hébert, rétorqua Tanner, elles ne regardent que moi. Et j'ajouterai que je n'ai rien eu à lui apprendre.»

Allan soupira lourdement. Il lui semblait que son monde s'écroulait.

☆

Vanessa dévorait Pierre des yeux. Elle l'écoutait parler, laissant à son magnétophone le soin d'enregistrer la conversation. Elle lui fit à nouveau part de son enchantement.

«J'apprécie beaucoup ta gentillesse, j'en suis à mes premières armes dans le métier, et de pouvoir faire une entrevue avec une légende du hockey...

— Écoute-moi, Vanessa, interrompit Pierre, je ne suis pas une légende, je suis un joueur de hockey qui doit recommencer à chaque match. Je ne veux pas qu'on parle de moi comme d'une légende.

— Tu n'as pas vu la réaction des gens quand tu es revenu au jeu, protesta-t-elle. Il y en avait qui pleuraient!

— Parlons d'autre chose.

— Non! C'est important! insista-t-elle, renversant son verre dans son excitation. Vois-tu, chez toi, c'est la passion qui domine. Tu es un passionné du hockey, tu y donnes tout.

— J'essaie quand même d'en garder un peu pour ma blonde...

— Tu l'aimes? demanda-t-elle sans aucune discrétion.

— Sans elle, je n'aurais pas le goût de jouer.

— Mais ce n'est pas le grand amour.

— Non, c'est différent, répondit-il sans faire attention. C'est sûr que ce n'est jamais comme le premier grand amour...

— Ce n'est pas le grand amour, s'empressa-t-elle de conclure.

— Et toi? Tu le vois comment, le grand amour?

— Quand ça arrive, tu ne peux pas y résister, dit-elle, exaltée. Et tout ce que tu fais pour l'obtenir est correct. C'est la passion. Prends garde si je deviens amoureuse, Pierre Lambert!»

Le jeune homme détourna les yeux de son regard enflammé, regrettant d'avoir laissé la conversation prendre cette direction. Mal à l'aise, il proposa de continuer l'entrevue.

☆

Le lendemain soir, le National remporta une victoire serrée de 4 à 3 grâce à une superbe performance de Pierre. Triomphant, il répondait de bonne grâce aux questions des journalistes. Seule Vanessa restait silencieuse, trop occupée à l'admirer.

«Trois buts, c'est ton premier tour du chapeau cette saison, commenta Drouin.

— Trois buts, c'est bien, mais c'est la victoire qui compte, répondit Pierre le plus sincèrement du monde.

— Tu t'es pas mal fait brasser, non? demanda Lucien.

— Je sais, admit Lambert. Le National a besoin de Bradshaw et de Templeton. Ce n'est pas moi qui dirige l'organisation mais je sais que, sur la patinoire, ils nous manquent beaucoup. On a besoin d'eux et tout de suite.

— Merci, Pierre.»

Les journalistes s'éloignèrent, le laissant seul avec Vanessa, qui n'avait pas bougé.

«Tu n'as pas de questions? lui demanda-t-il.

— Es-tu libre pour prendre un verre?

— Non, désolé, fit-il avec une drôle d'expression. Un joueur de hockey sérieux rentre à la maison après une partie...»

À l'extérieur du bâtiment, Mimi et Nicole grelottaient en attendant leurs héros.

«On peut aller prendre un coke, dit la première, il n'est pas encore onze heures et je peux rentrer à minuit.

— Comme moi, fit l'autre. Mon père ne dira rien si je rentre à minuit et demi.

— Mais avant, je veux voir Étienne sortir. Je vais lui demander un autre autographe, il est tellement beau!

— J'espère qu'il va être avec René Roberge. Moi, c'est lui que je préfère. Les voilà!

Les deux joueurs, amusés, se consultèrent du regard et affichèrent leur plus beau sourire.

«Les filles, invita Étienne, on va aller manger un hamburger puis prendre un coke à mon appartement. Ça vous tente?

— Oui, mais je dois rentrer à minuit.

— Ça va être serré, mais je te promets que tu vas être chez toi à minuit et demi. Dis oui... Ça fait assez longtemps que tu veux sortir avec moi...»

Les deux jeunes filles se regardèrent une seconde, peu sûres d'elles, puis acceptèrent.

«D'accord. Mais pas plus tard que minuit et demi, promis?

— Promis!» répondit Tremblay avec un large sourire.

«La petite maudite! s'écria Henri Gendron. Je lui avais dit minuit!»

Il jeta un autre coup d'œil à l'horloge de leur cuisine. Il était deux heures du matin. Colette, sa femme, ajouta gravement:

«Mimi est pas une mauvaise enfant. Je suis inquiète, Henri.

— Es-tu sûre qu'elle est bien allée au hockey avec la petite Gravel?

— Oui, et je lui ai permis de revenir à minuit, elle n'avait pas d'école ce matin.

— Il est arrivé quelque chose, déclara-t-il en prenant une décision. J'appelle la police.»

«On ne trouvera jamais de taxi à cette heure!» soupira Mimi, désespérée. Elle et sa copine, mises à la porte par les deux hockeyeurs, erraient dans les rues de Québec depuis un long moment. Nicole pleurnichait. Les deux jeunes filles se sentaient plus dépourvues que jamais.

Une voiture approchait. Mimi l'identifia et ressentit à la fois du soulagement et de l'inquiétude en la voyant s'arrêter.

«Myriam Gendron et Nicole Gravel? demanda l'agent de police.

— Oui, monsieur, dit Myriam sans attendre. On voudrait rentrer chez nous.

— Tu pleures? s'étonna l'agent en voyant Nicole. On nous a dit que vous n'étiez pas revenues du Colisée... Qu'est-ce qui s'est passé? Vous êtes pas mal loin de là, ici.

— Rien! mentit Mimi d'une voix tremblante. Il ne s'est rien passé.

— Qu'est-ce que vous faites ici à trois heures du matin? s'enquit l'autre policier. Montez. On va d'abord passer par le poste puis on va prévenir vos parents. Mais, avant, vous allez me raconter ce qui est arrivé.»

☆

L'inspecteur Beaudoin était effaré devant le rapport des policiers. Les deux filles, prises en main par une policière, se remettaient calmement de leur désagréable déposition.

«C'est très sérieux ce que vous me dites là, constata l'inspecteur.

— Chef, vous avez deux dépositions tapées. Étienne Tremblay se serait contenté d'attouchements mineurs avec la plus jeune, mais René Roberge aurait été beaucoup plus loin.

— Vous vous imaginez le scandale? Il va falloir convaincre les parents de tenir ça mort.

— Chef! s'écria l'agent, c'est une affaire d'incitation à la débauche sur des mineures. Tabarnak! Roberge a vingt-six ans, et il a couché avec une fille de quinze ans!

— Est-ce qu'on a des preuves suffisantes pour porter des accusations? s'inquiéta l'autre. Les petites vont-elles être crédibles en cour? Faut être prudents, les gars.»

Les époux Gendron et Gravel entrèrent à ce moment. Mimi sauta au cou de sa mère mais Nicole, intimidée, se contenta de baisser la tête. Son père, épuisé mais agressif, demanda:

«Pourquoi avez-vous attendu aussi longtemps avant de nous laisser les voir?

— Nous vous avions prévenus, répondit l'inspecteur.

Nous voulions les interroger pour connaître le fond de l'histoire.

— Venez, invita un des agents, plus aimable, nous allons vous faire lire la déposition de vos filles.

— Pauvre petite chatte, plaignit Colette en caressant la tête de sa fille. Viens me conter tout ça.

— Soyez assurés que cette affaire sera traitée comme une affaire ordinaire», assura Beaudoin d'un ton trop officiel pour être sincère. Il se frotta le crâne, perdu dans ses pensées, en regardant l'aube qui se dessinait à la fenêtre.

Quelques heures plus tard, c'était au tour de Jacques Mercier d'apprendre les détails de l'affaire. Il avait appelé Marie-Anne Savard aussitôt après le coup de fil de l'inspecteur Beaudoin, et tous trois discutaient maintenant dans le bureau du directeur.

«Il n'y a pas de preuve! s'exclama Mercier. Mes gars vont dire que les filles étaient consentantes. D'ailleurs, c'étaient des petites courailleuses!

— Monsieur Mercier, intervint Marie-Anne, je suis prête à défendre les intérêts de l'équipe, mais ces «petites courailleuses», comme vous dites, on ne les connaît pas. Il faudrait ménager vos substantifs.

— De toute façon, rappela le policier, qu'elles soient consentantes ou non, la loi n'en a rien à foutre. À quatorze ans, le code est clair.

— Le code, j'en fais mon affaire, commenta l'avocate.

— Inspecteur, je vais m'occuper de mes joueurs, proposa Jacques. Marie-Anne va rencontrer les parents et ça va s'arranger.

— J'ai peur que vous ayez mal compris, répéta Beaudoin, embarrassé. C'est un cas de détournement de mineures.

— Ne nous énervons pas, fit Mercier, pour lui plus que pour eux. En attendant que l'enquête soit terminée, peut-on compter sur la discrétion de la police?

— Le National, c'est mon équipe, affirma le policier en venant lui serrer la main. Je vous ai toujours admirés. Le jeune Tremblay a la tête folle, mais ça va lui passer. On va essayer d'arranger ça sans faire d'histoire.»

Il quitta le bureau sur ces mots d'encouragement. Mercier, à peine rassuré, se mit à jurer contre les deux joueurs.

«Les petits imbéciles! Les maudits imbéciles! La queue plus forte que la tête! Il faut que ça meure tranquillement. Sans ça, le scandale va être épouvantable.

— Il faut d'abord rencontrer les parents», conseilla l'avocate.

Mercier appuya sur le bouton de l'interphone.

«Trouvez-moi Marc Gagnon au plus vite, dit-il. C'est urgent.»

L'état d'alerte allait bientôt être décrété.

Dans le vestiaire, Étienne et René, inconscients de ce qui se tramait, racontaient en détail à Danny, mal à l'aise et vaguement scandalisé, leurs exploits de la nuit précédente.

«Tu aurais dû voir les deux petites quand elles sont parties! se vanta Étienne.

— Moi, j'ai ma blonde..., dit simplement Danny.

— Celle que j'avais... pas plate du tout..., marmonna Tremblay avec un moue grivoise.

— Il se vante pour rien, plaisanta Roberge. La mienne était plus hot!»

À quelques mètres d'eux, Pierre, qui examinait ses lames de patins, avait tout entendu. N'y tenant plus, il s'approcha.

«Excusez-moi, je vous ai entendu parler. Ça m'a tout l'air que vous vous êtes bien amusés, dit-il, puis, avec un clin d'œil: Pas vieilles, vieilles, les petites, hein?

— Moi, répondit Étienne, c'était une petite quatorze. Robie, c'était une vieille: elle avait quinze ans!»

L'expression de Pierre se transforma. Choqué, il lui dit:

«Tu es un beau sans génie, toi! Je savais que tu te prenais déjà pour un autre mais je ne savais pas que l'autre était un salaud!

— Si deux gars peuvent plus s'amuser...

— Tu trouves pas que t'en mets un peu trop, intervint Roberge, pour un gars qui s'est fait prendre avec de la coke en plein tournoi mondial...

— Toi, Roberge, quel âge as-tu? demanda Pierre, sans prendre en considération sa remarque sur ce vieil incident. Vingt-cinq, vingt-six ans? Sacrament de cave! Qu'est-ce qui se passerait si les parents des filles portaient plainte?»

Le visage confiant de René se décomposa. Touché, il geignit:

«Tu crois?

— Je ne pense pas, mais si vous nous avez mis dans la merde, ça va brasser, prévint Pierre. Les gars trouvent que ça prend un chien sale pour profiter d'une fille de quatorze ans!»

☆

C'était également l'avis d'Henri Gendron, qui ne retenait pas sa colère devant Marie-Anne Savard. Celle-ci, sans le proposer ouvertement, suggérait la solution d'un arrangement à l'amiable.

«Minute, là! On est pauvre mais on est pas des innocents. Pensez-vous que je vais me laisser acheter avec des billets de saison ou bien dix mille piastres?

— Je n'ai pas parlé d'acheter personne, assura l'avocate d'une voix douce. Je vous ai proposé de venir rencontrer monsieur Mercier après un match du National. C'est très différent.

— Non! je vous vois venir! cria-t-il. Vous allez essayer de m'acheter et d'acheter tout le monde!

— Henri, n'exagère pas..., dit faiblement sa femme.

— On veut tout simplement régler tout ça à l'amiable…, ajouta Marie-Anne, hésitante, pour que votre fille ne souffre pas de l'incident. Si le National peut faire quelque chose pour elle et pour vous... Vous comprenez...

— J'ai compris. Vous allez encore tout camoufler. Les

riches, ils gagnent toujours! Bien, ça ne sera pas vrai avec Henri Gendron!»

Le quinquagénaire attrapa une veste et sortit de chez lui en claquant la porte. Avant que sa femme n'arrive sur le palier, sa voiture s'éloignait déjà.

☆

«Quatorze ans!» grommelait Pierre, encore furieux, en entrant chez lui. «Patricia?» appela-t-il. Pas de réponse. Il débrancha le répondeur automatique. À côté de l'appareil se trouvait une note laissée par sa fiancée.

«Je rentre à six heures. Je t'aime. P.S.: Une demoiselle Faulkner a appelé quatre fois. Ça semblait très important.»

Pierre soupira de lassitude et alla se verser un verre de lait. Le téléphone sonna.

«Oui? répondit-il, ennuyé.

— Pierre? C'est Vanessa. Comment vas-tu?

— Je vais bien, dit-il laconiquement. Tu as appelé? C'était si urgent?

— Urgent! Tu ne peux même pas t'en douter, fit-t-elle en s'animant. Dis, Pierre, peux-tu passer me voir? Je suis au Château. Je dois absolument te parler. C'est très très important.

— J'aimerais beaucoup, mais je suis occupé, répondit-il en regardant son verre de lait encore à moitié plein. C'est pour ton article?

— À vrai dire, c'est personnel.

— On va se reprendre. Je raccroche, je suis occupé. Au revoir.»

Il s'exécuta sans attendre de réponse. Patricia entra à ce moment.

«Qui c'était? demanda-t-elle, se doutant manifestement de quelque chose. Mademoiselle Faulkner? Elle n'a pas arrêté d'appeler. Très désagréable, en plus, ajouta-t-elle en posant ses paquets. J'ai fini par mettre le répondeur. On aurait dit que j'étais la bonne de la maison et que, si je ne savais pas où tu étais, c'était parce que j'étais idiote.

— Ah oui? Ça ne se reproduira plus.

— Je l'espère.»

Patricia se fit moins froide et vint l'embrasser. Il caressa amoureusement son ventre qui s'arrondissait de plus en plus.

☆

Lucien, fatigué, rédigeait son article sur son terminal de la salle de rédaction. Sans cesser d'écrire, il remarqua du coin de l'œil un homme aux tempes grisonnantes qui entrait, désorienté, dans l'immense pièce où des dizaines de doigts faisaient cliqueter des dizaines de claviers. L'homme s'approcha de lui. Lulu se tourna poliment vers lui et vit à sa tête qu'il n'avait pas dû fermer l'œil de la nuit.

«Bonsoir, dit l'homme. Je m'excuse, vous êtes bien Lucien Boivin?

— En personne, assura Lulu, heureux qu'on le reconnût.

— J'ai une grosse histoire à te confier. Une histoire à vomir!

— Oui? fit Lucien, intrigué par cet homme qui semblait être au bord des larmes. Vous êtes monsieur?

— Gendron. Henri Gendron.»

CHAPITRE VIII

C'était le genre de nouvelle à ne pas publier avec trop de précipitation. Linda, par expérience, le savait et avait convoqué Jacques Mercier et Marie-Anne Savard à son bureau pour confronter leur version des faits avec celle de Lucien. L'avocate menait la discussion, ce qui causait une grande frustration à Lulu qui ne gardait son calme qu'avec peine.

«Présentement, résuma Marie-Anne, vous n'avez que les déclarations des deux jeunes filles, que vous ne pouvez même pas vérifier avec celles qu'elles ont faites à la police. Vous ne savez pas si elles disent la vérité et si ce sont bien des joueurs du National qui sont impliqués.

— C'étaient des joueurs du National! affirma Lucien, irrité devant tant de mauvaise foi. Toute l'affaire est là. Et les petites ont tout raconté en détail.

— Ce sera leur parole contre celle de nos joueurs.

— Si vous permettez, maître Savard, intervint Mercier, nous ne sommes pas devant les tribunaux, ici. Si la police décide de poursuivre, il est évident que le *Matin* pourra publier tout ce qu'il veut. Ce que nous voulons prévenir, c'est que la carrière de ces deux joueurs soit brisée. Nous pourrions au moins attendre de savoir s'il y aura des accusations...

— Et pendant ce temps, continua Linda, cynique, vous alllez faire pression sur la police en invoquant le silence des journaux. Je suis désolée, Jacques, mais je considère que l'histoire devrait être publiée.

— Si aucune accusation n'est retenue, ça va vous coûter cher! menaça Marie-Anne.

— Nous ne pouvons vous empêcher de publier, admit Mercier, mais considérez que ce n'est pas seulement deux joueurs qui sont impliqués, mais la réputation de la Ligue. Chaque joueur va être touché par une accusation pareille.

— Ils vont cesser de se prendre pour des intouchables! s'obstina le journaliste.

— Lucien, tu me surprends, dit Jacques. Les joueurs savent qu'ils ne sont pas intouchables, mais comme dans toute organisation professionnelle, ils demandent à être défendus par leur direction, c'est normal. Si vous publiez, vous allez ameuter le public, influencer la police et rendre l'affaire beaucoup plus grave qu'elle ne l'est en réalité. Ce, non seulement pour les joueurs mais aussi pour ces deux jeunes filles de quatorze ans qui vont être pointées du doigt et questionnées de façon beaucoup plus serrée au tribunal. C'est cela que vous cherchez? Tout ça pour prouver que le National n'est pas intouchable?

— Jacques..., interpella Linda.

— N'est-ce pas ça la vraie question? demanda celui-ci, triomphant. On ne peut pas laisser le National s'en tirer comme ça, indépendamment de ce qui s'est passé, parce que c'est le National!

— Jacques, répéta Linda plus fermement. Tu peux arrêter. Nous allons attendre que la police se prononce.

— Tu sais bien qu'ils vont s'en sortir blancs comme neige! protesta Lucien.

— Dans ce cas, répondit-elle tristement, nous aviserons.

— Ça parle au diable!»

Lucien sortit du bureau, ne pouvant supporter les mines soulagées et victorieuses du directeur et de son avocate.

☆

L'entraînement se terminait, encore une fois, sans que Templeton et Bradshaw s'y fussent présentés. Mais leur absence distrayait moins les joueurs que les rumeurs qui circulaient autour de Tremblay et de Roberge. Malheureusement pour eux, Marc Gagnon avait été mis au courant de la situation ce matin-là. Ils sentirent leur échine se raidir lorsque celui-ci les retint alors que le reste de l'équipe rentrait joyeusement au vestiaire.

Sans se cacher des journalistes, Gagnon leur commanda d'une voix menaçante: «Vous deux, les don Juans, j'ai appris que vous aviez trop d'énergie. On va en dépenser un peu. Tours de patinoire à toute vitesse. Allez-y!»

Durant cinq bonnes minutes, Marc les laissa se défoncer à grands coups de patins le long de la bande. Il donna un coup de sifflet autoritaire. Les deux joueurs, couverts de sueur, s'arrêtèrent aussitôt.

«Du bande à bande», ordonna l'entraîneur.

Ils se mirent à traverser la patinoire d'un bord à l'autre et à revenir sans cesse, ce qui était encore plus épuisant que l'exercice précédent à cause de l'accélération et du freinage continuels. Au bout de cinq autres minutes, Gagnon siffla de nouveau.

«Cinquante push-ups.»

Ils tombèrent sur les jointures et exécutèrent à eux deux une centaine de pompes, au bout desquelles ils se virent obligés de reprendre le bande à bande.

Ce fut Roberge qui tomba le premier. Entre ses inspirations saccadées, il pouvait entendre son entraîneur l'avertir: «Tout le club marche sur des épines à cause de toi. S'il faut que tu te vides à tout prix, paye-toi une pute!»

Puis, Marc se tourna vers Étienne qui n'avait pas cessé de patiner. «Le méchant doit commencer à sortir, hein, Tremblay? ricana-t-il. J'ai pas fini avec toi, E.T.»

Dans les gradins, Guy Drouin, stupéfait par de telles mesures disciplinaires, fit remarquer à Lucien:

«J'ai jamais vu un coach brasser des gars de même. Qu'est-ce qu'ils ont fait pour mériter ça?

— Ils méritaient bien pire!» fut la seule réponse de Lulu qui se leva et laissa là Drouin, interloqué, observant les deux joueurs éreintés quitter la glace.

Les autres gars de l'équipe finissaient de retirer leurs

équipements protecteurs lorsqu'ils pénétrèrent dans le vestiaire en maugréant. Étienne, harassé, bouscula Nounou en passant.

«Tasse-toi! grogna-t-il.

— Minute, le jeune...», avertit le soigneur.

Pierre, voyant cela, consulta Denis Mercure du regard et intervint:

«E.T., je ne pense pas que Nounou ait été désagréable avec toi. Et toi, Roberge, dit-il en le pointant du doigt, t'as pas un sacrament de mot à dire de travers! Je pense que tu vas être d'accord.

— Pour qui tu te prends, toi? protesta l'autre.

— Je suis juste le capitaine de l'équipe en attendant que Robert Martin revienne au jeu, répondit Pierre. Mais je sais que, toi plus que n'importe qui d'autre, tu nous a fourrés dans le trouble. On va se tenir derrière vous parce que le National, c'est plus important que ce qui vient de se passer, plus important que ta maudite face! Mais viens pas nous faire chier en plus!»

Pierre se plaça au centre de la pièce et regarda ses coéquipiers. «On est d'accord? demanda-t-il à la ronde. On défend E.T. et Roberge devant tout le monde. Si jamais la nouvelle sort, on vous appuie. Mais, hostie! on va vous dire tout de suite que, ce que vous avez fait, ça nous lève le cœur!»

L'équipe acquiesça sans enthousiasme, trop dégoûtée pour donner plus d'importance à ces deux tombeurs.

Marcel Allaire, non content d'avoir une cause en attente de procès contre le National, s'intéressait au cas de détournement de mineures dans lequel étaient impliqués Tremblay et Roberge. Il était venu rencontrer l'inspecteur Beaudouin et la discussion s'animait.

«Quand allez-vous donc nous transmettre le dossier des deux joueurs du National? demanda-t-il.

— Nous ne sommes pas certains que la preuve tienne,

expliqua le policier. La plus jeune des filles n'a pas véritablement eu de relations, juste du pelotage. Mais avec la plus vieille, c'est plus délicat.

— Avez-vous seulement interrogé les joueurs?

— L'enquête progresse, fit Beaudouin laconiquement.

— Ce qui signifie que vous ne faites rien...

— J'ai un problème, dit l'inspecteur, ennuyé. Mes hommes sont des partisans enragés du National. Ils ne veulent pas nuire à l'équipe. Un peu plus, et ce serait la faute des petites.

— Et les journalistes?

— Il n'y a que Lucien Boivin du *Matin* qui soit au courant. Mes gars ont ordre de ne rien confirmer. Le mieux serait de régler ça discrètement sans que ça ne devienne public.

— Autrement dit, conclut Allaire, nos Valeureux s'en tireraient encore à cause de leur uniforme. Ça ne se passera pas comme ça...»

☆

Marc était tranquillement attablé devant son petit déjeuner lorsque le téléphone sonna. C'était Jacques Mercier qui voulait lui faire le bilan de la situation.

«Marie-Anne a parlé une nouvelle fois aux parents des jeunes filles, ça se calme, dit-il, soulagé. On devrait pouvoir étouffer l'affaire, mais pas un mot à personne.

— C'est à moi que tu dis ça? s'étonna Marc en regardant sa fille descendre l'escalier. J'allais justement t'appeler. Tremblay est sur le point de prendre l'autobus pour Chicoutimi. Il fallait que je fasse quelque chose pour nettoyer l'air du vestiaire. Tu comprends?

— Ouais... Je suis d'accord, répondit le directeur, réticent. Tu aurais pu m'en parler avant.

— Pour le bien de l'équipe, singea Gagnon avec un large sourire, il fallait qu'il parte. Prends ma parole, il fallait faire vite.

— Gagnon, niaise-moi pas.»

Ils raccrochèrent. La satisfaction mesquine de Marc fit place à plus de douceur quand il se tourna vers sa fille.

«Bois ton jus d'orange, ordonna-t-il gentiment.

— Qu'est-ce qui se passe? demanda-t-elle, curieuse.

— Un problème. Un gros problème. Tout ce que je peux te dire, c'est qu'à quinze ans tu n'es pas censée coucher avec des gars.»

Marie-France s'étouffa avec son jus de fruits. Puis, retrouvant son souffle, elle s'exclama:

«Ça vient faire quoi avec les joueurs de hockey?

— Laisse tomber», dit-il, las, puis, pour lui-même: «Si j'étais le père de ces petites filles-là, je les mettrais dehors!»

Il était trop plongé dans ses réflexions pour s'apercevoir de la pâleur excessive de sa fille.

☆

Henri Gendron, voyant que sa conversation avec Lucien n'avait pas eu d'effet, était allé trouver Linda Hébert à son bureau. Il était dépassé par l'implacabilité du système.

«Mais pourquoi ne publiez-vous pas ce qu'ils ont fait à ma fille? implorait-il.

— Parce que la police n'a pas terminé son enquête, répondit Linda, désolée.

— Ça veut dire que ces écœurants-là vont encore s'en tirer? Ma fille ne dort plus, ne mange plus et est toujours inquiète à l'école.

— Ils ne s'en sortiront pas s'ils sont coupables, assura Linda. Mais dites-moi, qu'est-ce que ça améliorerait dans la vie de Myriam si le scandale éclatait?

— Je vais vous le dire, moi, ce que ça changerait! éclata-t-il. Il y en a d'autres petites filles comme la mienne qui s'endorment avec la photo de leur joueur préféré sur l'oreiller. N'importe qui avec un uniforme du National sur le dos peut les faire rêver en couleurs. Elles croiraient n'importe quelle niaiserie venant d'eux!»

Linda se mit à réfléchir pendant que Gendron, bouleversé, reprenait son calme. Elle se leva.

«Vous avez peut-être raison, admit-elle. Ils sont célèbres et ils doivent être aussi responsables qu'ils sont célèbres.» Elle demanda à sa secrétaire par l'interphone: «Dites à Lulu que je veux son papier sur les mineures avant mon départ pour Montréal. Ma chambre est-elle confirmée?

— Oui, et dans le même hôtel que Frédéric Tanner», ajouta la secrétaire, un soupçon moqueuse.

Gendron la remercia du fond du cœur et la quitta, un sourire soulagé aux lèvres.

☆

André, insouciant, se pavanait dans le couloir de l'école avec une nouvelle fille au bras. Il ne s'en cachait pas devant Marie-France et allait même jusqu'à l'ignorer complètement quand il la croisait. Le cœur brisé, la jeune fille n'osait plus l'approcher. Mais cette journée-là, elle l'interpella d'une voix catastrophée.

Il voulut d'abord passer son chemin, mais se résolut à quitter une seconde le bras de son amie pour faire demi-tour vers Marie-France.

«Qu'est-ce qu'il y a? demanda-t-il brutalement. Je suis pressé, Marie-France.

— Il faut que je te parle...

— Écoute: on a eu du bon temps ensemble, tu es une fille super, mais tu t'accroches trop. On a seize ans, il faut vivre! Je t'aime bien, mais maintenant, il faut que tu comprennes, dit-il en jetant un coup d'œil vers sa nouvelle copine. Ne me dérange plus, O.K.?»

Encore une fois, il la planta là à retenir ses larmes.

☆

Linda se trouvait dans l'immense bureau de Joan Faulkner, au siège social de sa compagnie, à Montréal. La femme d'affaires lui exposait les raisons de son invitation.

«C'est à propos de la vente du National, expliqua-t-elle. Je ne veux pas, surtout pas, que le National de Québec passe à des intérêts étrangers. C'est hors de question.

— Vous voulez que le *Matin* s'oppose à la vente de l'équipe au groupe de Frédéric Tanner? s'étonna Linda. Mais pourquoi?

— J'aime beaucoup Québec, plaida Joan. J'aime le *Matin* et j'aime aussi le National. C'est une équipe de hockey importante pour la ville et ses citoyens.

— Ce n'est qu'un changement de propriétaire, fit remarquer Linda. Personne ne perd son club.

— En quelque sorte, insista Faulkner. Le National doit appartenir à des intérêts canadiens. C'est là-dessus qu'il faut sensibiliser le public.

— Est-ce de l'information?

— Non... des affaires. Autre chose: le fameux cas de détournement de mineures. Le *Matin* ne s'embarquera pas dans ce potinage de bas étage. J'ai contacté le *Métro*, eux non plus n'y toucheront pas.

— Désolée, objecta Linda. Le dossier est déjà entre les mains du procureur général. Nous avons publié des histoires de mœurs où les charges étaient beaucoup moins sérieuses.

— C'est non, Linda, croyez-moi. Le département légal du journal m'a avisé que le contenu de l'article de Lucien Boivin était diffamatoire. Nous n'avons pas à choquer nos lecteurs. Eux et les partisans du National sont les mêmes individus. Ils ne veulent rien savoir de choses semblables. Ça serait mauvais pour l'entreprise. Attendons que le ministère de la Justice se prononce.

— Je trouve que nous faisons beaucoup trop d'affaires et de moins en moins d'information dans ce journal», critiqua Linda.

Joan retint son mécontentement, elle ne voulait pas perdre cette alliée si instable.

☆

Le National attendait patiemment l'avion pour Boston. Chacun tuait le temps comme il pouvait, sauf Pierre, trop préoccupé pour le voir passer. Il se leva brusquement en voyant arriver Vanessa dans la grande salle d'attente de l'aéroport.

«Bonjour, Pierre! dit-elle, toute souriante.

— On a à se parler», répondit-il, de mauvaise humeur.

Ils s'isolèrent dans un coin. Pierre lui expliqua:

«Vanessa, tu es une journaliste, mais ça ne te donne pas le droit d'ennuyer ma femme et de me pousuivre partout. Tu vas me répondre que tu fais ton travail, mais tu en fais trop! déclara-t-il sans ménagement. Je vais te parler au vestiaire, quand tu vas me poser une question, comme n'importe quel journaliste, mais en dehors de ça, il est inutile de m'appeler ou de me proposer de sortir. C'est clair? ordonna-t-il plus qu'il ne demanda.

— C'est à cause de ta femme que tu te fâches? fit-elle, hargneuse.

— Disons que c'est la goutte qui a fait déborder le vase.

— Je ne t'ennuierai plus, capitula-t-elle. Mais comment peux-tu m'empêcher d'être attirée par toi?»

Pierre, perplexe, la regarda s'éloigner, furieuse.

☆

Le dossier de Tremblay et de Roberge était maintenant arrivé au bureau du procureur général. Marcel Allaire et Marie-Anne Savard s'y retrouvaient pour la première fois depuis l'affaire, non encore close, de Noël Bégin.

«Je suis très embarrassé par ce dossier, fit le ministre. Il n'y a pas de témoins, seulement les dépositions des deux mineures.

— Monsieur le ministre, précisa Marie-Anne, leurs dépositions contredisent celles des joueurs.

— Maître Savard, la rabroua le procureur général, vous n'êtes pas ici pour plaider une cause, mais pour entendre ma décision.» Cette réprimande fit sourire Allaire. Le ministre le remarqua et le procureur se fit à son tour remettre à sa place.

«Quant à vous, c'est connu, vous avez déjà une affaire en cours contre le National. Ça ne vous aide pas.» Il fit une pause. «Que gagnerait-on à exposer tout cela? demanda-t-il enfin. C'est un incident isolé. Le National a toujours eu une excellente réputation.

— Il est une institution, à Québec, renchérit l'avocate.

— Une institution qu'il faut mettre au pas! protesta Allaire.

— Avec deux mineures dont le témoignage ne tiendra peut-être pas en cour? douta le ministre. Non... Quand le National gagne la coupe Stanley, il y a trois cent mille personnes sur Grande Allée pour l'acclamer. Ce sont des votes, ça, maître Allaire.

— On ne va pas mêler la politique à ça? Pas au ministère de la Justice!

— Ce n'est pas une déclaration politique. Elle est due au manque de solidité de la preuve. Le ministère a décidé de ne pas poursuivre.»

☆

Le National perdit le match contre Boston. Les Bruins avaient la réputation de cogner dur et n'avaient pas épargné Pierre qui, sans la protection de Mac, n'avait pu éviter leurs coups. Son dos, déjà en mauvais état, avait subi une nouvelle blessure. Dans le hall où s'étaient réunis joueurs et journalistes après la partie, le dos droit comme une barre de fer, il discutait avec Denis et Danny.

«J'espère que ça va aller mieux demain, dit-il. J'ai l'impression que l'on m'a fait passer dans le tordeur d'une lessiveuse.

— On manque de poids à l'avant, regrettait Mercure. Tu manges trop de coups pour rien.

— Qu'ils ramènent donc Templeton et Bradshaw! dit Ross. Ça règlerait une grosse partie du problème.

— Oui, acquiesça Pierre. À demain. Je suis mort, je vais me coucher.» Il s'éloigna et se dirigea vers l'ascenseur, où s'engouffra Vanessa juste avant que les portes ne se referment.

Jacques Mercier, que l'état du dos de Pierre inquiétait, l'avait observé s'en aller. Il se tourna vers Marc.

«Ça n'a pas de sens! s'écria-t-il. Il n'y a personne dans ton club qui ait le cœur de défendre Lambert. C'est honteux!

— Mon club? rétorqua Gagnon. Hostie! ça ne serait pas aussi ton club, un peu?

— D'accord, d'accord. On a besoin de Templeton.

— Tu viens de le découvrir? grinça Gagnon.

— C'est plus compliqué que tu le penses. C'est une politique de la Ligue. Pas un club canadien ne doit payer ses joueurs en argent américain. Je vais trouver un moyen.

— Dépêche-toi, sans ça, Lambert ne finira pas la saison.»

☆

Dans un autre hôtel, à Montréal cette fois, Frédéric Tanner raccompagnait Linda jusqu'à sa chambre. Ils discutaient de leur soirée tout en marchant.

«Je suis ravi, répéta-t-il. Je ne croyais pas que Montréal possédait une aussi grande salle d'opéra. Cela a été le plus beau *Carmen* de ma vie.

— Cette soirée a été merveilleuse, murmura Linda.

— Mais trop courte. Tu es quelqu'un de très spécial, Linda, avoua-t-il. Une femme comme je n'espérais plus en rencontrer. Il y a, entre toi et moi, une complicité...

— Frédéric, l'interrompit-elle, mon journal tient beaucoup à ce que le National ne soit pas vendu à des intérêts européens. Tu vas lire toutes sortes de choses. Je veux que tu saches qu'elles ne viennent pas de moi.

— Je comprends, dit-il en s'arrêtant devant une porte.

— Merci, Frédéric.

— Linda...» Il s'approcha d'elle, serra sa taille. Elle se laissa embrasser, puis le repoussa gentiment. Courtois, il se contenta de la regarder entrer et refermer la porte. Il gagna sa propre chambre en sifflotant un air de *Carmen*.

☆

Nounou, jusque-là occupé à subvenir aux besoins des joueurs se préparant à l'entraînement, remarqua l'air absent et fatigué de Gagnon.

«Ça n'a pas l'air d'aller, Marc, dit-il.

— Moi, ça va. C'est le club qui est tout croche. Je commence à me demander si ce n'est pas de ma faute... Une autre mauvaise nouvelle? demanda-t-il, prêt au pire, à Mercier qui entrait.

— Non. Mac et Steve arrivent. On a fini par trouver un moyen de régler leur problème d'impôt.

— C'est pas trop tôt.»

Les deux grévistes entrèrent dans le vestiaire sous l'œil irrité de leur entraîneur. Les joueurs les regardaient en souriant. Pierre lança un gant à Templeton. Un autre en fit autant, puis un autre, jusqu'à ce que Mac et Steve fussent littéralement bombardés de pièces d'équipement.

☆

Suzie lisait tranquillement dans son appartement lorsqu'on sonna à la porte. Elle alla ouvrir et se retrouva devant une Marie-France manifestement troublée, figée sur le pas de la porte.

«Bien quoi? Entre, ne reste pas là», invita gentiment Suzie.

Marie-France, l'air hagard, avança sans dire un mot jusqu'au salon. Désespérée, elle revint vers Suzie qui vit son visage se décomposer. La jeune fille éclata en sanglots et se jeta dans ses bras. Suzie, à qui ces déchirantes larmes rappelaient bien des mauvais souvenirs, ne put que la bercer doucement et lui caresser les cheveux.

«Pleure, ma petite, pleure, murmurait Suzie. On parlera de ton chagrin ensuite...

— C'est terrible! gémit Marie-France. Ma vie est finie... C'est trop horrible!

— Qu'est-ce qui est si terrible? Un gars qui t'a laissée tomber pour une autre?

— Suzie, implora la jeune fille, tu ne diras rien à personne?

— Je te le jure.

— Prête serment! À personne, surtout pas à mon père!

— Je fais serment..., soupira Suzie. Qu'est-ce qui se passe d'aussi catastrophique?

— Je suis enceinte!»

☆

Linda, les bras chargés de dossiers, traversait la salle de rédaction d'un pas pressé. Elle constata avec lassitude qu'Henri Gendron l'attendait devant la porte de son bureau. Elle le salua assez sèchement mais lui permit toutefois d'entrer.

«J'ai peu de temps, monsieur Gendron.

— Madame Hébert, il faut que vous fassiez quelque chose, implora-t-il. J'ai parlé à un fonctionnaire du ministère de la Justice, il n'y aura pas d'accusations contre les deux joueurs. C'est écœurant!

— Malheureusement, sans plainte, on ne peut rien faire, rappela-t-elle tristement.

— Mais, la vérité? dit-il, pitoyable. Vous n'êtes pas censés écrire la vérité?

— La vérité, j'ai toujours cru qu'il fallait l'écrire, répondit-elle pensivement. Mais j'ai appris que, parfois, ce n'est pas si simple. Et, dans cette affaire, c'est loin d'être simple.»

Elle le reconduisit à la porte, puis, plus chaleureuse, lui demanda:

«Comment va votre fille?

— Pas très bien. La rumeur a commencé à circuler dans son école.

— Vous savez, monsieur Gendron, le consola-t-elle, tout

s'arrange dans la vie. Ces deux petits salauds-là finiront bien par payer le mal qu'ils ont fait.

— Peut-être, fit Gendron, pessimiste. Mais, pour le moment, ils se font applaudir tous les soirs.»

☆

Quelques jours plus tôt, un coup de téléphone anonyme avait réveillé Patricia en pleine nuit. Depuis, le plaisantin récidivait à tout bout de champ. Après quelques hésitations, elle et Pierre s'apprêtaient à prendre une décision. Ils attendaient un nouvel appel pour trancher.

Comme ils l'avaient prévu, le téléphone se mit à sonner.

«Ça recommence! s'exclama-t-elle. Tu vas voir, quand je réponds, ça raccroche immédiatement. Ça m'est arrivé toute la journée. Allô?»

Comme aux appels précédents, un cliquetis sonore fut la seule réponse de l'interlocuteur.

«On me raccroche au nez, à moi aussi, dit Pierre. On va faire changer le numéro.

— Pierre. Dis-moi tout.

— On ne va pas recommencer à parler de ça!

— La première fois, lança-t-elle, énervée, ça avait l'air d'une fille qui avait passé un bon moment avec toi, jusqu'à ce qu'elle s'aperçoive que c'était moi à l'appareil.

— Veux-tu te calmer? On va faire changer le numéro, c'est tout.

— Il n'y a pas de secret entre nous, Pierre? Tu me le dirais?

— Justement, parlons donc de secrets. Qu'est-ce que tu as depuis quelque temps? Est-ce que c'est ta grossesse qui te rend si anxieuse?

— Je le sais que je suis emmerdante...»

Elle fut interrompue par le téléphone qui sonnait de nouveau. Pierre, en colère, décrocha brusquement et se mit à crier: «Je ne sais pas qui c'est, mais...»

On avait encore raccroché. À bout de nerfs, il regarda

tendrement Patricia. «Viens par ici. C'est avec toi que je me sens bien, murmura-t-il. Je t'aime.»

Ils s'embrassèrent en tentant d'ignorer l'appareil qui avait recommencé son tintamarre.

☆

Le moral et l'état de santé d'Allan Goldman se détérioraient à vue d'œil. Ses titres et ses valeurs boursières subissaient la même dégringolade. Nadine, dont l'insouciance lui avait au début fait oublier ses problèmes, se montrait maintenant froide et critique envers lui. Ses courtiers se perdaient en conjectures sur ses raisons de vendre alors que le marché marquait une hausse intéressante. C'était le même discours qui revenait ce jour-là: «Vendez! ordonnait-il au téléphone. Il faut vendre. Je sais que nous allons perdre, mais j'ai dit de vendre! *Damn it!*»

Il raccrocha violemment. Nadine s'approcha, le visage empreint de tristesse.

«Allan, appela-t-elle doucement.

— Quoi? demanda-t-il brusquement, irascible. Qu'est-ce que tu veux?

— Je pars, Allan. Il est temps.

— Il n'y a rien qui t'oblige à rester sur un navire qui coule, approuva-t-il avec un geste d'humeur.

— Je sais! Et je n'ai pas envie d'assister à ça, déclara-t-elle, la mort dans l'âme. Adieu, Allan.»

Elle rassembla les quelques affaires qu'elle avait emmenées chez lui. Alors qu'elle était sur le point de partir, elle lui dit:

«Tu savais que ça arriverait un jour.

— Je le savais..., admit-il.

— Tu ne m'en veux pas?

— Je ne t'en veux pas...

— Si seulement tu te ressaisissais...

— Tu veux t'en aller? s'impatienta-t-il. Eh bien, va-t-en tout de suite! Vas-y!»

Elle s'en alla. Allan demeura un instant immobile, puis éclata d'un rire malsain.

☆

«Qu'est-ce qui se passe? demanda Robert, inquiet, en entrant chez Maryse. Ça fait quatre jours que j'essaie de te rejoindre.

— Je sais..., répondit-elle d'un ton triste. Je voulais réfléchir.

— Tu pourrais réfléchir tout en me voyant, Maryse. Tu as l'air étrange. Qu'est-ce qu'il y a? Tu ne m'aimes plus?

— Si je ne t'aime plus? répéta-t-elle, ironique. Tu ne peux pas savoir comme j'aime ta gaieté, ta chaleur. Mais j'ai réfléchi. Je ne peux plus continuer.

— Comment: tu ne peux plus?

— Quand je parle à Paul, je deviens malade. Les enfants se demandent ce que j'ai. Et toi, Robert, peux-tu sincèrement dire que ça va bien, que tu es heureux?

— Je ne peux être heureux, gémit-il d'une voix rauque. C'est toi que j'aime et je ne te vois pas...

— Es-tu prêt à laisser ta femme et tes enfants, à te battre avec Paul pour la garde des miens?

— Oui. Je te l'ai déjà dit.

— Moi, je ne le crois pas. Je te connais. Je sais quel genre d'homme tu es. Tu mourrais, Robert, tu mourrais. Ce serait ton malheur et le mien. Le malheur de tous, souffla-t-elle, suffoquée par l'émotion. J'aime mieux souffrir tout de suite que me sentir coupable pendant dix ans. C'est fini. Je te demande de garder le secret, simplement.

— Mais je t'aime! Je ne pourrai jamais t'oublier.

— Moi non plus, je ne t'oublierai jamais. J'ai vécu le plus bel automne de ma vie, avec un homme que j'aime. Mais c'est fini...»

Il tenta de la prendre dans ses bras, tremblant, mais elle recula en pleurant.

«Laisse-moi. Laisse-moi, je t'en supplie!»

☆

Marie-France, malgré la présence rassurante de Suzie, ne pouvait se résoudre ni à manger ni à voir qui que ce fût. Elle se contentait de demeurer assise, le regard vide, et de se ronger les ongles.

«Allez, Marie-Douce, encouragea Suzie en lui présentant du thé et des biscuits, mange un peu. Ça va te faire du bien.

— J'ai pas faim. Je pense à ça. Qu'est-ce que je peux faire? Mon Dieu! aidez-moi.

— Il va falloir se décider à en parler à ton père.

— Non! pas question. Il me tuerait.

— Voyons! Je connais Marc..., assura mollement Suzie.

— Tu m'as juré de ne rien dire. Je ne veux pas l'avoir, ce bébé-là!

— Tu veux dire... te faire avorter?

— Je ne veux pas de bébé. J'ai peur.

— Te faire avorter! C'est une énorme décision, il va falloir en parler...

— Non! coupa la jeune fille. C'est ma vie. C'est mon corps. Je ne veux pas payer pour le restant de mes jours! André, lui, il dort tranquille...Aide-moi, Suzie, aide-moi...

— T'aider... Je veux bien t'aider, moi...

— Qu'est-ce que papa va dire si je reste ici, avec toi?

— T'en fais pas, je vais m'arranger avec ça.»

On sonna à la porte. Instinctivement, Marie-France se mit à paniquer. Suzie la rassura d'un geste et alla ouvrir. C'était Patricia, souriante, qui venait dire bonjour à la sœur de Pierre.

«Je peux entrer? demanda-t-elle.

— Tu ne peux pas savoir comme tu arrives au bon moment!»

☆

Pierre avait trouvé un moment avant son entraînement pour prévenir Patricia au téléphone.

«Oui, j'ai appelé, confirma-t-il, soulagé. Nous allons

avoir un nouveau numéro dès demain. On va finir par avoir la paix... À plus tard... Je t'aime.»

Il raccrocha, puis se renfrogna: Vanessa, obstinée, s'approchait de lui dans le couloir du Colisée.

«Salut, Pierre, dit-elle. Ça va? Je suis venue m'excuser, déclara-t-elle sans que ses remords paraissent vraiment convaincants. Je n'ai pas été très correcte avec toi. Je voulais que tu le saches. Tu me pardonnes?

— Je n'ai rien contre toi, Vanessa.

— Alors, on peut être amis?

— De loin.

— Assez pour prendre un verre?

— Non! La seule femme avec qui je sors, c'est ma blonde! Je ne veux plus te voir, compris?»

Pierre la quitta en maugréant et ne la vit pas lancer à la figure de Guy Drouin le café qu'il venait de lui apporter. Il gagna le vestiaire où les joueurs se préparaient tranquillement, au milieu des blagues et des potins habituels, à leur séance d'entraînement.

Quelques-uns se rasaient, ce qui éveilla chez Mac Templeton certains souvenirs. Il regarda le menton de Danny Ross en souriant méchamment.

«Il y a des poils qui dépassent, remarqua-t-il, l'air sadique. C'est de la provocation!

— Je n'ai pas eu le temps de me raser, ce matin, s'excusa la recrue qui ne voulait contrarier en rien le fier-à-bras de l'équipe.

— Steve! lança Mac vers Bradshaw. Viens ici. Regarde, dit-il en pointant le menton du jeune homme.

— C'est contre le règlement, déclara l'autre vétéran.

— Quel règlement? paniqua Danny.

— T'as pas encore été initié, expliqua Templeton. Au prochain voyage, c'est ton tour, avertit-il, les yeux brillants.

— *The whole job!* appuya Bradshaw en ricanant.

— Au complet! T'auras plus un poil! gloussa Mac.

— Vous allez me raser? Jamais! Il va falloir me passer sur le corps!

— C'est ça, acquiesça Templeton. Sur le corps. Partout sur le corps.»

Les quelques autres vétérans qui avaient assisté à la conversation se tordaient de rire. L'arrivée de Jacques Mercier les calma aussitôt. Celui-ci, contrairement à son habitude, était plus poli que teigneux. Il leur dit, embarrassé:

«Les gars, on a un problème. N'attendez pas vos payes aujourd'hui.

— Quel genre de problème? demanda Robert Martin qui, malgré sa blessure, était venu encourager ses coéquipiers. L'ordinateur?

— Je vais être franc avec vous. Nous sommes en train de restructurer les finances du National et nous sommes à court de liquidités pour le moment...

— À court pour combien de temps? interrogea le capitaine. Un jour? Deux jours?

— On fait l'impossible... Mais ça pourrait prendre la semaine.

— Une semaine? répéta Martin. Vous n'êtes pas à court de liquidités. Ça veut dire que vous allez emprunter pour payer nos salaires, c'est ça?

— En quelque sorte..., admit Mercier à contrecœur.

— Ça veut dire que le National n'est plus capable de respecter nos contrats! s'écria Templeton.

— On apprécie ta franchise, Jacques, fit Robert, mais il va falloir nous donner plus d'informations, c'est clair?»

Les joueurs, réagissant à la situation désastreuse dans laquelle se trouvait leur équipe, avaient établi leur quartier général à *La Veuve Joyeuse*. Ils discutaient de la stratégie à adopter face à leurs employeurs. Robert Martin avait fait son enquête et en divulgait les résultats à ses coéquipiers.

«D'après ce que l'Association des joueurs m'a dit, nous ne serions pas obligés de jouer ce soir, expliqua-t-il.

— On ne serait peut-être pas obligés, fit remarquer

Pierre, mais qui punirait-on en refusant de jouer? Allan Goldman? Jacques Mercier?

— Pierre a raison, approuva Denis. Le hockey, c'est plus qu'un job, c'est notre vie.

— Oui, admit Robert. Mais n'oubliez pas qu'on est payés dix fois par année... Si on attend à la prochaine paye, moi, comme vous autres, je vais avoir des problèmes...

— Ouais, comme mon hypothèque! dit l'un d'entre eux.

— Ma voiture! fit un autre.

— Il n'est pas question d'attendre trois semaines, décida Pierre. Ce que je propose, c'est qu'on donne une semaine à Mercier. On devrait aussi demander à Mike Ferguson de s'en mêler. Que la Ligue ou l'Association garantisse nos salaires. Ça s'est déjà fait avec les Barons de Cleveland.

— Le Chat a raison, approuva Mac. Que quelqu'un garantisse nos salaires.

— Ce n'est pas si simple, les gars, déclara le capitaine. Il faut entreprendre des démarches.

— Qu'on forme un comité, suggéra Pierre. Toi, Bob, et Steve... D'accord, Steve?

— O.K., mais je veux que Pierre vienne avec nous.

— Ouais, vas-y, Pierre! encouragèrent les joueurs.

— Champagne! fit Robert à l'intention de leur ancien coéquipier qui tenait le bar, une bière pour tout le monde.

— Pendant que nous y sommes, Robert, fit Pierre avec respect, vu que tu reviens au jeu, tu es de nouveau le capitaine. Le meilleur qu'on connaisse. Au capitaine!» cria-t-il en levant sa bière.

L'équipe, en chœur, reprit le toast en l'honneur de Robert Martin, qui avait du mal à camoufler son émotion.

☆

Suzie et Patricia discutaient, dans un coin à l'écart d'un restaurant de Québec, du cas de Marie-France.

«Tu t'embarques dans quelque chose de grave, déclara

Patricia. Il faut que tu le dises à Marc. Tu ne peux pas lui cacher ça. Elle a seize ans, c'est à son père de décider.

— Je lui ai promis de ne rien dire. Je ne briserai pas ma promesse.

— Tu ne vas pas la laisser avorter?

— Te verrais-tu, prise avec un enfant, à seize ans? objecta Suzie.

— Elle aurait dû y penser à deux fois..., rechigna l'infirmière.

— Patricia, quels que soient nos points de vue, il faut l'aider et la laisser faire son choix. C'est sa vie.

— C'est injuste!

— Pourquoi?

— Un beau bébé, sain, en santé. Lui refuser la vie, condamna-t-elle, bouleversée, alors qu'il y a des femmes qui en veulent à mourir, qui ne sont même pas sûres que le leur va être normal, mais qui se risquent quand même. Ce n'est pas juste...

— Ça ne va pas? s'inquiéta Suzie. As-tu un problème?

— Je ne sais même pas si mon bébé va être normal.

— Pourquoi il ne le serait pas?

— À cause d'un traitement aux rayons X que j'ai subi le premier mois de ma grossesse.

— En as-tu parlé à Pierre? demanda Suzie, atterrée.

— Comment veux-tu que je lui en parle?»

Quand Robert entra chez lui, la télévision était allumée. Pierrette semblait s'ennuyer mortellement en la regardant. Il la salua sans trop d'enthousiasme.

«Tu n'es pas à tes cours, ce soir? demanda-t-il.

— Non, dit-elle d'un ton las. La session est terminée. J'en ai profité pour faire des courses. Je voulais y aller avec Maryse, mais ça ne lui tentait pas. Elle avait l'air fatigué. Je me demande ce qui lui arrive.

— Ah... J'ai envie d'un coke. Je vais au coin.» Robert ressortit aussitôt, laissant Pierrette s'inquiéter davantage.

Il se dirigea en fait vers une cabine téléphonique. Il inséra une pièce dans la fente, la main tremblante, comme celle d'un drogué en manque. Fébrilement, il composa le numéro de Maryse, qui le reconnut sans grand enthousiasme.

«Comment vas-tu? s'enquit-il.

— Ça va.

— Je te dérange?

— Un peu. Ma fille n'avait pas sommeil, elle est avec moi.

— Je n'aurais pas dû appeler, hein?

— Non. Je ne pense pas que nous ayons grand-chose à nous dire.

— Excuse-moi, je ne voulais pas te déranger, dit-il, irrité.

— Non, ça va, soupira-t-elle. Francine, va te coucher, dit-elle à sa fille. Bonne nuit, ma chouette.» Sa voix se fit plus sérieuse. «Bon, Robert, c'est assez! Ni toi ni moi n'allons divorcer et tu le sais. Continuer ne pourrait nous faire que du mal. Sois raisonnable.

— Mais, est-ce qu'on peut rester amis, se voir de temps en temps? supplia-t-il.

— Oui..., gémit-elle. Je t'aime beaucoup, mais nous allons attendre avant de nous revoir. Ce serait trop douloureux en ce moment.

— Et Paul?

— Depuis qu'il est à Toronto, j'ai beaucoup réfléchi. J'ai énormément de respect et d'affection pour lui. On va voir ce que le temps peut arranger.

— C'est vraiment fini? fit Robert avec une voix blanche.

— Oui... Vraiment.»

Elle raccrocha. Il ne put entendre ses sanglots.

Le National venait d'arriver à Toronto et pénétrait dans le hall de l'hôtel. Danny eut la surprise d'y voir toute sa famille qui l'attendait. Trop heureux pour se formaliser des cris et des sifflements des joueurs, il alla embrasser sa mère et vint présenter ses parents à son entraîneur.

«Maman, papa, mon coach, Marc Gagnon.

— Enchanté, madame, monsieur, salua Marc. Vos fils sont de brillantes recrues!

— Je vous remercie, monsieur Gagnon. Je peux l'inviter à déjeuner?

— Oui, si vous me le ramenez pour une heure. Une heure pile.»

Ils rejoignirent Frank et Wayne et allèrent fêter leurs retrouvailles dans un restaurant de la Ville-reine.

☆

Pierre avait réussi à prendre rendez-vous avec Mike Ferguson. Il lui faisait le bilan de la situation salariale du National.

«Nous, on fait quoi? On joue pas de paye?

— Vous allez leur donner une semaine à partir d'aujourd'hui, conseilla l'agent. Si Goldman s'avère incapable de remplir ses engagements, alors, la Ligue sera mise au courant.

— Et qu'est-ce que ça va donner?

— La Ligue va garantir vos salaires. Je ne suis pas dans tous les secrets, mais je crois que Goldman va devoir vendre le National.

— Mike, si tu veux mon opinion, ça ne serait pas une mauvaise chose, déclara Pierre. Je n'ai jamais vu une organisation aussi croche. Ça se sent, ces choses-là.

— En attendant, c'est à vous de décider de ce que vous allez faire, expliqua Ferguson. Techniquement, vos contrats ont été rompus. Un gars comme toi pourrait devenir agent libre.

— Agent libre! s'exclama Pierre. Tu le sais que ce n'est pas si simple. Je fais partie d'une équipe, on a toujours gagné ou perdu ensemble. Ce n'est pas le moment de les laisser tomber.

— Alors?

— Alors, on va travailler comme des enragés. On va jouer pour notre public, pour nous. Et si on a de nouveaux propriétaires, ils n'auront pas un mot à dire. Le National, c'est nous, les joueurs!»

☆

Marc était de plus en plus inquiet pour Marie-France et, de sa chambre à Toronto, appelait Suzie pour avoir de ses nouvelles.

«Tu le sais, dit-il, je t'aime et je te fais confiance. Mais pourquoi est-ce que Marie-France couche encore chez toi ce soir? Ça fait une semaine que ça dure!

— Comprends donc, Marc, le rassura-t-elle. Marie-France travaille sur une recherche et elle doit aller chez des amies, souvent tard; de chez moi, c'est plus près.

— Ouais, grogna-t-il. Francis arrive du collège en fin de semaine. Je veux que sa sœur soit là quand il va arriver.

— Promis, je ne garde pas ta fille plus qu'une couple de jours encore.

— Écoute-moi, Suzie! ordonna-t-il, impatient, t'es bien fine, bien intelligente, mais ne me prends pas pour un cave! Marie-France a quelque chose, je le sais bien.

— Et toi, mon grand lion des Plaines? lui susurra-t-elle. Ça va? Je ne te manque pas un peu?

— Moi? répondit-il, adouci. Ça irait mieux si je t'avais tous les matins à côté de moi à mon réveil...»

À l'autre bout du fil, Suzie souffla...

☆

Le match suivait son cours. Le National, qui tentait de retrouver sa belle image des années passées, affrontait une équipe sur sa montée, qui venait de se sortir des mêmes affres que celles dans lesquelles il menaçait de sombrer.

Dans les gradins, les parents Ross encourageaient chacun un de leurs fils.

«Bien cogné, Frank! approuva papa Ross alors que l'aîné plaquait solidement son frère.

— C'est bien fait, Danny! Laisse-toi pas faire!» encouragea maman Ross alors que celui-ci rendait coup pour coup.

Maman et papa Ross se regardèrent et éclatèrent de rire, puis se mirent à applaudir lorsque Danny déjoua son frère et marqua sur une passe de Pierre Lambert. Curieusement, ce but créait l'égalité et allait être le dernier de la partie.

«C'est pour ma mère! fit Danny en confiant la rondelle à Nounou.

— En aurais-tu une pour ton père?» demanda Marc, avidement.

À la fin de la rencontre, la famille se réunit de nouveau.

«T'as bien joué, mon gars! félicita le père.

— Frank et moi, on s'est arrangés pour que ce soit une nulle, plaisanta Danny. Comme ça, tout le monde est content.

— J'aurais aimé que vous soyez à la maison pour Noël, regretta sa mère.

— Vous allez me manquer, acquiesça Danny.

— Eh bien, moi, je vais être encore plus loin, se targua Wayne, le cadet. On part pour Leningrad demain, championnat mondial midget... En attendant de venir vous planter dans la Ligue nationale!

— Ça a encore la couche aux fesses et ça parle de la Ligue!» taquina Frank.

Puis, la famille se rendit à l'hôtel en marchant à travers les rues maintenant recouvertes de neige.

☆

En silence, Suzie et Marie-France observaient, pensives, les flocons blancs qui contrastaient sur le fond noir du ciel.

«Tu sais, Suzie, j'ai beaucoup réfléchi, déclara Marie-France. Ma décision est prise.

Moi aussi, j'ai réfléchi. Tu viens d'avoir seize ans, je pense que tu as le droit de décider seule de certaines choses qui ne regardent que toi. Mais le père, lui? Ça le regarde aussi, non?

— André? fit-elle, ironique. Il a tellement peur que je l'achale qu'il se pousse de moi. Suzie, on va aller à Montréal. J'ai entendu parler d'une clinique pour les jeunes. Je ne veux pas que ça se fasse à Québec, tout le monde connaît mon père.

— Mais en as-tu parlé à quelqu'un d'autre? s'inquiéta Suzie.

— À qui veux-tu que j'en parle? demanda Marie-France, au bord des larmes. Ma mère est morte, je mourrais avant d'en parler à mon père. Je vais quand même pas aller voir le curé de la paroisse, je ne sais même pas son nom.

— Une clinique pour jeunes à Montréal, répéta Suzie, estomaquée. Marc me le pardonnerait bien moins qu'à toi. Mon Dieu! Dans quoi est-ce que je m'embarque?»

Les deux filles se serrèrent l'une contre l'autre, regardant sans la voir la neige qui tombait abondamment, jusqu'à ce que Marie-France, prise de nausée, se précipite hors de la pièce.

☆

Heureux de rentrer, Marc stationnait sa voiture près de l'appartement de Suzie. Il suivait en sifflotant l'air d'une chanson de Noël qu'on jouait à la radio et qui se termina pour laisser place à une émission de sport.

«Bonjour, Jacques, salua le premier animateur. Eh bien, ton cher National est dans la cave du classement. Tu n'as pas honte?

— Il faudrait peut-être commencer à chercher les responsables de la débâcle du National. Ce n'est pas Gilles Guilbeault, personne ne l'a vu vu depuis trois semaines. Ni Jacques Mercier, qui a ramené Pierre Lambert, Steve Bradshaw et Mac Templeton au bercail. Et Robert Martin et Danny Ross ont tous deux fini de soigner leurs blessures. D'après moi, il ne reste plus qu'une cause probable aux problèmes du National. Peut-être faudrait-il regarder maintenant derrière le banc? Voir si le message de Marc Gagnon passe toujours?»

L'entraîneur, blanc de rage, coupa le contact et la radio. Il retrouva son calme, chargea ses bras des cadeaux qui se trouvaient sur le siège du passager et se dirigea vers l'appartement de Suzie.

En le voyant, celle-ci eut une expression de surprise désagréable, qui fut aussitôt remplacée par un sourire ensoleillé. Marc hésita, puis entra. Il jeta un coup d'œil vers Marie-France qui ne fit pas un geste vers lui.

«C'est pour moi, les cadeaux? demanda Suzie.

— Non, ceux-là sont pour Francis, répondit-il sèchement. Les tiens sont cachés», dit-il à sa fille qui, l'air malade et intimidée, ne réagissait toujours pas.

«Eh bien? s'enquit-il. Je n'ai pas droit à une embrassade?»

Marie-France vint lentement vers son père et se serra contre lui, retenant quelques sanglots. Marc se fit plus tendre et la berça doucement.

«Qu'est-ce que...? questionna-t-il.

— Une grosse peine d'amour..., chuchota Suzie.

— Je m'ennuie, murmura-t-il. Ça fait une semaine que je ne te vois plus.

— Marc, ça ne te dérangerait pas qu'elle reste encore quelques jours? Elle m'aide beaucoup.

— Bon, mais appelle-moi plus souvent. Tu me manques.»

☆

Marc, malgré les soucis de sa vie de famille, s'était rendu à son bureau pour régler certains détails du prochain voyage de l'équipe. Le National affrontait le Canadien de Montréal le 23 au soir et visitait un hôpital pour enfants à Drummondville le lendemain. Mais il y avait un problème qu'il voulait régler avant les autres.

«Tu voulais me voir? fit Robert Martin en entrant dans la pièce.

— Oui. Avant de partir pour Montréal, il y a une chose

dont je voudrais te parler, expliqua l'entraîneur, légèrement mal à l'aise. Est-ce que c'est vrai, ce que j'ai entendu dire?

— Ça dépend de ce que tu as entendu..., répondit Robert, méfiant.

— Toi et la femme du Curé, ç'a l'air que c'est le grand amour.

— Ça, Marc, ce n'est pas de tes affaires, protesta le capitaine, agressif.

— Je ne veux pas me mêler de tes affaires, s'excusa Marc, mais nous avons joué si longtemps ensemble... Tu sais ce que je veux dire. C'est dangereux, ces histoires. Je peux t'en parler.

— Il n'y a plus d'histoire, dit Robert qui se sentait à présent plus à l'aise. C'est fini.

— Ah..., marmonna Gagnon. C'est pour ça que tu prends cette face d'enterrement. C'est dur, hein? C'est toi qui a mis le frein?

— Non, avoua Martin en se rembrunissant. C'est elle. Mais je me sens mal, tu ne peux pas savoir comment. J'ai tout le temps le goût de brailler, j'ai plus envie de rien faire.

— Ne t'en fais pas, le consola Marc. Tu n'auras pas le temps de déprimer pendant un match contre le Canadien. Qui sait? Ça pourrait nous redonner de l'aplomb pour le reste de la saison.»

☆

Suzie était prête à partir et regardait sans cesse sa montre. Marie-France, qui errait lugubrement dans l'appartement, ne se demandait même pas ce que son amie attendait pour s'en aller. Finalement, Suzie le lui dit: «Je ne serai pas trop longtemps sortie, fit Suzie. Je ne veux pas te laisser seule. Tu vas voir ce que je t'ai arrangé.»

Marie-France demeura silencieuse. On sonna à la porte. C'était Hugo, le cadet des Lambert. Il embrassa sa sœur et aperçut la jeune fille. Blagueur, il la salua avec maints haussements de sourcils:

«Salut, beauté! Tu voulais me voir: me voilà!»

Pour toute réponse, il eut droit au même visage fermé et anxieux qu'elle montrait à tout son entourage.

«Qu'est-ce qu'elle a? demanda Hugo, surpris.

— Une peine d'amour, répéta sa sœur. Je vais avoir besoin de toi. Peux-tu te libérer pour une couple de jours?

— Oui, bien sûr, je suis en vacances depuis quelques jours.

— Et si Marc appelle pour Marie-France, es-tu capable d'inventer une couple de bonnes menteries?

— Ah! fit Hugo en ricanant. Il n'y a pas de Lambert plus menteur que moi!»

Un grand sourire joyeux aux lèvres, il vint s'asseoir à côté de Marie-France et lui réitéra ses salutations. Après quelques secondes, elle se tourna vers lui et le fixa timidement avec des yeux cernés et tristes. Elle posa sa tête sur son épaule et se mit à pleurer. Hugo, qui se sentait plus à l'aise avec les rires qu'avec les larmes, implora du regard l'assistance de sa sœur.

«Minute! s'exclama-t-il. Je ne sais pas ce qu'on fait dans ces cas-là!

— Je te fais confiance, assura sa sœur, narquoise. Je sais que tu as le cœur à la bonne place.»

Suzie, contente d'elle, les laissa ensemble pour se rendre à son rendez-vous.

☆

Le match contre le Canadien s'était avéré serré, mais le National avait finalement pris le dessus et menait 3 à 2 avec six minutes à jouer. Le jeu était robuste et les Templeton, Bradshaw et Roberge avaient eu du pain sur la planche.

Mais Roberge, énervé par la pression de fin de partie, avait fait un peu trop de zèle en servant une mise en échec exagérément rude à un joueur du Canadien. Le Montréalais, cynique, lui avait décoché un regard méprisant et lui avait lancé: «Retiens-toi, Roberge, je ne suis pas une petite fille! Il paraît que tu les aimes, les petites filles?»

Le joueur adverse avait à peine eu le temps de terminer sa phrase que Roberge, hors de lui, lui avait furieusement écrasé son poing dans la gueule, ne lui laissant pas d'autre choix que de se laisser tomber sur la glace et d'encaisser les coups.

L'arbitre intervint du mieux qu'il put sous les huées de la foule. Il parvint à les séparer et à expédier Roberge au banc des pénalités; celui-ci fut, en pratique, exclu du match, au grand dam de Marc Gagnon qui, les mâchoires serrées, se promettait de punir pas des mesures exemplaires une telle indiscipline.

«Quel con! s'exclama Guy Drouin du haut de la passerelle des journalistes.

— Pas content de débaucher les jeunes filles...», marmonna Lucien pour lui-même.

Le National conserva son avance et gagna la partie.

Le retour au bercail, le lendemain, fut retardé par une tempête qui faisait rage sur le sud du Québec. L'atmosphère était plus agréable à l'intérieur qu'à l'extérieur de l'autobus. Les joueurs se détendaient, écoutaient des airs de Noël en espérant pouvoir retrouver leur famille pour le réveillon. Les journalistes s'échangeaient des blagues et se faisaient part de leurs projets pour les quelques jours de vacances qui les attendaient.

«Et toi, Vanessa? demanda Drouin. Tu restes avec nous? Tu n'avais pas plus intéressant pour Noël?

— Je ne veux pas vous faire baver, les gars, dit-elle, hautaine, mais ma place est toujours réservée sur le vol pour Los Angeles puis sur celui pour les îles Fidji.»

Ses collègues répondirent par des sifflements envieux.

«Mais, ajouta-t-elle en lançant malgré elle un regard vers Pierre, vous m'auriez tellement manqué que je vais rester à Québec.

— En attendant, se plaignit Lucien, il faut se taper l'autobus. J'ai hâte d'être chez nous!

— Oublie pas qu'on arrête à Drummondville...», rappela Drouin, juste pour le plaisir d'entendre Lulu gémir de plus belle.

À l'avant de l'autobus, on s'inquiétait aussi.

«Qu'est-ce que tu en penses, Marc? demanda Nounou. Est-ce qu'on va se rendre?

— Je vais te dire, grogna l'autre, que je ferais plus confiance à une motoneige qu'à un autobus.

— Nous allons y être dans deux heures, affirma Mercier.

— Deux heures? s'écria Gagnon. Regarde donc dehors!

— À cette heure, Judy et Jimmy doivent être arrivés à la maison. Je n'ai pas l'intention de les manquer. On aurait dû partir hier soir.

— On ne pouvait pas, tu le sais bien. Ça fait des mois qu'ils nous attendent à Drummondville.

— Voilà! déclara Nounou. On ne voit plus rien!»

Par chance, le véhicule approchait de l'endroit où il devait faire escale. Péniblement, il prit la sortie pour Drummondville et se dirigea, à travers les rues qu'on ne distinguait plus des trottoirs, vers l'hôpital pour enfants. Il s'immobilisa finalement dans le stationnement de ce dernier.

Les joueurs se dépêchèrent de prendre leurs bagages et de se frayer un chemin jusqu'à l'entrée de l'institution, où ils furent accueillis à bras ouverts par les enfants et les membres du personnel qui ne s'attendaient plus à les voir.

☆

«Avec cette tempête, j'ai peur que nous ne devions passer Noël tout seuls, Jimmy, fit Judy Mercier en observant le temps par la fenêtre.

— Dad va réussir à passer», affirma le garçon avec candeur mais fermenent.

Maroussia se posait la même question. Elle et Patricia tuaient le temps comme elles le pouvaient, se résignant tant bien que mal à ne pas voir leur époux ou fiancé ce soir-là.

«Si cette tempête pouvait finir! pria Maroussia. Je ne veux pas passer Noël sans Gilles.

— Ni moi sans Pierre», ajouta Patricia.

Leur désagréable attente fut interrompue par la sonnette de la porte d'entrée. C'était Suzie, accompagnée de Francis, de Marie-France et d'Hugo, qui transportait les cadeaux.

On mit la main aux derniers préparatifs, ce qui, pendant une heure ou deux, fit un peu oublier l'absence de certains, mais pas complètement.

«Je me demande où est Gilles? demanda Maroussia encore une fois. Il n'a même pas appelé.

— On parle de moi? fit une voix bien connue en ouvrant la porte.

— Gilles! Enfin! s'écria sa femme en l'apercevant, recouvert de neige. J'avais peur de ne pas te voir.

— Maroussia..., murmura-t-il en la serrant dans ses bras. C'est l'enfer, dehors. C'est la déneigeuse qui m'a conduit ici. C'est épouvantable.

— Nous avons de la visite: les enfants de Marc. Tu vas être notre père Noël.

— Non! objecta Hugo, qui arrivait affublé d'un habit rouge et d'une barbe blanche. C'est moi le père Noël»

☆

Faisant contre mauvaise fortune bon cœur, les joueurs du National avaient préparé une véritable fête pour les enfants de l'hôpital. Robert Martin avait déniché un piano et adaptait quelques airs de Noël pour en faire quelque chose d'un peu plus rock. Une partie de ses coéquipiers l'accompagnaient au chant et les autres dansaient avec les enfants. Les journalistes se détendaient également, sauf peut-être Vanessa qui se sentait exclue des réjouissances par quelque barrière invisible.

Nounou, mettant en valeur sa forte corpulence, s'était déguisé en père Noël et distribuait les cadeaux que l'organisation avait prévus pour les jeunes malades.

Le chauffeur d'autobus entra dans la salle communautaire et se dirigea vers Jacques Mercier.

«J'ai des mauvaises nouvelles, monsieur Mercier. Nous sommes bloqués ici pour un bout de temps, peut-être la nuit... La 20 est fermée. Ils viennent de l'annoncer.»

Jacques le remercia et rassembla ses joueurs dans une pièce isolée.

«Les gars, nous allons être obligés de passer la nuit ici, expliqua-t-il, maussade. Ils nous ont trouvé des lits. On va se débrouiller comme on pourra. Ils ont mis des téléphones à notre disposition pour que l'on puisse appeler nos familles.» Il fit signe qu'il avait terminé, surpris de voir les gars sourire plutôt que de les entendre huer des protestations.

Pierre vint rejoindre Marc un peu plus tard. Ce dernier avait une fillette dans les bras et quelques garçons à ses pieds. Un homme portant le col romain l'accompagnait.

«Marc, l'aumonier est d'accord pour organiser une messe dans l'hôpital. Si tu étais d'accord, moi et Robert pourrions faire quelque chose. Nounou aussi est d'accord.»

Gagnon, qui n'y voyait pas d'inconvénients, consulta Mercier, qui donna également son assentiment.

Noël approchait. Le prêtre avait préparé la communion dans la chapelle du bâtiment. Robert s'était installé à l'orgue et un chœur d'enfants se préparait à entonner le *Minuit, Chrétiens* avec lui.

Vanessa, seule à l'arrière, n'avait pas quitté Pierre des yeux de la soirée. Les enfants, qui s'agglutinaient autour de lui, l'avait empêchée de s'en approcher. Tantôt un petit garçon qui avait perdu ses cheveux, tantôt une petite fille aux jambes paralysées se succédaient sur ses genoux. Une ribambelle de jeunes admirateurs le suivaient partout, sans rencontrer chez lui le moindre signe d'impatience.

Elle le vit, avec remords, serrer contre lui une jeune handicapée mentale qu'elle avait pratiquement fuie à cause de son air hébété.

Loin de sa vie luxueuse, sans ses artifices, au cœur d'une violente tempête, elle comprenait, au milieu de tous ces enfants qui n'avaient hérité que de la misère, ce qui la séparait de Pierre.

CHAPITRE IX

La nouvelle année avait eu le temps d'arriver avant que les joueurs n'aient été payés. La date fixée par eux était déjà passée depuis plusieurs jours, mais l'équipe, ce jour-là, avait quand même revêtu l'uniforme d'entraînement et attendait le retour de Nounou pour savoir si elle allait jouer ou non.

Le soigneur entra dans le vestiaire, la mine basse, les mains vides. Pierre le questionna:

«Et puis?

— Pas d'enveloppes, répondit Nounou tristement.

— Qu'est-ce qu'on fait? demanda Templeton.

— On a été patients, commença Robert. Nous savons tous qu'il se brasse des affaires pas très claires dans l'organisation. Qui va nous garantir qu'on va être payés demain?»

Les joueurs s'interrogèrent du regard, inquiets. Pierre, de nouveau, brisa le silence:

«Dans le temps de Guilbeault, dit-il, on savait à quoi s'en tenir. Jacques Mercier, je le connais comme coach, mais comme gérant, je ne peux rien vous assurer. Si on ne bouge pas, il n'y a rien qui va se régler.

— Bouger? répéta Robert. Qu'est-ce que tu veux faire, le Chat?

— Il n'y a pas de pratique aujourd'hui. Les journalistes vont se demander ce qui se passe, mais on ne dira rien. Tu vas voir que Goldman va se grouiller le cul!

— Tu ne trouves pas que tu vas un peu vite? demanda le capitaine.

— Trop vite? fit Pierre. Demande aux gars!»

Les gars retiraient déjà leur équipement, prêts à suivre Lambert. Robert oublia sa question et se mit à se dévêtir lui aussi. Nounou fut chargé de prévenir l'entraîneur.

☆

Pour la première fois depuis plusieurs mois, Jacques et Judy passaient un moment ensemble, seule à seul. Mercier aurait aimé voir son fils, mais celui-ci s'était absenté.

«Pourquoi Jimmy ne m'a-t-il pas dit qu'il voulait se rendre au centre-ville? Je l'y aurais conduit.

— C'est fini, ce temps-là, Jacques, expliqua sa femme. Maintenant, il veut tout faire de lui-même et il se fâche quand on veut l'aider.

— C'est normal, ça va lui passer, affirma Mercier, croyant à une crise d'adolescence.

— Qu'est-ce qu'on va faire? demanda Judy, désappointée. On ne peut pas continuer comme ça. J'ai besoin de toi. Jimmy a besoin de toi.

— Reste ici, proposa sèchement son mari.

— Je pars en tournée. Vienne, Londres, Berlin, Madrid.

— Et Jimmy?

— Il veut rester en Suisse. Moi, j'aimerais qu'il vive avec toi.

— Il n'est pas question qu'il demeure seul en Suisse.

— Tu le connais. Il est aussi têtu que toi.

— Je vais lui parler, promit Mercier. Tu vas me manquer, ajouta-t-il désolé. Mai, c'est loin. Tout l'hiver sans toi... Avec un peu de chance, nous allons tous être ensemble pour l'été.

— Ce n'est pas sûr, Jacques.

— Pourquoi?

— On m'a offert une autre tournée. L'Italie.

— Judy, fit Jacques, contrarié, je veux bien te donner le maximum de chances de réussir une carrière, mais, là, ça devient ridicule. Si on continue comme ça...

— C'est toi qui as voulu revenir au Québec, coupa Judy.

— C'est ici que j'ai toujours vécu. La Suisse, c'est beau, mais...

— Tu voudrais que j'abandonne ma carrière.

— Je ne peux pas vivre sans toi, moi.»

Les deux époux en restèrent là, leurs retrouvailles assombries par la perspective de la séparation imminente.

☆

Les journalistes attendaient, assis dans les gradins du Colisée, depuis un long moment déjà. Les joueurs ne se présentaient tout simplement pas sur la glace.

«J'espère que Gagnon ne distribue pas d'amendes, ce matin, plaisanta Drouin. Ça coûterait cher à certains.

— C'est normal qu'ils soient aussi en retard? demanda Vanessa.

— Ça arrive que Marc Gagnon en ait plus long à dire à ses joueurs. Lulu n'aura pas manqué grand-chose.»

Ils observèrent Nounou qui ramenait de l'équipement du banc au vestiaire. Guy l'interpella:

«Nounou! Qu'est-ce qui se passe?

— Vous le voyez bien. La pratique est annulée.»

Les reporters se regardèrent, un sourire avide aux lèvres.

☆

Hugo, pour les vacances du Nouvel An, s'était trouvé un petit boulot: il s'occupait de la sonorisation de quelques soirées de danse. Il emmenait Marie-France avec lui, moins pour satisfaire aux demandes de sa sœur que pour se faire plaisir. Hugo était le contraire d'André: sincère, mais timide.

«On va avoir le temps de rentrer souper avant la fête, dit-il en finissant d'installer le système de son de la discothèque.

— Tu es gentil avec moi, Hugo, remercia-t-elle. Tu es mon meilleur ami.

— Tu as encore été malade, ce matin, répondit-il, masquant mal son émotion. On dirait presque que tu es enceinte!»

Il se mit à rire devant l'absurdité de l'idée, content de détourner ainsi la conversation. Il cessa de rire en constatant que Marie-France avait gardé son expression sérieuse. Il la regardait, incrédule.

«Hugo, es-tu mon ami? s'enquit-elle gravement.

— À la vie, à la mort, jura Hugo, de plus en plus mal à l'aise.

— Tu vas garder le secret?

— Jusque dans la tombe.

— Je suis enceinte.

— Marie-France!»

À son interjection succéda une série de mimiques et de gestes paniqués se voulant, sans succès, rassurants. Finalement, ne sachant quoi faire de ses mains, il étreignit la jeune fille.

«Assieds-toi. As-tu soif? Veux-tu un verre d'eau? As-tu faim? Est-ce que je peux faire quelque chose? demanda-t-il à un rythme saccadé.

— Je ne veux pas garder le bébé, dit-elle calmement.

— Viens, on va retourner chez Suzie. On va prendre un taxi. Tu dois avoir faim.

— Un peu...

— Pourquoi est-ce que tu ne le disais pas? Fais attention. Va doucement.»

Ils s'en retournèrent ainsi à l'appartement; elle, inquiète mais parfaitement calme; lui, énervé pour deux.

☆

Marc, en apprenant la décision des joueurs, n'avait fait ni une ni deux et s'était rendu chez Jacques Mercier pour lui faire part de la situation.

«Jacques, il faut que je te parle! dit-il dès que celui-ci eut ouvert la porte.

— Qu'est-ce que tu fais ici? Tu n'es pas à la pratique? demanda Mercier en le voyant entrer. Qu'est-ce qu'il y a?

— Y en a pas de pratique, répondit Gagnon, essoufflé. Les gars l'ont annulée. Ils veulent être payés.

— Quoi? s'étonna le directeur. Ils n'ont pas été payés?

— Niaise-moi pas. Tu sais bien qu'ils n'ont toujours pas reçu leur paye.

— Pas reçu leur paye..., répéta Mercier, surpris. Goldman m'avait dit que tout était arrangé, temporairement, en tout cas.

— Eh bien, ça ne l'était pas. Et les gars ont décidé de sauter l'entraînement. Tu aurais dû voir les journalistes, de vrais vautours! raconta-t-il à Jacques qui, soucieux, s'était mis à faire les cent pas.

— Qu'est-ce que tu leur a dit? demanda-t-il.

— Qu'on avait eu une réunion à la place de l'exercice. Les gars ont promis de se la fermer jusqu'à demain.

— Ça nous donne vingt-quatre heures.

— Jacques, ça ne peut plus continuer comme ça, s'exclama Marc, anxieux. Tu sais que c'est moi qui vais prendre les coups si rien ne change. On s'en va directement dans le trou!

— Je vais voir Goldman. Immédiatement.»

☆

«Chers auditeurs, ce midi, nous avons une petite devinette pour vous: pourquoi l'exercice régulier du National a-t-il été annulé ce matin, et ce, malgré la présence de tous les joueurs au Colisée? Est-ce un geste de Marc Gagnon pour tenter de fouetter son équipe? Je pose la question. Avec le National qui croupit en dernière position de la division depuis le début de la saison, Jacques Mercier et Marc Gagnon auraient tout intérêt à réagir rapidement, car c'est peut-être à eux que les partisans de l'équipe vont demander des comptes... bientôt, très bientôt!»

☆

La nouvelle était parvenue jusqu'à Mike Ferguson, qui s'était rendu au bureau du président de la Ligue nationale, John Aylmer.

«Ça ne peut plus durer! s'exclama l'agent. Les joueurs ont refusé de s'entraîner.

— Ça ne nous laisse pas beaucoup de choix, fit pensivement Aylmer. J'ai étudié la question sous tous les angles: le National de Québec n'est plus viable financièrement. Vous savez ce que cela veut dire.

— Oui. Mais pensez aux répercussions. Le National est une des cinq meilleures équipes de la Ligue.

— Était. Voici le contenu du télex que j'envoie cet aprèsmidi à Allan Goldman.

— *Shit!* s'exclama Ferguson en le lisant rapidement. Ça va chauffer à Québec!»

☆

Jacques Mercier, sans s'annoncer ni frapper, entra dans le bureau d'Allan Goldman. Celui-ci, affalé dans son fauteuil où il sirotait un verre d'alcool, affichait un désespoir hébété.

«Monsieur Goldman, dit Mercier, vous m'aviez assuré que les chèques étaient prêts, que l'argent était là.

— Ça n'a plus d'importance, maintenant. Tiens, dit-il en lui tendant un papier. C'est de John Aylmer. Mes droits de propriétaire et de gouverneur sont suspendus. Je n'ai plus un mot à dire. C'est la Ligue qui va payer les joueurs et se charger de vendre le National.»

Mercier, atterré, relut le télex en hochant la tête.

«La tutelle! admit-il finalement. Le National est sous tutelle!»

☆

«Frédéric? Faites-le entrer.»

Linda mit un peu d'ordre dans ses paperasses et quitta

sa chaise pour accueillir son visiteur. Tanner, aussi élégant que de coutume, entra et jeta un coup d'œil au bureau.

«Imposant. Très imposant, votre journal, complimenta-t-il.

— Des fois, répondit Linda, visiblement fatiguée, je me dis que c'est une usine comme une autre.

— Je suis rentré de Montréal aujourd'hui. Je voulais t'inviter à dîner, ce soir.

— Oh! Je suis... Non, bafouilla-t-elle, embarrassée, je vais m'arranger. Ça me fait plaisir.

— J'aurais pu téléphoner, s'excusa-t-il, mais j'avais envie de te voir. Je pense encore à notre magnifique soirée...»

Lucien, entre deux bâillements, observait les caractères lumineux sur l'écran de son terminal. La tête appuyée sur sa main droite, les paupières à moitié closes, il tapait distraitement un article ennuyeux de sa main gauche. Finalement, il cessa d'écrire et se mit à rêver à la chaleur moelleuse de son lit, qu'il avait dû quitter en plein milieu de la nuit pour changer les couches des jumeaux. Le souvenir du cri des bébés se superposa à celui, bien réel, de son rédacteur en chef.

«Lucien Boivin! hurla Ben Belley à son oreille.

— Quoi? répondit Lulu en se redressant d'un bloc.

— Voilà une dépêche de la Presse canadienne, dit-il d'un ton acerbe. Quand tu auras fini ton somme, va donc couvrir la mise sous tutelle du National!

— Quoi? répéta Lucien en s'emparant de la dépêche. Le National est sous tutelle?»

Il se dirigea vers le bureau de Linda, où celle-ci discutait toujours avec Frédéric.

«Tu vas trouver ça étrange, disait-elle, mais je n'ai jamais reçu un ami dans ce bureau. Il y a toujours un problème à régler, une réunion, une nouvelle à vérifier... Tu es à Québec pour le National?

— C'est confidentiel, mais nous en reparlerons. Je vais te laisser travailler.»

Lucien, à bout de souffle, fit irruption dans la pièce.

«Linda! fit-il. Le National est sous tutelle!

— Quoi? Qu'est-ce que tu fais ici, alors? Tu devrais déjà être au Colisée. Grouille!» Avec impatience, elle considérait le journaliste qui repartait, offusqué.

«Étais-tu au courant? demanda-t-elle à Frédéric.

— Je viens de l'apprendre, répondit celui-ci, sincèrement surpris. En même temps que toi.

— Tu sais ce que ça veut dire. C'est la Ligue qui est maintenant en charge du National et qui approuvera sa vente.

— Ça ne change rien pour le groupe que je représente. Et de toute façon, même avant la tutelle, La Ligue donnait l'accord final.

— Sauf que la Ligue pourrait être moins sympathique que Goldman à l'entrée d'un partenaire européen.

— Nous verrons, fit Tanner, philosophe. Je passe te prendre vers sept heures?

— Huit heures. Au *Deauville*.»

☆

Il n'y avait pas d'exercice ce jour-là, mais Pierre était venu s'entraîner, un peu pour s'efforcer d'oublier les déboires du National. Après s'être épuisé à patiner, il entra au vestiaire, en sueur. Nounou s'y trouvait, assis, l'air terriblement malheureux pour un homme aussi jovial.

«Qu'est-ce que tu as, Nounou? s'inquiéta Pierre.

— Ce n'est pas un beau jour pour l'équipe, maugréa le soigneur. Je te dis qu'il faut que ça aille mal. Qu'est-ce qui va nous arriver? La tutelle, c'est quoi?

— Ça veut dire que la Ligue va superviser la gérance du club, expliqua Lambert. Elle va décider de tout.

— Comme ça, si je veux acheter de l'équipement, je dois demander la permission?

— C'est sûr qu'il va y avoir un vérificateur. Ça ressemble à une vente de faillite.

— Et les jobs? Est-ce qu'ils vont couper dans les jobs?»

☆

Les journalistes avaient déjà assailli le bureau de Marc qui, en compagnie de Jacques, répondait de son mieux aux questions de la presse.

«La vie continue, affirma Mercier. Il n'est pas question de laisser aller du personnel.

— Mais si la Ligue vend à des étrangers? demanda Lucien.

— La vente, c'est une autre histoire, répondit le directeur. Ce que nous voulons surtout éviter, c'est de créer un climat de panique. Le club est toujours là, et c'est sur la glace que nous allons le prouver.

— Ça va être quelque chose que de motiver tes joueurs, Marc..., remarqua sournoisement Drouin.

— Messieurs, déclara Gagnon, qui préférait esquiver la question, j'aurais besoin de quelques minutes avec monsieur Mercier.

— Ouais, mais le deadline? protesta Lulu.

— Boivin, s'impatienta Marc, nous aussi on en a, des deadlines!»

Les journalistes, en maugréant, acceptèrent de sortir. L'entraîneur, fulminant, se retrouva seul avec son gérant.

«Qu'est-ce que je vais leur dire, moi, aux gars? s'écria-t-il. Ils vont avoir le moral dans les talons.

— On va commencer par secouer la baraque, répondit Mercier, nullement pris de cours. D'abord, Robert Martin.

— Robert?

— Fini, déclara le gérant. Il est fini. Il n'a plus rien dans les jambes, et je crois qu'il n'a plus grand-chose dans le cœur, non plus.

— Il traverse une mauvaise période. Il peut encore donner du bon jeu.

— Peut-être. De toute façon, il va partir à Chicoutimi pour une couple de semaines. Ça va réveiller les autres.

— Il ne voudra jamais! s'exclama Gagnon.

— Dans ce cas, fit Jacques, froid et cynique, nous allons lui organiser une grande cérémonie au Colisée pour célébrer sa retraite!»

☆

Vanessa, qui se souciait peu de la vente du National, avait laissé ses collègues interroger les dirigeants de l'équipe pour aller faire une visite au vestiaire. La grande pièce était vide, mais on entendait du bruit en provenance des douches.

Pierre s'y trouvait, seul. Elle l'observa un moment, une lueur amusée et gourmande dans le regard. L'athlète se retourna et l'aperçut. Il attrapa précipitamment une serviette et, gêné et furieux, s'en ceignit les hanches.

«Salut, beau mâle! défia-t-elle.

— Qu'est-ce que tu fais là, toi?

— J'admirais un bel athlète...

— Tu te crois drôle? cria-t-il, hors de lui. Ça t'amuse, hein? Attends un peu...»

Il la prit par les poignets pour la jeter hors du vestaire. Elle résistait en riant et profitait de la situation embarrassante dans laquelle il se trouvait pour se lover contre lui. Il retenait sa serviette d'une main en tentant de repousser Vanessa, ravie, qui laissait échapper un ricanement malsain.

«Qu'est-ce qui se passe ici? s'étonna Nounou en arrivant dans la pièce.

— Rien, on s'amusait..., fit Vanessa qui s'était aussitôt séparée de Pierre. Et puis, non! rectifia-t-elle en prenant un air offensé, alors qu'une idée venait de lui traverser l'esprit. Je ne sais pas ce qui lui a pris!

— Ce qui m'a pris! répéta Pierre, scandalisé. Sacrament, tu as du front tout le tour de la tête! Nounou, mets-moi ça dehors! Je ne veux plus la revoir dans le vestiaire. C'est compris?

— Ne me touche pas, défendit-elle à Nounou qui

s'approchait d'elle. Ne t'en fais pas, Pierre, bluffa-t-elle, je n'en parlerai à personne.»

Elle sortit sur ces mots, tandis que le soigneur fixait Lambert avec un air éberlué.

☆

Marc entra dans le vestiaire. Les joueurs achevaient tranquillement de se préparer pour le match. Pas un sourire ne flottait sur leur visage inquiet. On sentait une lourde tension dans l'air. On discutait, on échangeait des idées quant à l'avenir de l'équipe. Mais personne ne semblait s'en faire pour la partie qui allait commencer, et cela exaspérait l'entraîneur.

«Vous le savez, dit-il d'une voix forte, le National vient d'être mis sous tutelle. Ça veut dire que nos salaires sont payés ou garantis par la Ligue nationale. Ça veut également dire que le club va être vendu. Les journalistes vont vous écœurer pour vous faire parler. La tutelle, c'est pas de nos maudites affaires! Nous, nous sommes payés pour gagner des matches de hockey! Je pense qu'il serait temps que l'on commence. C'est tout!

— Au moins, on a été payés, fit remarquer Robert, on va pouvoir se concentrer sur la partie.

— Je ne voudrais pas être méchant, répondit Marc en le fixant sévèrement, mais il est à peu près temps que tu te concentres sur quelque chose.» Martin baissa la tête, humilié. Gagnon, de plus en plus irrité, rappela aux joueurs: «Vous vouliez être payés? Vous êtes payés. Maintenant, plus d'excuses!» Il sortit.

«T'en fais pas, Bob, le consola Pierre. Il faut bien que quelqu'un avale la merde.

— Si ce n'était rien que ça! soupira Robert.

— Comment ça va avec Pierrette? s'inquiéta Lambert. Remarque, ça ne me regarde pas, mais...

— Non, c'est replacé. Ça va aller. Il faut surtout penser à relancer le club. On est en dernière position.»

Sans enthousiasme, les joueurs se rendirent sur la glace.

La foule, plus dispersée que jamais, les accueillit avec quelques applaudissements polis. En fait, elle mit plus d'ardeur à huer les Jets de Winnipeg qu'à encourager son équipe.

Au milieu du match, le National perdait par 3 à 1. Écart augmenté par un but qui ridiculisa le capitaine de l'équipe.

On eût dit que Martin avait volontairement laissé l'espace nécessaire à la manœuvre du joueur des Jets. La foule le hua impitoyablement. Marc Gagnon, livide, le laissa revenir au banc sans lui accorder le moindre regard ou commentaire.

Du haut de sa loge, Jacques Mercier fulminait. Il frappa du poing sur la table qui se trouvait devant lui, ce qui attira l'attention de quelques spectateurs assis non loin de là, qui le regardèrent en se poussant du coude.

La foule n'avait pas fini de clamer son mécontentement que les Jets comptaient déjà un autre but.

Cette fois, les spectateurs qui observaient Mercier passèrent à l'action. De leur section, d'abord, puis de tout le Colisée, une rumeur, puis un cri enthousiaste s'éleva:

«On veut Mercier! ON VEUT MERCIER! ON VEUT MERCIER!»

Le directeur crut d'abord qu'on réclamait sa tête, puis se rendit compte que c'était celle de Gagnon qu'on voulait.

Les spectateurs se souvenaient que le National devait ses trois conquêtes de la coupe Stanley à Jacques Mercier, et non à son entraîneur actuel. Le directeur se garda bien de sourire devant cet immense compliment, de peur d'envenimer la situation.

Gagnon, lui, tentait de garder impassible son visage cireux. Il continuait de diriger son équipe, malgré les cris de la foule et les sueurs froides qui lui parcouraient le corps.

«On commence à avoir l'air pas mal fou, dit Pierre.

— Même les gens crient contre nous...», acquiesça Denis.

Les deux joueurs durent cesser de se plaindre pour gagner la patinoire. Le jeu était rude, l'adversaire, gonflé à bloc. Pierre parvint à s'emparer de la rondelle lors de la mise en jeu, mais fut aussitôt plaqué violemment par un joueur des Jets.

Denis, voyant son camarade étendu sur la glace, s'en prit à l'agresseur mais fut aussitôt envoyé au banc des pénalités par l'arbitre.

La foule, qui progressivement s'éclaircissait davantage, n'en put plus de ce jeu de massacre et se remit à réclamer Jacques Mercier de plus belle.

L'attention de Marc, harassé, fut attirée par un spectateur qui l'injuriait. C'était Noël Bégin, bien portant malgré son collier orthopédique.

«Gagnon, t'es rien qu'un pourri!» hurla-t-il. Mac Templeton, déjà frustré au plus haut point par le déroulement du match, se leva, le menaça du poing, mais fut retenu par son entraîneur.

«La semaine prochaine, continua Bégin, hargneux, c'est mon avocat qui s'occupe de toi, Gagnon!»

Marc garda son calme, laissant à Nounou le soin de lui répondre.

Le National n'eut guère plus de succès au cours de la troisième période, réussissant à peine à maintenir son retard à quatre buts devant un Colisée maintenant vide aux deux tiers.

Un silence de mort régnait dans le vestiaire après le match, rompu seulement par les questions des journalistes auxquelles les joueurs ne se pressaient pas de répondre.

«On ne peut pas dire que ce soit bien encourageant..., murmura Pierre.

— C'est de ma faute, gémit Robert.

— Bah! Tu as tellement gagné de matches, le consola Pierre, qu'il n'y a personne qui va t'en vouloir pour celui-là. Tu ne penses pas?

— Pierre, je ne sais pas ce qui m'arrive, lui confia le capitaine, désespéré. J'ai l'impression que tout va trop vite sur la glace.»

Guy et Lucien s'approchèrent d'eux.

«Te souviens-tu d'avoir traversé une période aussi difficile? demanda Drouin.

— Ouais..., répondit Martin. En quatrième année, la maîtresse d'école m'aimait pas la face.

— Et la tutelle? demanda Boivin. Est-ce que ça dérange le moral de l'équipe? Pensez-vous vous classer pour les éliminatoires?»

Robert ne put répondre à ces questions car Jacques Mercier, qui venait d'entrer dans le vestiaire, lui faisait signe de le suivre d'un geste impératif. Il se leva immédiatement, connaissant trop bien l'expression qu'avait le visage du directeur. Les deux hommes s'isolèrent dans un corridor vide, adjacent au vestiaire.

— Tu ne prends pas l'avion pour Boston demain, annonça Mercier sans cérémonie.

«Je ne prends pas l'avion? répéta Martin.

— Non, tu n'as plus la forme. Tu dois aller te refaire à Chicoutimi. Tu pars demain.»

Le capitaine le fixa droit dans les yeux, suffoqué. La lèvre tremblante, il souffla: «Jamais!»

Puis, devant le sourire de Mercier, il ajouta: «Je préfère prendre ma retraite!»

Sous le regard de son directeur, il retourna au vestiaire, furieux, et, au passage, envoya valser une poubelle d'un violent coup de pied.

☆

«Es-tu prête, Marie-France? demanda Suzie. Nous avons rendez-vous à quatre heures à Montréal.

— Je suis prête, répondit l'adolescente en refermant son sac à main. Je suis tellement nerveuse! Que va-t-elle penser de moi?

— C'est un docteur, la rassura Suzie. Elle va seulement penser que tu es une jeune fille qui a besoin d'aide.

— Il n'y a pas de danger qu'elle appelle mon père? demanda Marie-France, inquiète.

— Ton père, c'est un autre problème que l'on va régler après. Ça dépendra de ce que le médecin dira.

— Tu m'as juré que jamais tu n'en parlerais à papa! protesta la jeune fille. Tu m'as juré!

— Je sais, je sais..., admit Suzie, embarrassée. Et je vais tenir parole. On y va.»

Elles quittèrent l'appartement de Suzie et montèrent dans l'auto. Le voyage n'était pas tellement long jusqu'à Montréal.

☆

Robert Martin, toujours en peignoir bien que l'après-midi fut avancée, végétait dans le fauteuil du salon. Pierrette, inquiète de le voir dans cet état, lui prépara un café et lui apporta un journal, en espérant que ces quelques attentions lui remonteraient le moral.

Rien n'y fit... Robert avala quelques gouttes de café du bout des lèvres et jeta un coup d'œil morne aux manchettes, sans doute pour s'assurer que les journaux n'étaient pas encore au courant de sa cession aux Saints de Chicoutimi. Pierrette, déconcertée, tenta de le secouer.

«Allons, Pierre! Laisse-toi pas aller, tu es fait plus fort que ça.

— Ça donne quoi? soupira-t-il tristement.

— Qu'est-ce qui donne quoi?

— D'avoir joué douze ans pour le National?»

Pierrette, irritée par sa manière de voir les choses, lui fit part de la sienne avec enthousiasme.

«Qu'est-ce que ça donne? répéta-t-elle. Une maison, une famille, la sécurité, la gloire! C'est déjà pas mal, non?

— Et là, rétorqua-t-il en se levant, à trente-trois ans, les ligues mineures! Tu me vois, à mon âge, après tout ce que j'ai fait pour eux, en train de faire de l'autobus dans le Maine?

— Tu n'y es pas obligé. Prends ta retraite», proposa-t-elle doucement.

Il hésita, mal à l'aise. Puis, gravement, il expliqua:

«J'ai besoin de mon salaire, cette année. Je ne t'en ai pas parlé, mais j'ai pris une dégelée de deux cent mille dollars à la Bourse.

— Deux cent mille! s'exclama Pierrette. Comment ça? Je

savais que la Bourse avait terriblement baissé, mais à ce point... Ne vends pas, attends que tes actions remontent...

— J'avais une grosse marge de crédit, mais j'ai été obligé de couvrir de cent mille, cash!

— Tu ne peux pas faire autrement?

— Même si je pouvais, je veux leur montrer! Je veux montrer à Mercier qu'il se trompe. Je veux retrouver les gars. Je veux finir en beauté...

— Robert..., murmura-t-elle, on ne peut pas dire que ça a très bien été entre nous ces derniers mois. Je ne sais pas ce qui s'est passé dans notre vie. C'est peut-être mes cours, tu n'étais pas habitué à ce que je ne sois plus à la maison, c'est peut-être autre chose. Mais tu peux compter sur moi, affirma-t-elle avec sincérité. Je suis ta femme, même si, parfois, j'ai l'impression de plus te connaître.

— Ouais... merci. Je me sens mal depuis un bout de temps, tu sais.

— Téléphone à Mercier. Dis-lui que tu pars pour Chicoutimi. Ça ira mieux ensuite.»

☆

L'autobus des Saints de Chicoutimi roulait dans le parc des Laurentides. Les joueurs discutaient entre eux: seul, Étienne Tremblay ne parlait pas. Il était devenu moins bavard et plus distant depuis sa passation au club-école du National. Il regardait sans mot dire les pins enneigés qui défilaient le long de la route. Il fut tiré de son mutisme par son entraîneur, qui lui fit signe de venir le rejoindre.

«Qu'est-ce qu'il y a? demanda Étienne en s'asseyant près de lui.

— Je suis content de toi, confia l'entraîneur. Je trouve que tu joues bien. Je l'ai dit à Jacques Mercier.

— Et puis? demanda Tremblay en s'assombrissant. Il ne veut pas me voir à Québec à cause de cette maudite histoire de filles!

— Justement. Tu sais que Robert Martin se rapporte au

club ce soir. Je n'en suis pas sûr, mais ça fait longtemps que je suis dans le hockey et je ne serais pas surpris que tu sois obligé de prendre l'avion pour Boston en arrivant à Chicoutimi...»

Le visage d'Étienne reprit son ancien sourire triomphant. Il frappa sa paume de son autre poing et retourna à son siège, laissant ses coéquipiers deviner les raisons de sa bonne humeur.

☆

Lucien, à bord du vol pour Boston avec ses collègues et le National, avait de la difficulté à rester en place. Il mourait d'envie d'aller poser quelques questions à Pierre Lambert. Le joueur étoile était assis quelques rangées plus loin et lisait un gros bouquin de finances. Ce n'était pas la première fois que Lulu le voyait avec ce livre et il se dit que Lambert devait prévoir investir une partie de son nouveau salaire.

Finalement, le journaliste alla trouver Pierre, mais pour lui parler d'autre chose.

«Excuse-moi, je pourrais te parler deux minutes? demanda-t-il poliment.

— Si c'est à propos de Robert Martin, répondit Pierre aimablement, mais fermement, ça ne me regarde pas et j'ai pas l'intention de faire de commentaire.

— D'accord, on ne parle pas de Robert. Mais qu'est-ce qui se passe avec Vanessa? Elle m'a dit que tu lui avais bloqué l'accès au vestiaire?

— Lulu, confia Pierre à voix basse, un peu plus proche et elle prenait sa douche avec moi. Il y a des limites.

— Des fois, elle a l'air un peu achalante, mais c'est une bonne fille, fit Lucien, incrédule.

— Je n'ai jamais dit le contraire, admit Pierre, mais tu te connais... Tu te laisses rapidement endormir par les filles.

— Ah! ouais? s'exclama le journaliste, indigné.

— Non, non. Écoute: Vanessa Faulkner est journaliste, elle peut venir au vestiaire après les pratiques et les matches, je n'ai rien à y dire. Mais il y a des moments où elle n'a rien à faire là. Tu comprends?

— Ouais, soupira Lucien, ça doit être correct.

— Tu as l'air fatigué, remarqua Pierre.

— Tout le monde trouve que j'ai l'air fatigué!»

☆

Suzie et Marie-France étaient arrivées à la clinique, qui était située sur la rue Saint-Denis. Trois autres jeunes filles, de seize ou dix-sept ans, attendaient nerveusement leur tour. On pouvait lire sur les murs des affiches parlant de contraception et de maladies transmissibles sexuellement. Suzie se dirigea vers la réceptionniste, une jeune femme à l'allure décontractée, en jeans et en T-shirt.

«Bonjour, lui dit-elle. Le docteur Rinfret m'attend.

— C'est à quel nom?

— Marie-France Gagnon.

— Oui. Elle m'a prévenue. Ça va prendre une minute au plus.»

Elles allèrent s'asseoir avec les autres jeunes filles. Marie-France, toute tremblante, se mit à feuilleter un magazine pour calmer sa nervosité. Au bout de quelques pages, elle échappa un sanglot et se mit à pleurer.

«Ce n'est quand même pas un crime? gémit-elle. Hein, Suzie?

— Je pense que c'est une situation difficile, répondit celle-ci, mais je ne pense pas que ce soit un crime.»

Une femme dans la trentaine, vêtue d'un sarrau, vint les saluer et se présenta:

«Je suis le docteur Rinfret. Bonjour Marie-France, mademoiselle Lambert. Venez, nous allons discuter dans mon bureau.» Elle les y mena et les fit asseoir.

«Bon, Marie-France, je vais t'informer de tout ce qui t'attend.

— Est-ce que ça va me faire mal? demanda immédiatement celle-ci.

— L'opération en soi n'est pas douloureuse. Tu ne veux pas en parler à ton père?

— Non! jamais.

— C'est ton droit, reconnut le médecin. Entre quatorze et dix-huit ans, nos règlements nous permettent d'opérer sans le consentement d'un adulte.

— Est-ce qu'on peut devenir stérile si...

— Non. D'ailleurs, une infirmière va te rencontrer avant l'intervention pour bien t'expliquer les conséquences de ta décision. À seize ans, tu as l'âge de décider d'une chose aussi importante pour ta vie présente et ton avenir. Tu dois bien y penser. Ça va?

— Ça va... C'est pour quand?

— Je vais te donner de la documentation et une procédure à suivre. La semaine prochaine, tu reviens me voir.»

Marie-France consulta Suzie des yeux et acquiesça de la tête.

☆

Vanessa entra et s'assit dans le bureau de Linda. Celle-ci leva la tête, mécontente, et dit ironiquement:

«Entre, Vanessa, assieds-toi, je t'en prie.

— Je voudrais faire une série de reportages sur les femmes des joueurs du National, lança-t-elle, directe. Ce qu'elles vivent. Maryse Couture, par exemple, dont le mari est maintenant à Toronto; Pierrette Martin, dont le mari est en fin de carrière; la blonde de Pierre Lambert, Patricia O'Connell, nomma-t-elle sur un ton étrange, comment elle prend la célébrité de son chum.

— Vanessa, déclara Linda, peu enthousiaste, tu fais d'abord ce que tu as à faire, ensuite tu proposes des couvertures spéciales, si tu en as le temps. Normalement, tu devrais être à Boston, ce soir. C'est une bonne idée, mais au hockey, aller du côté des femmes des joueurs, c'est toujours délicat.

— D'accord, admit Vanessa, obéissante, je pars pour Boston. Mais je n'abandonne pas l'idée.»

La journaliste se leva, et croisa un livreur qui venait porter une boîte dans le bureau de Linda. Vanessa, intriguée, attendit sur le pas de la porte que sa directrice ouvrît le paquet. C'était une douzaine de superbes roses rouges.

«Je le connais?» demanda Vanessa, surprise de voir une femme aussi stricte que Linda se faire courtiser galamment.

Celle-ci, pour toute réponse, se mit à sourire.

☆

Le National se préparait pour le match contre les Bruins de Boston. Pierre et Danny étaient affairés à poser du ruban gommé sur la lame de leur bâton.

«Pierre, tu sais, dit Danny, mal à l'aise, il y a quelque chose que je voudrais te dire. J'avais douze ans quand je t'ai vu jouer pour la première fois. C'était la coupe Calder...

— Ouais, ça ne me rajeunit pas..., fit remarquer Pierre.

— Je voulais te dire: ç'a toujours été mon rêve de ... tu sais..., bafouilla-t-il.

— J'ai tenu le même discours à Marc Gagnon, raconta Lambert, le regard vague. Tu tiens le bon bout, tu sais, tu vas être un homme clé dans les séries.

— Si on les fait, soupira le jeune homme en s'assombrissant.

— Ne parle jamais comme ça, répliqua Pierre en le regardant intensément, tant que tu feras partie du National, je ne veux plus t'entendre parler comme ça! On est dans la merde mais on va s'en sortir. Je n'ai jamais raté les éliminatoires de ma vie, j'ai gagné deux fois la coupe Stanley et une fois la Coupe du monde. Ce n'est pas cette année que je vais entrer en vacances au mois d'avril!

— Excuse-moi, Pierre, fit honteusement Danny.

— Excuse-toi pas, gagne!

— J'ai entendu dire que vous aviez besoin de renfort!» fit une voix tristement célèbre en entrant dans le vestiaire.

C'était Étienne Tremblay, l'air toujours aussi arrogant et encore moins sympathique. Mac Templeton l'observa, et fit remarquer à Bradshaw, qui se trouvait à côté de lui:

«Je ne lui aime pas la face.

— Moi non plus, approuva Steve.

— Je donnerais mon œil pour Lambert, mais pour cet enfant de pute...»

L'équipe concentra son attention sur Marc Gagnon qui venait d'entrer, à son tour, dans le vestiaire. Il claqua des mains et donna un dernier encouragement: «Les gars, préparez-vous, ça va être dur, ce soir. Les Bruins ont perdu hier soir, ils vont vouloir nous manger tout crus. Mais nous aussi sommes prêts! D'accord?»

Les joueurs approuvèrent et s'animèrent en se dirigeant vers le banc.

Danny Ross entama le bal avec un but dès la première période, ce qui donna le ton au match et permit à Marc de respirer un peu. Les journalistes, entassés sur la vieille passerelle du Garden de Boston, assistaient à l'une des meilleures performances du National depuis longtemps.

Vanessa arriva alors que la foule huait encore le but de Ross. Lucien, l'apercevant, attira immédiatement son attention.

«Ah! te voilà, dit-il en fronçant les sourcils. J'ai parlé à Lambert. Tu ne m'avais pas tout raconté. Qu'est-ce que tu faisais dans la douche?

— C'est lui qui m'a fait signe de venir sous la douche, confia-t-elle. Je ne voulais pas en parler pour ne pas l'embarrasser. D'ailleurs, il n'y a que toi au courant, et personne ne le saura jamais. Je n'ai pas envie de lui nuire, affirma-t-elle candidement.

— Je me disais, aussi, fit Lucien, soulagé. Une fille avec autant de classe que toi… tu n'es pas pour courir après un joueur de hockey.

— Tu parles!»

Ils cessèrent de discuter et se concentrèrent sur le match. Le National continuait à offrir du bon jeu.

En deuxième période, les Québécois menaient par deux points. Les choses se gâtèrent lorsque Lambert, allant repêcher la rondelle dans un coin de patinoire, se fit plaquer si durement par un défenseur des Bruins qu'il ne put se relever.

Le jeu fut interrompu et Nounou accourut.

«Qu'est-ce qu'il y a, mon petit chat? demanda-t-il, sincèrement inquiet.

— Mon dos... Ça a craqué quelque part. Sacrament que ça fait mal! J'arrive même plus à bouger!

— Doucement, les gars», conseilla le soigneur à Templeton et à Bradshaw qui arrivaient pour transporter le blessé. Les deux hommes forts le soulevèrent délicatement et le menèrent au vestiaire, d'où il fut immédiatement conduit à l'hôpital.

La perte de Pierre fut un gros coup pour l'équipe, qui sentit le vent tourner en faveur de l'adversaire et dut se contenter d'une nulle. Mais les journalistes, à la fin du match, s'inquiétaient plus du sort de Lambert que du résultat de la partie.

«Et Pierre Lambert? demanda l'un d'eux.

— Il marchait sur ses deux jambes, assura Gagnon. Mais on l'a conduit à l'hôpital, pour plus de sûreté. Nous ne sommes pas inquiets, nous voulons seulement ne pas prendre de chance.

— Quel hôpital? s'enquit Vanessa.

— Un hôpital à Boston», répondit succintement Gagnon, qui trouvait trop avide à son goût le ton sur lequel la question avait été posée.

☆

Jacques Mercier n'avait pas accompagné le National à Boston. Il était demeuré à Québec et passait la soirée en compagnie de son vieil ami Frédéric Tanner. Ils discutaient, attablés dans un restaurant chic.

«J'essaie de raisonner Jimmy, confiait Jacques, mais il veut absolument rester en Suisse. Je voudrais le convaincre, ne pas avoir à me servir de mon autorité.

— Parle-lui calmement. Explique-lui.

— C'est facile à dire, mais depuis un an, il commence à montrer du caractère.

— Ne ressemblerait-il pas un peu à Jacques Mercier? demanda Tanner, moqueur.

— Et toi? répliqua Mercier, fatigué de parler de lui-même. Tes démarches pour acheter le National?

— C'est fait, annonca le Suisse. J'ai déposé l'offre d'achat hier après-midi. Mon groupe est prêt à verser vingt millions. Un chèque certifié a été déposé.

— Je ne suis pas financier, commença Jacques, intrigué, mais il me semble qu'avec tous les problèmes du National, vingt millions, c'est un gros investissement. Si le public commence à bouder le club...

— Nous avons beaucoup de projets pour le National, et je puis t'assurer que ton poste est garanti. Nous avons besoin de toi et de ton expérience. Surtout si...

— Si?

— Je t'en reparlerai», lui promit Tanner, laissant Mercier sur sa faim.

☆

Nounou, en rentrant à Québec, avait décidé qu'il avait besoin d'une coupe de cheveux. Il se rendit donc chez son barbier habituel qui, incidemment, était la source de bien des potins dans la ville de Québec.

«Tu as bien l'air soucieux, Nounou..., fit le coiffeur.

— Roberto, je n'ai pas envie de parler aujourd'hui, soupira Nounou.

— Ça va mal pour le National, lança Roberto.

— Ça va mal partout! se lamenta le soigneur. Je n'ai jamais vu une saison comme celle-là. Pierre Lambert a beau se démener, il n'y a rien qui marche. En plus, il a fallu le laisser à l'hôpital de Boston. Il y a un spécialiste qui va le voir.

— Et Marc Gagnon? Ça n'a pas l'air d'aller fort.

— Toi, avertit Nounou, ne commence pas à faire courir des rumeurs sur le grand Marc. Sans lui, l'équipe irait encore plus mal. Non, c'est à cause de toutes leurs manigances de gros sous que ça va si mal.

— On dit que Mercier cherche un nouvel entraîneur...

— Où t'as pêché ça, toi? demanda Nounou, outré. Marc Gagnon est aimé à Québec, et les gens sont derrière lui. C'est juste que, Mercier et lui, ils ne s'entendaient pas trop quand Marc jouait. Maintenant que Mercier est directeur général, ça brasse dans la cabane.»

Nounou se rembrunit, hésitant entre le soulagement de se confier et la crainte de voir toutes sortes de rumeurs se mettre à circuler. Finalement, il continua à parler.

«En plus, il doit passer en cour la semaine prochaine à cause du spectateur qui l'a attaqué la saison dernière. Il s'est montré à tous nos matches avec son fameux collier orthopédique. Je suis persuadé qu'il n'a rien, le profiteur, il fait ça parce qu'il a actionné Marc...»

Nounou se mit à réfléchir et, au bout d'un moment, son visage s'éclaira.

«Tiens! Tu me donnes une idée. Passe-moi le téléphone...

— Pourquoi? demanda le coiffeur, curieux.

— Je ne t'en parle pas! Passe-moi le téléphone!»

Nounou, l'air déterminé, composa un numéro.

«Allô? Barbara? C'est ton petit Nounou...»

☆

Pierre, allongé sur le dos dans son lit à l'hôpital de Boston, bavardait au téléphone avec Patricia.

«Ça va un peu mieux, dit-il. Ils m'ont fait une piqûre. J'ai eu droit à une autre radiographie. Je vais avoir les résultats demain. Et là, je ne bouge pas. Tout seul dans ma chambre. Je vais en profiter pour dormir.

— Pierre, je le sens, annonça-t-elle. Il bouge.

— Il bouge! s'exclama Pierre, fou de joie. Je ne moisirai pas longtemps à Boston! Je vais m'arranger pour être à Québec demain.

— Pierre, pour le bébé, il faut se parler, fit Patricia gravement. Je n'ai pas été franche avec toi. Je vais tout te dire en revenant. Je t'aime.

— Comment ça: pas franche?» demanda-t-il sans obtenir de réponse.

Patricia avait raccroché. Pierre tâcha de faire le vide dans son esprit et de s'endormir, ce qui fut relativement aisé en raison de sa grande fatigue et des sédatifs qu'on lui avait donnés.

Il dormit d'un sommeil profond pendant quelques heures, jusqu'à ce qu'il se fît réveiller par un poids sur son corps et un contact humide et chaud sur sa bouche.

À travers la brume des calmants, il crut d'abord à un mauvais rêve mais se rendit vite compte que quelqu'un se trouvait bien dans le lit avec lui.

«Ce n'est pas très gentil ce que tu m'as fait à Québec, fit une voix de jeune femme, mais je te pardonne.»

Il leva les mains et la repoussa violemment. Il alluma la lampe de chevet.

C'était Vanessa Faulkner, la blouse entrouverte, les cheveux défaits, l'air terriblement excité. Pierre se redressa d'un bloc, malmenant son dos qu'une vive douleur traversa. Furieux et confus, il articula péniblement:

«On va se comprendre une fois pour toutes: je ne veux rien savoir de toi! Je veux que tu me foutes le camp au plus sacrant! C'est clair?

— Voyons, Pierre, fit sensuellement Vanessa, aurais-tu peur de moi? Quand je t'ai vu, j'ai tout de suite su que ce n'était qu'une question de temps avant que nous soyons ensemble.»

Il se mit laborieusement debout et la menaça: «Vanessa, sors d'ici, et vite, ou je te...» Joignant le geste à la parole, il s'empara de l'un de ses poignets et essaya tant bien que mal de la mettre à la porte. Elle résista en s'amusant de ses grimaces de douleur, Pierre étant trop affaibli pour être dangereux.

«Je t'aime, Pierre, et je vais t'avoir! avertit-elle en riant. Tu me fais mal... Tu me fais mal..., gémissait-elle sur un ton qui laissait entendre le contraire.

— T'es folle, hostie! T'es malade! Va te faire soigner! cria-t-il, hors de lui. Dehors! Décrisse!

— Pourquoi fais-tu ça? Pourquoi est-ce que tu ne m'aimes pas? implora-t-elle.

— J'ai dit: dehors!»

Il tira brutalement sur son bras pour la pousser vers la porte qu'il ouvrit de sa main libre. Soudain, il s'arrêta net dans son mouvement.

«Mon dos..., gémit-il, raidi par une douleur fulgurante.

— Je vais t'aider..., proposa Vanessa.

— Mais qu'est-ce qui se passe ici?» demanda l'infirmière de garde qui avait été attirée par le bruit provenant de la chambre.

Vanessa recula et s'enfuit.

«Salut, Jacques, fit Gagnon en entrant dans le bureau de Mercier. Quelles sont les nouvelles de Lambert?

— Hernie discale, répondit le directeur laconiquement. On vient de le perdre pour le reste de la saison.

— C'est impossible, murmura l'entraîneur, catastrophé. On peut oublier les séries éliminatoires.

— Nous allons garder ça mort. Il y a une chance pour qu'il revienne avant la fin de la saison. Ça dépend de sa rapidité à récupérer. Il y a quelque chose que je veux que tu fasses, si nous voulons faire les séries: Danny Ross, donne-lui plus de glace. Il a déjà trente-cinq points. Si tu le mets avec Mercure et Templeton, c'est une ligne qui pourrait exploser.

— Il est bourré de talent, admit Gagnon, mais il ne faudrait pas le brûler non plus.

— Marc, il faut que tu te mettes dans la tête que tes joueurs sont là pour se défoncer, le rabroua Mercier. Arrête de jouer à la mère. Il faut qu'ils te haïssent, ces gars-là, ou tu n'obtiendras rien d'eux.

— Ça, c'était la méthode Mercier, rétorqua Gagnon. Maintenant, le coach, ce n'est plus toi.»

Marc, dégoûté, préféra quitter le Colisée et rentrer chez lui, en espérant y trouver sa fille. Elle n'y était pas, comme le lui dit madame Patry, qui rentrait tout juste de vacances.

«Elle et Suzie sont parties au moment où j'arrivais, raconta la gouvernante. J'avais à peine déposé mes valises que mademoiselle Suzie m'arrachait Marie-France des bras. Elle avait l'air étrange. Elles allaient visiter un concepteur à Montréal, qu'elle m'ont dit.

— Pas Louis Marso? demanda Marc, de mauvaise humeur.

— Quelque chose comme ça. Il faudrait demander à Hugo, il avait l'air au courant...

— Ce petit fendant-là n'est pas parti avec elles?

— Non, il rentrait chez lui. Bon, il se fait tard, monsieur Gagnon. Je vais gagner ma chambre», dit madame Patry en le saluant.

La sonnerie du téléphone se fit entendre.

«C'est sans doute elle, dit la gouvernante.

— Allô? répondit Marc.

— Bonsoir, papa, fit Marie-France, intimidée.

— Salut, ma chouette! s'exclama Marc, trop heureux d'entendre sa voix pour la rabrouer. Tu ne m'avais pas dit que tu partais cette fin de semaine-ci...

— Ah! non?

— J'espère que c'est agréable.

— Oui, c'est super. C'est un beau voyage.

— Si tu le dis... Je trouve que tu as l'air nerveuse, Marie-France, fit remarquer Marc en consultant la gouvernante du regard.

— Non, je pense que je suis fatiguée, s'excusa sa fille.

— Tu me passes Suzie? Je voudrais lui parler. Bonne nuit.

— Oui, Marc? répondit Suzie.

— Suzie, vas-tu me dire ce qui se passe?

— Mais, voyons, Marc, tu ne me fais plus confiance? Tout va bien.

— Tu en es bien sûre? Bon, d'accord. Bonne nuit.»

Il raccrocha, absolument pas rassuré. Il regarda madame Patry, inquiet.

«Qu'est-ce que vous me disiez?

— Il y a quelque chose qui se passe, soupçonna la gouvernante. Je connais Marie-France. Elle a changé. Depuis quelque temps, elle est morose, triste. Et quand je l'ai vue, elle a évité mon regard. Je sens qu'il y a quelque chose, monsieur Gagnon.

☆

Nounou et Barbara, l'hôtesse qu'il engageait parfois pour épater les joueurs du National, entrèrent dans la brasserie d'amateurs de sport qu'on leur avait indiquée. Le soigneur, se tenant à l'entrée du bar, fouilla la foule qui s'y trouvait.

«C'est lui! dit-il en pointant Noël Bégin du doigt. Tu sais ce que tu as à faire.

— Ne t'inquiète pas. Attends-moi, avec un témoin, à la porte de la chambre du motel.

— Attends de voir le témoin!

Nounou, sûr de lui, laissa Barbara faire son travail et s'en alla rejoindre ses complices. L'hôtesse, avec un sourire et un roulement de hanches ravissants, s'approcha de l'homme au collier orthopédique.

«Tu permets que je regarde la partie d'ici? demanda-t-elle en passant longuement sa langue sur ses lèvres. C'est la meilleure table de la place.

— Oh! Oui, mais bien sûr! Tout le plaisir est pour moi! Garçon! Une bière... et un cognac.»

Noël Bégin passa une très belle soirée en compagnie de la jeune femme, qui lui fit, tout au long du match de hockey à la télé, mille et une suggestions plus ou moins explicites. Finalement, voyant là une belle — et rare, vu son physique peu attirant — occasion de s'amuser, il se décida à lui faire des avances directes.

La réponse affirmative et enthousiaste de Barbara le surprirent quelque peu. Elle avait même déjà choisi l'endroit.

Bégin, se découvrant un charme jusque-là inconnu, roucoula durant tout le trajet au volant de sa voiture, parlant de sa grande maturité et de sa large expérience sexuelle.

Barbara, feignant remarquablement l'admiration, le fit entrer dans la chambre qu'elle avait louée. L'autre était trop excité pour trouver étrange que, sans s'adresser à la réception, elle en eût déjà la clé. Elle alluma la radio, puis commença à se déshabiller, révélant ses formes généreuses d'une manière très érotique. Bégin, salivant littéralement devant cette opulente blonde surgie de nulle part, retira son pull et sa chemise, mais pas son inesthétique collier. Barbara arrêta soudainement son numéro de strip-tease.

«Moi, c'est bien dommage, mais je ne baise pas avec un infirme!

— Comment ça: un infirme? protesta Bégin. Hé, minou, si tu savais comme je bande!»

Il avança vers elle, menaçant, mettant bien en valeur la bosse qui déformait son pantalon. Barbara recula, sur la défensive.

«Stop! prévint-elle. J'ai dit: pas avec un malade! Tu ne me connais pas quand je me déchaîne! Tu vas avoir besoin d'un bon cou!

— Arrête, rhabille-toi pas pour rien. Regarde: le collier, c'est de la frime! Je vais aller chercher le moton en disant que j'ai une incapacité...»

Il tira sur une languette, et le harnais se détacha. Il le jeta sur une chaise et s'approcha de l'hôtesse qui augmenta le volume de la musique.

À ce signal, Nounou, Lucien, Boivin et un photographe se précipitèrent dans la pièce: ce dernier mitrailla Bégin avec son appareil-photo pendant que Barbara se lovait contre lui en tenant le harnais bien en vue.

«Un beau collier, ça, monsieur Bégin!» complimenta Lucien.

☆

Jacques Mercier et Frédéric Tanner observaient l'exercice du National. Marc Gagnon était furieux. Il épuisait ses joueurs comme jamais on ne l'avait vu faire auparavant.

«Mais, il a mangé du lion! s'exclama le Suisse. Il va les crever!

— Ce n'est pas nécessairement mauvais, répondit Mercier. Mais il y a autre chose.

— Quoi donc?

— Je l'ignore. Marc Gagnon est un homme secret. Il ne parle jamais de ce qui le trouble, pas au travail, en tout cas. Il est ennuyé par quelque chose.»

Puis, Mercier observa distraitement Nounou qui discutait avec Lucien Boivin et un troisième homme qui tenait une grande enveloppe jaune, de laquelle il sortit ce qui semblait être des photos.

«Bah! pensa Jacques. Sans doute du porno, comme je connais Nounou.»

C'était presque ça en effet. Le directeur général ne fit pas le rapport avec le coup de fil matinal de Marcel Allaire qui lui avait annoncé qu'il renonçait aux poursuites contre Gagnon et Templeton.

Il reporta son attention sur l'exercice qui s'achevait et sur Marc Gagnon qui semblait s'être calmé. Les joueurs, au vestiaire, n'eurent pas droit au court discours habituel de leur entraîneur qui quitta immédiatement le Colisée pour se rendre chez Suzie.

Comme il s'y attendait vaguement, il y rencontra Hugo, le frère de Pierre et de Suzie. Le jeune homme se heurta à un Marc Gagnon hargneux, frustré et anxieux.

«Toi, mon grand niaiseux, j'ai à te parler, avertit Marc.

— Quoi? Qu'est-ce qui se passe? bafouilla Hugo.

— Qu'est-ce que tu fais ici, toi? demanda Gagnon.

— Et toi? riposta le jeune homme. Comment se fait-il que tu aies la clé?

— Où sont les affaires de Marie-France?

— T'es pas chez toi ici!

— Et toi encore moins...

— Suzie n'aimera pas ça!»

Marc, à bout de nerf, prit le jeune homme par le collet, le souleva et le plaqua contre le mur.

«C'est quoi ces grands mystères que vous faites autour de Marie-France depuis trois semaines?

— Est-ce que je sais, moi? répondit bêtement Hugo.

Marc, fatigué, le laissa tomber et se dirigea vers la chambre que Suzie avait aménagée pour sa fille.

«Où sont ses affaires? Elle rentre à la maison, point. C'est assez. Et toi, ordonna-t-il à Hugo, tu vas prendre une marche. O.K.?»

Hugo, vaincu, acquiesça du regard et quitta l'appartement. Marc examina la chambre et aperçut un cartable posé sur une commode. Un feuillet rose en sortait partiellement. Sans trop savoir pourquoi, Marc le prit instinctivement et le lut. Le texte commençait ainsi: «Interruption de grossesse: ce qu'il faut savoir.»

La lumière se fit dans l'esprit de Marc. Il sentit son sang quitter son visage sous le choc de cette révélation.

«Marie-France!» murmura-t-il, incrédule.

☆

Frédéric, après avoir fait ses preuves comme séducteur et comme amant, démontrait maintenant ses talents culinaires à Linda, qui se sentait devenir dangereusement amoureuse. Elle admirait sa dextérité à préparer leur repas, presque en jonglant avec les ustensiles, un peu comme si c'était un spectacle.

«Tu es sûr que tu n'as pas besoin d'aide? demanda-t-elle pour la forme.

— Ne pas déranger le chef.

— Frédéric, demanda-t-elle, tout à coup sérieuse, que va-t-il se passer si la Ligue nationale refuse votre offre d'achat?

— Nous trouverons une autre franchise, répondit-il sans conviction après une certaine hésitation. Après tout, le hockey n'est peut-être pas le sport indiqué pour... Encore un peu de vin?

— De quoi parles-tu? insista Linda, intriguée.

— Je disais que nous trouverions une autre franchise à acheter.

— Et alors?

— Comme le National est la seule franchise sportive d'importance à Québec, il faudrait trouver ailleurs, et probablement dans un autre sport.

— Ne me dis plus rien, prévint Linda. C'est à une journaliste que tu parles.

— Et pourquoi? s'enquit Tanner, mal à l'aise.

— Je sais quand on me ment.

— Tu as raison, avoua-t-il. Peux-tu garder un secret?

— Non.

— Donne-moi ta parole d'honneur.

— Pour ce qu'elle vaut, prends-là.»

Frédéric parut s'en contenter. Il continua: «Nous achètons le club et..., hésita-t-il, nous le déménageons à San Francisco.»

Linda demeura bouche bée, l'air abasourdie.

«Linda?

— San Francisco? répéta-t-elle. Tu veux dire que le National quitterait Québec? Mais c'est impensable!

— C'est la seule solution, s'excusa Frédéric. Pour nous, le marché de Québec est déjà saturé. Nous n'avons rien à y gagner avec nos produits...»

Perdue dans ses calculs, Linda n'entendait déjà plus.

☆

Marie-France, déprimée et épuisée, se laissait guider par Suzie. Les deux filles se dirigeaient vers l'appartement de cette dernière.

À chaque arrêt ou départ de l'ascenseur, Marie-France sentait son estomac se soulever. Appuyée contre la paroi, elle s'agrippait mollement à la main courante.

«On est arrivées, viens, encouragea Suzie.

— J'ai mal au ventre..., se plaignit la jeune fille.

— C'est normal, ça ira mieux dans quelques jours.

— Tu ne peux pas savoir comme je me sens soulagée», confia Marie-France avant d'éclater en sanglots. «Mais tellement triste...» bégaya-t-elle simplement en se laissant réconforter par Suzie.

«C'est fini, maintenant, dit celle-ci. Tu vas oublier. Tu vas tomber amoureuse, tu vas rire, tu vas pleurer...

— Je pense que j'ai assez pleuré comme ça, fit courageusement Marie-France en essuyant ses larmes. Pour un bout de temps, en tout cas. Il ne faut rien dire à papa. Tu me le jures?

— Je te le jure, affirma Suzie. Mais il faut se mettre d'accord sur notre histoire: Louis Marso nous a fait visiter son groupe de concepteurs, puis nous sommes allées visionner un message publicitaire. D'accord? Viens.»

Suzie ouvrit la porte et elles entrèrent dans l'appartement. Tout était noir. Suzie alluma. Marc était assis dans un fauteuil et ne disait pas un mot.

«Papa! s'exclama Marie-France, craintive.

— Marc? fit Suzie. Où est Hugo?

— Il est allé prendre une longue marche, répondit Marc ironiquement. C'était meilleur pour sa santé.»

Marie-France eut un mouvement de fuite vers la pièce qui lui servait de chambre. Un cri de son père l'arrêta: «Marie-France!» Il baissa le ton, et fit quelques pas vers elle, contrit.

«Marie-France, ma petite fille, pourquoi tu ne m'en as pas parlé? demanda-t-il doucement à sa fille qui ne bougeait pas mais refoulait ses larmes. Je t'aurais aidé, je t'aime, t'es ma fille...

— Papa!»

Elle courut se blottir dans ses bras et y libéra ses larmes.

«Papa! J'ai eu tellement peur!

— Il ne faut pas. Je suis là. Viens, on rentre.»

Puis, laissant sortir sa fille la première, il passa lentement devant Suzie, qui, horriblement mal à l'aise, avait assisté à la scène, et lui décrocha un regard plein de colère, mais calme.

«Adieu, Suzie», dit-il avant de sortir.

CHAPITRE X

Linda, troublée, expliquait sa situation à Michel Trépanier, le directeur du *Matin*.

«C'est la première fois que ça m'arrive, expliqua-t-elle en marchant de long en large, de devoir choisir entre la parole donnée et l'importance de la nouvelle.

— Nous sommes tous passés par là, répondit Trépanier, compatissant. Tout ce que je peux te conseiller, c'est de faire publier la nouvelle par quelqu'un d'autre.

— Ça ne changerait rien...

— Alors, c'est ta parole qui compte.

— Oui, mais si je ne publie pas, toute la ville risque de...

— Alors, publie! Je voudrais bien t'aider, Linda, assura-t-il devant sa frustration évidente, mais c'est à toi seule de décider.» Joignant le geste à la parole, il sortit et la laissa seule.

Linda demeura un instant immobile, puis appela sa secrétaire.

«Marie? Appelle la compo. Dis-leur que je me réserve la une.»

Pierre, à côté de Patricia qui était venue le chercher à l'hôpital, somnolait doucement dans un fauteuil confortable, se laissant bercer par le bruit des moteurs de l'avion. Ils voyageaient en première classe. Pierre, se tirant peu à peu du sommeil, s'étira en grommelant.

«Ça va, Pierre? lui demanda Patricia.

— Oui, répondit-il en bâillant. J'ai juste envie d'être déjà à Québec, avec mon infirmière préférée, et de me reposer pendant une semaine...

— Je sais, mais le docteur m'a parlé d'un nouveau traitement...»

Pierre s'interrompit. Un petit garçon lui tapotait poliment l'épaule. Il sourit timidement et tendit un calepin et un stylo. Lambert lui signa un autographe et se retourna vers Patricia.

«Pierre, reprit-elle, je voulais te dire quelque chose, mais je ne savais pas comment... C'est au sujet du bébé. Je ne t'en ai pas parlé parce que je ne voulais pas que tu me fasses changer d'idée. Je voulais que ce soit ma décision.

— Pas de problème, fit-il en souriant. Je suis d'accord.

— Tu ne me laisses pas finir, se plaignit-elle, malheureuse, tu rends ça encore plus dur...

— Tu veux me parler de ton lavement baryté et de ta peur que le bébé soit anormal.

— Tu le savais!

— J'ai rendu visite à ton médecin, expliqua-t-il tranquillement. Je te connais, j'ai bien vu que tu n'allais pas bien. Le docteur Villeneuve a fini par me dire la vérité.

— Pourquoi ne me l'as-tu pas dit?

— Je me suis dit que c'était ta décision et que tu m'en parlerais quand tu le jugerais bon.

— Pierre Lambert! Et tout ce temps-là, tu me laissais...

— Je me suis souvent retenu, avoua-t-il.

— Alors, pour le bébé?

— Si tu cours la chance, je suis prêt à te suivre...

— Pierre...», murmura-t-elle, soulagée. Elle se serra doucement contre lui et il caressa son ventre encore un peu plus rond.

☆

La nouvelle de l'éventuel transfert du National avait fait des remous à Québec. Dès l'aube, *Le Matin* avait circulé dans les mains des journalistes de la radio qui, à leur tour, faisaient part de la rumeur à leur auditoire. Jacques Lacasse et André Simon étaient de ceux-là.

«La nouvelle du jour, la nouvelle de la semaine, en fait, cela pourrait être la nouvelle de l'année, c'est le départ du National pour San Francisco. André, qu'écrit Linda Hébert à ce sujet?

— C'est incroyable, mais si la Ligue autorise la vente du National de Québec, les nouveaux propriétaires vont s'empresser de transférer la franchise à San Francisco... Et savez-vous qui sera le directeur du National de San Francisco? Nul autre que Jacques Mercier! On commence à comprendre ce qui se passe chez le National depuis que son ex-entraîneur est revenu de Suisse pour diriger l'organisation.

— Exact. Frédéric Tanner, le négociateur du groupe Davillos, est un de ses amis les plus proches.

— Nous savions que le National n'allait nulle part cette année, maintenant nous savons pourquoi! Jacques Mercier s'acharne à faciliter le travail de ses amis suisses.

— Au fait, a-t-on réussi à le rejoindre?

— Non, et c'est compréhensible. À sa place, je m'arrangerais pour être très difficile à rejoindre.»

La rumeur avait finalement atteint l'un des principaux intéressés. Jacques Mercier, fou de rage, faisait vertement part de son indignation à Frédéric Tanner qui, à l'autre bout du fil, l'exhortait à se calmer. Judy et Jimmy écoutaient sans mot dire Jacques vider sa colère.

«Me calmer! Me calmer! s'exclama-t-il. Grâce à ton indiscrétion, c'est moi qui passe pour l'enfant de chienne qui veut arracher le National aux Québécois. Je n'ai rien fait d'autre que d'essayer de rajeunir le club, et, là, on m'accuse d'avoir fait ça pour pouvoir te l'offrir sur un plateau! Je ne savais même pas que vous vouliez déménager le National à San Francisco.

— Je regrette, Jacques, s'excusa Tanner. Tout ça est de

ma faute. Mais, tôt ou tard, les gens l'auraient appris. J'espère seulement que la réaction populaire n'influencera pas la décision de la Ligue nationale.

— Et comment est-ce que je peux faire mon travail, moi, quand je passe pour celui qui a tout manigancé?

— Il va falloir se serrer les coudes...

— C'est ça! Il faut que je sois avec toi, que je le veuille ou non. Je n'ai plus aucun choix, maintenant.»

Il raccrocha brutalement et continua à faire les cent pas. Au bout d'un moment, Judy se décida à briser le silence.

«Qu'est-ce que tu vas faire? demanda-t-elle.

— Je ne le sais pas. Quoi que je fasse, personne ne va me faire confiance. C'est du salissage à grande échelle que Linda vient de faire!

— Si tu veux, offrit-elle, je peux appeler en Suisse, retarder mon départ de quelques jours...

— Tu as fait ton choix, tu pars demain. Quelques jours de plus n'y changeront rien. Retourne en Suisse, on va se débrouiller, moi et Jimmy.

— Faudrait peut-être me demander mon avis, intervint l'adolescent.

— Jimmy, le rabroua son père, tu restes ici. Un point, c'est tout.

— Je retourne en Suisse. Tous mes amis sont là.

— Tu as seize ans. Je ne vais pas te laisser tout seul là-bas.

— Non. Je vais en Suisse.

— Jimmy! C'est ton père qui te parle!

— Minute! s'écria le garçon, c'est ma vie. J'ai passé neuf ans en chaise roulante, neuf ans! Neuf ans à me faire dire: «Allez, Jimmy, t'es capable! Un pas de plus, Jimmy! Faut que tu marches, Jimmy!» Eh bien, là, je marche! Et il n'y a personne qui va me remettre dans une chaise roulante et me pousser là où je ne veux pas aller!

— Jimmy Mercier!

— À quoi ça sert de marcher si je ne suis pas libre? C'est un infirme que tu veux?»

Jacques, qui n'avait jamais vu son fils lui tenir tête de la sorte, se surprit à lever la main sur lui. Judy le retint: «Arrêtez ça, vous deux!» leur cria-t-elle alors que Jimmy enfilait son manteau et quittait la maison aussi rapidement que sa claudication le lui permettait.

☆

Marc accompagnait sa fille à l'école. Elle y retournait pour la première fois depuis le début de ses mésaventures. Elle masquait mal sa nervosité et Marc, pour combler le silence gênant, avait mis la radio en marche.

«Tu es sûre que tu veux reprendre tes cours cet après-midi? demanda-t-il une nouvelle fois.

— Il faut bien..., soupira-t-elle.

— Je commençais à aimer ça, moi, t'avoir dans la maison toute la journée...

— Tu me gâtes trop», lui reprocha-t-elle.

Marc stationna la voiture devant l'école puis, intrigué par ce qui se disait à la radio, en augmenta le volume. C'étaient Simon et Lacasse qui poursuivaient leur croisade contre Frédéric Tanner.

«La ville de Québec ne peut se permettre de perdre sa seule équipe de sport professionnel, déclara Lacasse, que peut-on faire pour empêcher ce désastre?

— Il faut organiser une campagne de boycottage des produits du groupe Davillos, proposa Simon. En commençant par le café Mokafé que je suis en train de boire. Le bruit que vous allez entendre, c'est le bruit du café que l'on jette à la poubelle!»

Un bruit de liquide renversé se fit entendre sur les ondes.

«À partir de ce matin, poursuivit-il, je boirai un autre café que celui de monsieur Tanner! Et à chaque bulletin de sports de la journée, j'ajouterai le nom d'un produit Davillos à bannir de votre vie. Et si les gens de Montréal ont du cœur, ils vont nous donner un coup de main! Le National ne partira pas pour San Francisco.»

Marc éteignit la radio et se passa la main dans les cheveux, songeur.

«Est-ce que ça veut dire qu'on pourrait aller vivre à San Francisco? insinua Marie-France, perspicace.

— Dis pas de niaiseries, se renfrogna Marc.

— Bien, j'aimerais ça!

— De toute façon, avant que ça se fasse et que j'aille travailler pour Jacques Mercier en Californie...

— Tu travailles déjà pour lui, ici! C'est quoi, la différence? fit-elle remarquer brutalement.

— Marie-France, va à tes cours, ordonna-t-il sèchement.

— C'est ça! protesta-t-elle, quand tu n'as pas de réponse, je redeviens la petite fille...

— Non, Marie-France. Tu ne seras plus jamais une petite fille.»

Marc avait dit cela tout bas, tristement. Marie-France, devenue fragile et émotive, avait senti ses yeux s'emplir de larmes en entendant les paroles de son père. Elle sortit précipitamment de la voiture. Marc la suivit.

«Je m'excuse! lui cria-t-il. Je suis tout mêlé, moi. C'est de ta mère dont tu aurais besoin.

— Veux-tu faire quelque chose pour moi? demanda-t-elle, en larmes.

— Quoi?

— Reprends donc avec Suzie.

— Marie-France, moi et Suzie, c'est fini! Mets-toi ça dans la tête.»

Marie-France le fixa quelques secondes, immobile, avec un air blessé et réprobateur. Elle se dirigea vers l'école, le laissant s'en aller sans bise ni bonjour.

Suzie avait systématiquement annulé tous ses rendez-vous pour quelques jours. Prétextant une mauvaise grippe, elle demeurait chez elle à ressasser les événements qui l'avaient menée à la rupture.

Ce matin-là, alors que son seul projet était de picorer un morceau de gâteau au chocolat, elle reçut une visite inattendue. Derrière la porte, une immense gerbe de fleurs cachait la personne qui la tenait.

«Marc..., murmura Suzie, croyant à un retour de son amant.

— Salut, superstar! s'écria Louis Marso en dégageant son visage du bouquet. Je suis en ville!

— Louis! s'exclama-t-elle, agréablement surprise. Entre.

— Madaaame, la salua-t-il pompeusement, ces quelques fleurs sont pour vous.

— Elles sont belles. Merci, Louis.

— Oh, constata-t-il, ça ne va pas, toi. Tu as des ennuis. Je peux faire quelque chose?

— Pas vraiment, dit-elle d'une voix chargée de peine... Marc et moi, je pense que... c'est fini, cette fois.

— Viens t'asseoir. Raconte-moi tout, tu as l'air d'en avoir gros sur le cœur.

— Je veux pas t'ennuyer avec...

— Tut! Tut! coupa-t-il. N'oublie pas que le lancement des parfums *Féline* est dans une semaine, et c'est toi la vedette. Je suis là pour toi, profites-en.»

Pour la première fois depuis l'aventure de Marie-France, Suzie se surprit à sourire.

Linda, après la publication à grande échelle des confidences de son amant, s'enfonçait dans le travail pour tenter d'oublier ses soucis. Elle faisait actuellement des heures supplémentaires chez elle, où elle n'avait pas à supporter les commentaires et les questions de son entourage. La sonnette de la porte d'entrée vint troubler ce semblant de paix.

«Frédéric! s'exclama-t-elle en ouvrant la porte à Tanner qui affichait un air neutre et imperturbable.

— Je peux entrer? demanda-t-il posément.

— Bien sûr.»

Il marcha mécaniquement jusqu'au canapé et s'assit. Son calme apparent commençait déjà à s'effriter et Linda, qui cachait mal son embarras, sentait la colère qui couvait sous son visage placide.

«Je pars pour Toronto ce soir, annonça-t-il. Je dois rencontrer John Aylmer, au sujet de ton article...

— Frédéric, plaida-t-elle, je sais que je t'avais donné ma parole, mais je ne pouvais pas laisser ma ville se faire enlever une institution comme le National sans dire un mot.

— Linda, répondit-il sèchement, je t'avais fait confiance.

— Il ne fallait pas, déclara-t-elle faiblement, mal à l'aise, je suis avant tout une journaliste. Est-ce que je t'ai demandé de me raconter toutes les combines de tes multinationales suisses?

— Et Jacques Mercier? accusa-t-il. Tu en fais un coupable par association?

— Regarde ce qui se passe avec le National. Crois-tu vraiment que la Ligue va refuser ton offre et continuer à soutenir une opération déficitaire? Car, tant que le National est sous tutelle, c'est la Ligue qui paye.

— J'avais ta parole, s'obstina Tanner malgré les arguments de Linda.

— Maintenant, tu sais ce qu'elle vaut.

— Je pensais que je comptais pour toi, fit Tanner, plus calme, déçu. Je croyais que tu m'aimais.

— Je n'ai pas changé de sentiment.

— Tu veux que je te pardonne? offrit Frédéric, sa colère maintenant dissipée.

— Je ne cherche pas à être pardonnée ni comprise. Je sais que je suis bourrée de contradictions, accorda-t-elle, alors, si tu veux en finir, c'est à toi de décider. Si tu es trop aveuglé par tes affaires ou par ton orgueil blessé, tu ferais peut-être mieux de t'en aller, je vais survivre.

Tanner, hésitant, se leva et se dirigea vers la porte, l'ouvrit, s'immobilisa durant un long moment. Linda l'observait avec une grande tristesse. Il sembla prendre une décision, referma la porte et fit doucement cette constatation:

«Je ne veux pas vivre sans toi...

— Moi non plus, Frédéric...», répondit-elle, émue, sans résister à l'étreinte qu'il lui offrait.

☆

Marie-France errait, solitaire, entre de grandes fenêtres par lesquelles elle observait distraitement des poissons de toutes sortes d'espèces. Elle s'était retrouvée à l'aquarium de Québec, ne sachant que faire d'autre de sa journée.

Elle regardait, sans grand intérêt, quelques crabes multicolores lorsqu'elle remarqua, dans le reflet de la vitre, un garçon qui avait à peu près son âge et qui filmait les crustacés avec une caméra vidéo.

Le jeune homme se débrouillait plutôt bien, compte tenu qu'il s'appuyait sur une canne. Marie-France, qui préférait être seule, s'en alla vers le bassin suivant. L'autre la regarda, intéressé. Il la suivit, plus ou moins discrètement, puis, prenant son courage à deux mains, l'aborda.

«Excuse-moi, pourrais-tu me rendre un service? demanda-t-il avec un drôle d'accent, entre l'anglais et le québécois, avec une touche européenne. Je voudrais ramener un souvenir de ma visite à l'aquarium. Si je te donnais la caméra, pourrais-tu...

— Bon! D'accord, accepta Marie-France. Qu'est-ce que je fais?

— Tu n'as qu'à pointer et à actionner le levier. Le reste est automatique.»

Il se plaça devant un aquarium et observa les bestioles qui s'y déplaçaient. «Souris!» ordonna Marie-France. Il esquissa un sourire mais vit à l'expression de la jeune fille que la caméra refusait de fonctionner. Il revint vers elle et examina l'appareil. Après quelques réglages, il le lui rendit.

«Ça devrait fonctionner, dit-il en retournant à sa place.

— Tu serais peut-être mieux un peu plus loin, conseilla Marie-France. Marche en regardant les poissons.

— Je m'appelle Jimmy. Et toi?

— Marie-France. Tu n'as pas l'accent d'ici.

— Je suis d'ici, mais ma mère est anglophone et je vis en Suisse depuis trois ans. Veux-tu que je fasse un bout de film de toi?

— Je ne sais pas... Tu vis en Suisse?

— Oui, avec ma mère. Mais mon père veut que je reste au Québec.

— Et toi tu ne veux pas, devina-t-elle.

— Je ne connais personne, se plaignit-il. Tous mes amis sont là-bas.

— C'est facile de se faire des amis..., suggéra Marie-France, qui commençait à trouver le jeune homme sympathique.

— C'est vrai? fit Jimmy, heureux de cette réponse. Tu te places?

— D'accord.

— Souris!»

Elle lui offrit son plus beau sourire, qu'il recueillit précieusement sur la bande magnétique.

L'équipe, dont le moral baissait de plus en plus, se préparait, sans tapage, pour le match de la soirée. Denis Mercure et René Roberge discutaient dans un coin.

«En tout cas, moi, ça fait trois fois que je déménage, confia Denis, démoralisé. Je n'ai pas envie de recommencer une autre fois, c'est trop pénible!

— Penses-y: la Californie! s'exclama Roberge, d'un tout autre avis.

— Énerve-toi pas, conseilla Nounou qui les avait entendus, il y a bien des jobs qui vont se perdre si on déménage. Tu ne penses pas à ça, toi.

— Attention, voilà Marc», lança Mercure en voyant entrer son entraîneur, visiblement d'humeur orageuse.

Celui-ci attendit que les joueurs se taisent, ce qui ne fut pas long, et entreprit le petit discours d'usage dans les situations de crise.

«Vous connaissez la nouvelle, commença-t-il. Je veux seulement vous dire que ce n'est pas encore officiel et que ça ne change rien au match de ce soir. Et, parlant du match, il faudrait peut-être vous rappeler que nous sommes en dernière position de notre division, que les Islanders sont forts et que sans Pierre Lambert, si on ne travaille pas comme des chiens, on va se faire planter! Ce n'est pas à San Francisco qu'on va se retrouver, c'est à Chicoutimi! Dans une équipe perdante, et qui change de propriétaire, il n'y a personne qui ait un poste assuré. Alors, ce soir, pensez à vos jobs.»

Il avait terminé son intervention sur une note glaciale. Il fit signe à Mac Templeton de venir le voir.

«Il faut que tu protèges Danny, ordonna Marc, il est trop bousculé. S'il se sent en sécurité, il va mieux jouer. On a besoin de lui si on veut gagner.

— J'ai douze buts cette année, expliqua Mac. Je voudrais me rendre à vingt...

— Mac, répondit sèchement Gagnon, de plus en plus irrité, ton travail, c'est de frapper ceux qui s'approchent de nos marqueurs, pas de compter à leur place! Si tu oublies ça, tu iras compter des buts ailleurs! Compris?»

Mac n'insista pas et rejoignit ses coéquipiers pour la période d'échauffement.

Le même soir, Joan Faulkner recevait chez elle, dans le secret le plus strict, un invité de marque. Trônant derrière son bureau, dans sa magnifique demeure de Westmount, elle attendait impatiemment le président de la Ligue. Peu de temps avant l'heure prévue, John Aylmer se trouvait devant elle. Joan l'accueillit brutalement.

«Avant de vous asseoir, demanda-t-elle immédiatement, pourriez-vous me dire si, oui ou non, nous sommes associés? N'ai-je pas déboursé une somme considérable pour acheter vos terrains à Hamilton? N'ai-je pas respecté mes engagements? Alors, continua-t-elle en haussant la voix, pourquoi dois-je apprendre par mon propre journal que Frédéric Tanner a l'intention de déménager le National à San Francisco?

— Nous sommes associés, confirma Aylmer, mais je suis également président de la Ligue. Cette information était confidentielle et je n'avais aucune raison de penser qu'il pût y avoir une fuite...

— Justement, fit valoir Faulkner, si je l'avais su à l'avance, j'aurais pu empêcher Linda Hébert de tourner autour de Tanner. Maintenant, mon propre journal fait campagne pour garder le National à Québec. Que va-t-il se passer lorsque nous allons annoncer que nous voulons déménager le club à Hamilton?

— Vous vous faites du souci pour rien, la rassura Aylmer. Le 2 avril, la Ligue annoncera qu'elle a préféré l'offre de la Faulkbauer Corporation à celle du groupe Davillos. Le surlendemain — et seulement le surlendemain —, vous annoncerez le transfert de l'équipe à Hamilton. Entre vous et un groupe européen, je n'aurai aucune difficulté à faire accepter la vente par le conseil des gouverneurs. Ce n'est plus qu'une formalité.

— J'admire votre confiance, commenta-t-elle froidement. En attendant, mon journal est forcé de soutenir les groupes de pression qui se forment pour garder le National à Québec.»

Elle termina là l'entretien et fit reconduire Aylmer à la porte.

☆

Pendant ce temps, Pierre, toujours convalescent, regardait le match du National à la télévision. Avant même la fin de la deuxième période, les siens, paradoxalement en grande forme, menaient 4 à 1. Trois de leurs buts avaient été comptés par Danny Ross qui répondait avec brio aux attentes de Marc Gagnon.

«Qu'est-ce que je donnerais pour être là!» s'exclama Pierre en regardant Danny exécuter son habituel geste de triomphe.

On cogna à la porte. Patricia se leva pour aller ouvrir.

C'était Gilles, le beau-père de Pierre. L'apercevant, Lambert le salua gaiement, surpris de le voir.

«Gilles! Je te croyais en tournée.

— Je suis revenu quand j'ai appris la nouvelle.

— Mets-toi à l'aise, assieds-toi. Justement, le National est en train de gagner.

— Pierre, attaqua Guilbeault en s'asseyant, j'ai beaucoup réfléchi sur la route. Je me sens responsable des déboires de l'équipe. Si j'avais été plus ferme avec Goldman, il n'aurait jamais eu besoin d'engager Mercier pour faire le ménage dans le National. Et, là, s'il faut que le club quitte Québec... C'est simple: Mercier doit s'en aller!

— À quoi tu penses? demanda Lambert, sentant que Gilles avait quelque chose à lui exposer.

— Mon plan est simple. Je vais aller voir John Aylmer et réclamer la démission de Jacques Mercier. Il ne peut pas être directeur général du National et être de connivence dans sa vente et son transfert. Il est en conflit d'intérêts, qu'il en soit conscient ou non.

— Qu'est-ce que je peux faire? demanda Pierre, approbateur.

— Un téléphone de toi, et on pourrait avoir un bon article dans les journaux demain..., suggéra Guilbeault avec un sourire malicieux. Tu t'entends bien avec Lucien Boivin, je pense?

— D'accord, acquiesça Pierre. Je vais lui dire ce que je pense de Mercier. Compte sur moi.»

Les deux hommes se sourirent, complices, et reportèrent leur attention sur la télévision où la troisième période débutait. Le National semblait avoir la ferme intention de l'emporter.

La victoire de son équipe n'avait pas empêché le moral de Jacques de s'effondrer. Il rentrait chez lui, à une heure très tardive, abattu par les événements bien sombres de cette soirée. Les spectateurs avaient en effet profité de ses quelques rares sorties dans les corridors du Colisée pour l'insulter, crier à la traîtrise, allant même jusqu'à le bombarder de divers projectiles.

Épuisé, démoralisé, il entra dans le salon, où Jimmy regardait distraitement la télévision, qu'il éteignit en voyant son père arriver.

«Qu'est-ce qu'il y a, Jacques? demanda sa femme en sortant de la chambre.

— Quoi que je fasse, expliqua-t-il, morne, en s'écroulant dans un fauteuil, c'est moi que l'on va blâmer pour le transfert à San Francisco. Je me suis fait piéger par Goldman!

— Tu étais de bonne foi.

— Oui, j'étais de bonne foi, admit-il en haussant les épaules, dépité.

— Alors, pas de problème, dit-elle sereinement en le serrant contre elle. Pour moi, c'est tout ce qui compte.

— À quelle heure tu pars? demanda-t-il en remarquant les valises de sa femme, toutes prêtes.

— Il faut que je sois là à cinq heures.

— Jimmy, tu vas me manquer, confia-t-il à son fils qui était resté silencieux. Je sais que je suis autoritaire et que je crie souvent, mais...

— Dad, je reste avec toi, répondit posément l'adolescent.

— Mais, tu disais...

— J'a changé d'idée.

— Viens ici...»

Il étreignit son fils, autant par affection que pour s'accrocher à quelqu'un.

Suzie, la bouche pâteuse, le crâne douloureux, s'efforça d'ouvrir un œil. Elle eut quelques difficultés à ajuster sa vue, puis, quand la mise au point fut à peu près correcte, elle distingua, sur une commode, deux bouteilles de champagne vides et une troisième encore intacte. Parvenant à se dresser sur ses coudes, elle tenta de rassembler ses esprits malgré l'alcool encore présent dans son sang. Du bruit venait de la cuisine. Elle eut la surprise de voir Louis Marso, vêtu de la robe de chambre de Marc, entrer dans la chambre.

«Qu'est-ce que tu fais ici? marmonna-t-elle tout doucement pour éviter que le son de sa voix n'aggrave sa migraine.

— J'ai passé la nuit ici..., répondit-il, un sourire charmeur aux lèvres.

— Ici?

— Je t'ai perdue vers minuit. J'étais en train de dire quelque chose de très intelligent quand tu t'es endormie. Alors, comme tu étais déjà dans ton lit, je t'ai déshabillée et bordée. Jus d'orange?

— Est-ce que... nous..., hésita-t-elle, inquiète.

— Non, assura-t-il. J'ai dormi dans le salon. Ça sera pour une autre fois.» Il eut un drôle de sourire, à la fois aimable, pervers et blagueur. Suzie, un peu gênée, lui rendit son sourire et se rendit dans la salle de bains pour y prendre une douche.

Louis, en l'attendant, se confectionna un cocktail de champagne et de jus d'orange et se mit à le siroter tranquillement en écoutant l'eau qui coulait dans la pièce voisine. La sonnette de la porte d'entrée vint le tirer de sa rêverie. Il se leva, flûte à la main, et alla ouvrir.

Louis eut à peine le temps de reconnaître Marc Gagnon avant que celui-ci, d'une formidable droite, ne les expédie, lui et la flûte de champagne, sur le canapé.

Hugo et Marie-France faisaient l'école buissonnière. Ils s'étaient donné rendez-vous dans un fast-food. Elle voulait lui présenter son nouveau camarade qui devait venir les rejoindre.

«Tu ne pourras plus manquer tes cours encore bien longtemps, Marie-France, décréta Hugo, inquiet.

— Encore une journée ou deux. J'ai pas envie d'y retourner. Le voilà!»

Hugo se retourna et vit entrer un garçon un peu plus

jeune que lui, blond, qui boitait légèrement. Son visage ne lui semblait pas inconnu.

«Bonjour! salua gaiement Marie-France. C'est Hugo, mon meilleur ami. Lui, c'est Jimmy.

— Jimmy qui? demanda Hugo, trop intrigué pour être jaloux.

— Jimmy Mercier, répondit l'autre.

— Je t'ai déjà vu quelque part, toi, ton père, c'est Jacques Mercier!

— Jacques Mercier! répéta Marie-France.

— Quoi? demanda Jimmy, qui n'aimait pas se voir identifier à son père.

— Moi, expliqua Hugo avec un large sourire, je suis le frère de Pierre Lambert, et elle, c'est la fille de Marc Gagnon.

— Ton père, c'est Marc Gagnon? répéta Jimmy, tout étonné.

— Ben, oui!»

Tous trois éclatèrent de rire devant ce curieux concours de circonstances. Marie-France s'empara solennellement de l'emballage de son hamburger et déclara: «Faisons une chose: le hockey, à la poubelle!»

Joignant le geste à la parole, elle lança le contenant dans la poubelle la plus proche. Les deux garçons s'empressèrent de l'imiter.

☆

Le National s'apprêtait à décoller pour Toronto. Les joueurs et les dirigeants, comme à l'habitude, discutaient par petits groupes. Seul Marc Gagnon restait à l'écart, de mauvaise humeur malgré les récentes performances de l'équipe. Templeton et Bradshaw, qui connaissaient bien leur entraîneur pour avoir longtemps joué à ses côtés puis sous ses ordres, le remarquèrent et se demandèrent ce qui pouvait se passer.

Jacques Mercier pénétra à son tour dans la salle d'attente et se dirigea vers Gagnon, qui ne sortit pas de son mutisme en le voyant s'approcher.

«Marc, encouragea-t-il, il faut continuer à gagner, ça va calmer les gens.

— Ça va te les enlever du dos, tu veux dire, répondit Gagnon, cynique. As-tu autre chose d'intelligent à me demander?

— Marc, se défendit Mercier, tu devrais savoir que je travaille pour l'équipe, même si les apparences sont contre moi...

— As-tu lu l'entrevue de Lambert? l'interrompit brutalemen Gagnon. Lui aussi, il trouve que les apparences sont contre toi.

— Qu'est-ce que tu veux? Tu va te joindre à ceux qui veulent ma démission?

— Non, je vais rester neutre, mais c'est pour l'équipe, pas pour toi, précisa-t-il sans ménagement. J'ai toujours été loyal envers le National de Québec. Mais ce que tu as fait depuis quelques mois, je ne veux rien savoir de ça. Bien plus, ajouta-t-il, de plus en plus énervé, je ne veux plus rien savoir de toi! Mets-moi à la porte, je m'en sacre! Je ne veux plus rien savoir de tes maudites combines sales!

— Charrie pas, fit Jacques, qui était en trop mauvaise posture pour ne pas se montrer conciliant.

— Je charrie pas. En passant, ajouta Marc agressif, Robert Martin nous rejoint à Toronto.

— C'est à toi de décider...»

Le directeur s'éloigna, sentant peser sur lui les regards accusateurs de tous les membres de l'équipe.

☆

Ce même jour, Gilles s'était, lui aussi, rendu à Toronto. Non pas pour assister au match, mais pour rencontrer John Aylmer à son bureau. Le président de la Ligue se montrait peu ouvert aux requêtes agressives de Guilbeault.

«Je serai bref, dit-il. C'est la Ligue nationale qui gère le National de Québec. Or, son directeur général, Jacques

Mercier, est en conflit d'intérêts. Comment peut-il opérer la franchise de façon juste en sachant que, si elle est vendue à Frédéric Tanner, on déménage le club à San Francisco? En plus, il est assuré de conserver son poste. D'ailleurs, les échanges qu'il a faits et la façon dont il cherche à pousser Robert Martin à la retraite montrent très bien qu'il tente de faire faire une bonne affaire à son ami le Suisse.

— Je crois que les apparences sont contre lui, objecta calmement Ferguson, qui assistait à l'entretien.

— En attendant, c'est un directeur général qui a déjà une job en Californie...

— C'est le 2 avril que nous allons prendre notre décision sur l'offre d'achat du groupe Davillos. L'équipe est déjà assez perturbée. Si on lui impose un nouveau gérant presque en fin de saison...

— Comme c'est là, le National ne fera même pas les séries, conclut Mike Ferguson.

— Autrement dit, en déduisit Guilbeault, ça arrange tout le monde que le National soit vendu et transféré. Autant le président de l'association des joueurs que celui de la Ligue nationale. Ça va plus loin que je ne le pensais.

— Monsieur Guilbeault, protesta Aylmer, mettez-vous mon intégrité en doute, maintenant? Vous battez-vous pour le National ou pour ravoir votre poste de gérant?

— Vous ne comprenez pas ce que le National représente pour la ville de Québec, s'acharna Guilbeault. Vous ne pensez qu'aux chiffres et au rendement! Je me suis trompé d'homme, à ce que je vois...

— Nous vivons dans un système de libre entreprise, fit Aylmer, faussement désolé.

— Justement, nous allons nous défendre. Le National ne partira pas de Québec!»

Gilles quitta le bureau prestement, en commençant déjà à élaborer des plans de contre-attaque.

☆

Lucien avait sollicité un entretien en tête-à-tête avec Linda. Embarrassé, il hésitait à aborder franchement le sujet dont il voulait lui parler.

«Tu voulais me voir en privé? demanda Linda, intriguée. Ça doit être important.

— C'est embêtant. J'ai rencontré Pierre Lambert, l'autre jour. Depuis l'affaire Koulikov, nous sommes pas mal proches, lui et moi...

— Lulu, viens-en au fait, déclara Linda, impatiente.

— C'est à propos de Vanessa Faulkner, avoua-t-il. Elle court après Lambert.

— Ce n'est pas la première fille à courir après un joueur de hockey.

— Sauf que, là, c'est une journaliste du *Matin*. Et il y a plus grave.

— Quoi?

— Patricia O'Connell, la blonde de Pierre. Elle a reçu des appels anonymes. À plusieurs reprises. À Boston, Pierre a dû la sortir de force de son lit d'hôpital.

— Oh!... Ça devient sérieux. Vanessa veut faire une série d'articles sur les femmes des joueurs du National.

— Ah! oui? Je ne lui conseille pas de s'approcher de Patricia O'Connell!»

Linda, au grand soulagement de Lucien, lui promit de trouver une solution pour mettre fin à l'affaire.

Comme à leur dernier rendez-vous, le National et les Maple Leafs avaient fait match nul. Chaque équipe avait dominé pendant une moitié de la rencontre, Toronto prenant une avance de trois points durant les trente premières minutes, avance qui devait être comblée par Québec durant les trente dernières.

Le match avait été rude. Les Ross avaient oublié tout lien de parenté et n'avaient pas ménagé leurs coups l'un pour l'autre. À tel point que cela provoqua une violente bagarre entre Frank et Mac Templeton, qui trouvait que celui-ci avait trop malmené Danny.

Templeton prit une raclée, saigna abondamment, et, fou furieux, se fit en plus expulser du match pour mauvaise conduite.

Après la partie, Robert Martin et Paul Couture discutaient, nonobstant leur adversité, du match et d'autres choses.

«Je suis content pour toi, confia Paul à son ami, visiblement en piètre état, tu ne méritais pas de rester à Chicoutimi.

— Ce n'est certainement pas à cause de moi si on a évité la défaite, se plaignit Robert. Je pense qu'ils ont raison, que je suis devenu trop vieux...»

Avant que Couture n'eût le temps de répondre, il aperçut Maryse. Robert vit son visage exprimer la surprise et le bonheur le plus complet.

«Maryse! Maryse! appela-t-il.

— Je n'ai su qu'à six heures que je pouvais venir, expliqua-t-elle lorsqu'elle fut près de lui. J'ai pu trouver une gardienne à la dernière minute.»

Elle cessa de parler pour se serrer contre lui et l'embrasser, tendrement, avec amour. Ce n'est qu'au bout d'un moment qu'elle se rendit compte de la présence de Robert, qui observait leurs retrouvailles d'un œil qu'elle seule savait peiné.

Tous deux quittèrent le salon de l'hôtel et se rendirent directement à l'appartement de Paul. Ils firent l'amour avec une passion et un plaisir qu'ils n'avaient plus éprouvés depuis des mois.

Finalement, épuisés, ils s'enlacèrent doucement, sereinement, ne prenant plaisir qu'à se savoir l'un près de l'autre. Ce fut ce moment que Maryse choisit pour faire son aveu à Paul.

«Paul, je suis venue pour te parler, dit-elle gravement.

— Je m'en doutais.

— J'ai commis une grave erreur. J'ai cru aimer un autre homme. Tu veux savoir qui?

— Non, répondit-il, encore calme, mais troublé. C'est fini?

— Oui, depuis longtemps déjà. J'ai réalisé que c'est toi que j'aimais. Tu me pardonnes?» Pour toute réponse, Paul se mit à pleurer doucement. Ses lèvres murmuraient une prière silencieuse.

«Paul! Paul, ne pleure pas, je te demande pardon, je t'aime. Pourquoi tu pleures?

— Parce que je suis heureux! Tu m'aimes, le reste ne compte pas...»

Maryse, en entendant le pardon de son mari, se sentit tout d'un coup soulagée du poids qu'elle portait depuis des mois. Elle éclata en sanglots, laissant les larmes emporter avec elles ce qui restait de son malheur.

Marc broyait du noir devant son petit déjeuner quand Suzie, en coup de vent, pénétra chez lui et lança violemment quelques objets qui lui appartenaient sur le divan. Il y avait la robe de chambre qu'avait portée Louis, une tasse gravée de ses initiales et des affaires de toilette.

«Tiens! Comme ça, tu n'auras plus d'excuses pour venir chez moi attaquer mes amis! J'ai fait changer la serrure aussi.

— Ça ne t'a pas pris de temps pour me remplacer, constata-t-il perfidement. Ça dure depuis combien de temps, ta petite histoire avec ta Marcelle?

— Marso! corrigea-t-elle en hurlant. Louis, c'est mon ami, il peut me comprendre, lui.

— Sors de chez moi. Je ne te pardonne pas ce que tu as fait, c'était dégoûtant. Je ne veux plus rien savoir de toi.

— Marc! Ta fille avait besoin d'aide, je l'ai aidée, répéta-t-elle encore une fois. C'est vrai, je ne t'en ai pas parlé. C'est parce que Marie-France me l'avait demandé, et je vois qu'elle a bien fait.»

Justement, Marie-France, attirée par les cris, venait de sortir de sa chambre et observait la dispute du haut de l'escalier.

«C'est ça! répliqua Marc. Ma fille se fait avorter, c'est ma blonde qui s'occupe de tout et moi, le cave, je ne suis au courant de rien.

— Ta fille vient d'avoir seize ans. Elle a pris une décision d'adulte. J'ai respecté son choix, je ne suis pas certaine que t'aurais fait la même chose.

— Tu m'as joué dans le dos, Suzie, et je ne suis pas capable de le prendre. Si tu as des choses à toi ici, ramasse-les et fous le camp. Je ne veux plus rien savoir!

— C'est moi qui ne veux plus rien savoir! Tout ce que tu veux, c'est quelqu'un en adoration devant toi qui prenne soin de tes enfants.

— Marie-France, dans ta chambre! ordonna-t-il en l'apercevant.

— Non. Suzie a raison, approuva la jeune fille.

— J'ai pas envie de passer ma vie à faire la bobonne pour Marc Gagnon.

— Ah non? Sors! Qu'est-ce que t'attends?

— Salut, Marie-France, fit Suzie en levant la tête. Ma porte te sera toujours ouverte, même si ton père est le dernier des imbéciles.

— T'en va pas, Suzie...

— Sors d'ici!» répéta Marc.

Elle obtempéra finalement, contente de quitter la maison de Marc et de le souligner bruyamment en claquant la porte.

«Suzie, c'est ma seule amie, s'écria Marie-France, désemparée. Si je ne l'avais pas eue, je me serais tuée. Je me serais tuée parce que, toi, on peut pas te parler. Je vais m'en aller d'ici, tu entends? Je vais me sauver et tu ne me reverras plus jamais! Jamais!

— Qu'est-ce que tu veux que je fasse, moi? s'écria Marc à son tour. Je pourrai jamais changer, je suis comme ça. Je ne dis peut-être pas les bonnes choses, je ne sais peut-être pas comment parler à ma fille, mais viens pas me dire en face que je ne t'aime pas et que je veux ton malheur. Penses-tu que ça me fait plaisir que ma fille ne puisse même pas m'adresser la parole?

«Sais-tu ce que ça fait à un homme de ne pas être capable de protéger ses enfants? J'ai envie de prendre la voiture et de foncer dans un mur de béton! T'auras plus ton niaiseux de père dans les jambes! Je ne sais plus quoi faire, maudit! hurla-t-il en tremblant de tous ses membres. Je sais plus!»

Le visage rouge, les nerfs tendus, il regardait sa fille en frémissant. Instinctivement, sans réfléchir, pour libérer sa frustration, il prit le premier objet qu'il trouva sous sa main et l'expédia de toutes ses forces contre une étagère de verre qui se fracassa sous le choc.

«Arrête, papa! implora Marie-France, en larmes. Arrête!»

Marc, cramoisi et suffocant, la regarda une fraction de seconde, au désespoir, et finit par éclater en sanglots avec elle.

☆

Mac Templeton, qui ne pouvait supporter l'humiliation de perdre une bagarre, se déchaînait sur un sac de sable d'un gymnase de Québec. Du coin de l'œil, il vit entrer dans la salle un ancien coéquipier, Gilles Champagne, le tenancier de *La Veuve Joyeuse*. Mac quitta le sac de sable et se mit à sauter à la corde.

«Salut, Mac! fit Champagne en arrivant près de lui. Je vois que tu reprends l'entraînement.

— Ta gueule, la Veuve! ordonna Templeton, irascible.

— Il paraît que tu en as mangé une moyenne à Toronto! le taquina Champagne.

— À ta place, je ne parlerais pas si fort, la Veuve, avertit Mac en accélérant le rythme.

— Mac, reprit Champagne sur un ton plus sérieux, ce n'est peut-être pas de mes affaires, mais les gars devraient peut-être surveiller Étienne Tremblay.

— Quoi? demanda Mac en s'immobilisant. Qu'est-ce qu'il a encore fait?

— Il coke pas mal fort. Ça fait une semaine que je le vois faire, au bar. Il est parti pour la gloire, complètement pété.

— La coke? répéta Templeton, alarmé.

— *Yeah, man. Totaly frosted. He's hooked.*

— L'enfant de chienne! s'exclama Templeton en se remettant à mitrailler le sac de sable de ses poings. Je vais m'en occuper.»

☆

Joan Faulkner avait convoqué son éditeur en chef et sa directrice de l'information pour une réunion spéciale. Sans tergiverser, elle annonça immédiatement l'objet de cette rencontre.

«Le *Matin* a toujours lutté pour défendre les intérêts de la population de la région de Québec, commença-t-elle. Le conseil d'administration insiste pour que nous prenions position de toutes les façons possibles contre la vente du National au groupe d'investisseurs suisses Davillos.

— En page éditoriale ou aux sports? demanda Michel Trépanier.

— En page éditoriale et aux sports, insista Faulkner. Je veux que l'on explique à la population que le National de Québec ne peut pas être vendu à des intérêts étrangers. Le contrôle de l'équipe doit demeurer canadien.

— Vous voulez dire québécois, corrigea Linda.

— Québécois, canadien, c'est la même chose, bafouilla Joan Faulkner.

— Pour vous, peut-être, fit Linda en haussant les épaules. Si vous me permettez de changer de sujet, j'aimerais vous dire que votre fille se débrouille très bien aux sports. J'ai même pensé à l'en retirer pour lui confier des dossiers plus importants...

— Je préfère qu'elle y reste, déclara Faulkner en fronçant les sourcils. Vanessa se lasse vite. Je voudrais qu'elle demeure dans la même section, le plus longtemps possible, question de lui apprendre la persévérance. À moins qu'il n'y ait un problème...

— Non, pas de problème, ce n'était qu'une suggestion, répondit Linda, trop poliment pour que ce fût sincère.

— J'en prends bonne note», conclut Joan Faulkner, méfiante.

☆

Marc tentait d'oublier ses soucis en buvant un verre — plusieurs en fait — à *La Veuve Joyeuse*. Il regardait sa bière, morose, sans dire un mot, quand Lucien Boivin se présenta.

«Salut, Marc, fit le journaliste qui n'avait guère l'air plus en forme.

— Ah! Lulu. Prends une bière. Du moment que tu ne me parles pas hockey, je te paie toute la bière que tu veux.

— Juste une, il faut que je rentre. Jojo est prise avec les jumeaux. Toi ça va?

— Ça n'a pas l'air d'aller? se renfrogna-t-il. T'as l'air fatigué, Lucien.

— Est-ce que c'est écrit dans ma face, ma parole? s'écria Boivin. Oui, je suis fatigué. Les jumeaux ont des coliques et ils braillent toute la nuit; et quand ce n'est pas des coliques, c'est autre chose. Jojo travaille tout le temps, et moi, encore plus avec ma nouvelle job.»

Marc, plein de bonne volonté mais peu attentif, préféra, plutôt que de prêter l'oreille aux confidences du journaliste, suivre du regard deux jolies filles qui entraient dans le bar.

«C'est pour dire, hein, le taquina-t-il, un peu méchant, mais ces deux filles-là, elles viennent seulement d'arriver et elles sont déjà plus intéressantes que toi...

— Tu files matou, ce soir, dit Lucien, amusé mais nullement offensé.

— Hé, la Veuve, monte donc le volume, demanda Marc en se souvenant qu'une émission bien spéciale allait débuter à la télé. Il y a Jacques Mercier qui passe ce soir, avec Linda.

— Mercier?» répéta Lucien, lui aussi intéressé.

Gilles Champagne obéit. L'entrevue commençait. L'animateur présenta ses invités.

«Le déménagement possible du National a secoué la Vieille Capitale de fond en comble, dit-il en guise d'introduction. Nous avons, depuis notre studio de Toronto, monsieur Frédéric Tanner, le délégué du goupe responsable de l'achat et du transfert du National à San Francisco, et, ici même, à Québec, monsieur Jacques Mercier, le directeur général du National, ainsi que madame Linda Hébert, directrice de l'information au *Matin* de Québec, anciennement journaliste sportive.

«Monsieur Tanner, continua-t-il, comment réagissez-vous à la campagne de boycottage de vos produits dans la région métropolitaine de Québec?

— Je n'apprécie guère ce qui se passe, admit Tanner, mais, d'un autre côté, je dois respecter le choix des consommateurs. Nous vivons dans un système de libre entreprise.

— Et de déménager l'équipe des Québécois à San Francisco? attaqua Linda sans délai, c'est de la libre entreprise?

— Dans les circonstances, oui, se défendit Tanner. Le National ne peut espérer prospérer davantage dans la région de Québec. Question de marché.

— Monsieur Tanner, poursuivit Linda sans démordre, comment qualifieriez-vous le travail de gestion de l'ancien propriétaire, monsieur Allan Goldman?

— Je n'ai pas à commenter, répondit-il.

— Le gros des problèmes du National provient d'une mauvaise gestion..., admit Jacques Mercier, qui intervenait pour la première fois dans le débat.

— Justement, monsieur Mercier, demanda agressivement la journaliste, puisqu'on parle d'administration, j'aimerais savoir quelle garantie ont les gens de Québec que vous allez protéger les intérêts de l'équipe, au moins jusqu'à la fin de la saison?

— Vas-y, Linda! s'exclama Lucien devant le téléviseur du bar.

— Ils ont ma parole, ma crédibilité, assura mollement Mercier.

— Vous vous assurez un emploi avec le National à San Francisco, railla Linda, monsieur Tanner peut le confirmer, et vous venez nous parler de crédibilité, de parole...

— C'est une attaque sans fondement, protesta faiblement le directeur. J'ai toujours eu à cœur le bien du National.

— Et maintenant, le nargua-t-elle, le bien du National se trouve en Californie?

— Pardon, madame Hébert, intervint l'animateur, pourrait-on en revenir au débat de fond?

— Certainement, acquiesça-t-elle. Le fond est simple: Allan Goldman est un gambler compulsif qui, pour payer ses dettes de jeu, n'a cessé de saborder dans les salaires et le budget de l'organisation que lorsque la Ligue est intervenue. Vrai, monsieur Mercier?»

Mercier n'osa pas répondre, mais la caméra montra bien sa pâleur excessive et son air catastrophé.

«La Ligue nationale a donc pris le contrôle du National et se montre prête à le vendre au premier acheteur venu, poursuivit Linda, fulminante. Et, ironie du sort, un pilier du hockey au Québec, Jacques Mercier, a vendu sa conscience pour...

— C'est assez! s'écria Mercier, furieux. Tu pousses trop loin, là, Linda.

— Je reconnais que les interventions de madame Hébert sont directes, fit l'animateur, réjoui. Mais elles ont touché au cœur du débat. Demain, nous y reviendrons avec le président de la Ligue nationale, monsieur John Aylmer.»

À *La Veuve Joyeuse*, Marc et Lucien, le souffle coupé, admiraient la performance «vitriolique» de Linda. Marc exprima son approbation.

«Ouais, fit-il, légèrement ivre. Elle leur a cassé la gueule! Des fois, je l'haïs, mais pour les jobs sales, il n'y a personne qui batte Linda.

— Bon, il faut que j'y aille, s'excusa Lucien, un peu à contrecœur.

— Allez, prends-en une autre. Je fête, à soir. Plus de blonde. La paix.» Le ton paraissait beaucoup moins enthousiaste que les propos.

«Tu as rompu avec Suzie? demanda Lucien, étonné.

— Oui, et je suis bien content...»

Il avait dit cela sans sourire. Lulu le quitta alors qu'il vidait sa bière d'un seul trait.

☆

Joan et Vanessa déjeunaient ensemble, ce matin-là. Dans une autre famille, c'eût été normal, mais, chez les

Faulkner, c'était exceptionnel et la jeune femme se demandait ce que sa mère avait derrière la tête pour l'inviter ainsi. La conversation suivait un cours que Joan s'efforçait de rendre naturel.

«Je suis très contente, confia-t-elle. Au mois de mai, la compagnie que je contrôle va devenir propriétaire du National et, en septembre, l'équipe débutera sa première saison à Hamilton.

— Il n'y a que ça, pour toi, les affaires, le pouvoir, la défia Vanessa.

— N'oublie pas qu'un jour, c'est toi qui vas me remplacer, rappela sa mère. C'est pour cela que je veux que tu sois journaliste. Il faut que tu couvres tous les aspects du métier. Aux sports, ça va?»

Une infime inflexion dans la voix de sa mère mit la puce à l'oreille de Vanessa.

«Je me doutais bien que ma chère maman ne m'invitait à déjeuner juste parce qu'elle voulait me voir, lança la jeune femme. Qu'est-ce qu'on t'a raconté?

— Rien, nia Joan. J'ai senti qu'il y avait quelque chose.

— Tu as peur que je t'embarrasse?

— Est-ce que ça t'est si dur de croire que je puisse m'inquiéter pour toi? soupira Joan.

— Fais attention, menaça Vanessa. Un jour je pourrais devenir une journaliste sérieuse... Et qui en sait plus que moi sur les affaires louches de tes compagnies?

— Tu n'es pas drôle, Vanessa, prévint sa mère, glaciale.

— Je n'ai pas de problèmes aux sports, affirma obstinément Vanessa. Et je n'en aurai pas.»

Les deux femmes ne dirent pratiquement plus rien jusqu'à la fin du petit déjeuner qui fut d'ailleurs écourté.

Vanessa, méfiante, se rendit immédiatement au journal, où elle apprit, sans que cela la surprît, que Linda Hébert désirait la voir. Elle pénétra sans tarder dans le bureau de la directrice et en ferma la porte derrière elle. Linda semblait tendue.

«Vanessa, annonça-t-elle, je voulais te dire que ton stage aux sports est terminé.

— Pardon? demanda la jeune femme, incrédule.

— Tu n'as plus besoin de couvrir le hockey, expliqua Linda. J'ai réfléchi à ta proposition. Je voudrais que tu fasses ta série d'entrevues avec les femmes des joueurs du National, surtout dans l'optique d'un éventuel déménagement à San Francisco. Les réactions des familles, par exemple. Nous sommes d'accord?

— D'accord, acquiesça Vanessa, méfiante. Ça va me laisser plus de temps.»

La jeune femme demeura un instant debout devant son aînée qui s'était déjà replongée dans son travail. Elle trouvait que tout avait été un peu trop raide.

«C'est tout, confirma Linda. J'ai du travail, Vanessa.»

Vanessa n'insista point et quitta le bureau, non sans avoir jeté un dernier regard intrigué à sa supérieure.

Templeton, alerté par Gilles Champagne, avait décidé de consulter son capitaine au sujet de Tremblay. Au cours d'un après-midi d'exercice, il avait entraîné Robert Martin dans un coin.

«Hé, Captain! Il faut que je te parle. Le Kid, E.T., il a un problème...

— Qu'est-ce que tu veux que j'y fasse? répondit Martin. Je ne suis pas sa mère, moi.

— C'est un problème pour toute l'équipe! Le Kid est sur la coke, c'est grave.

— Es-tu certain de ton affaire?» demanda Martin, surpris.

Il jeta un coup d'œil à Étienne Tremblay qui, à l'autre bout du vestiaire, enfilait ses patins avec une nervosité anormale. Robert se mit à penser à l'attitude qu'avait le jeune homme depuis quelque temps et dut s'avouer que la thèse de la cocaïne était tout à fait plausible.

«Ouais, tu as raison, admit le capitaine, songeur. Il faut faire quelque chose.»

☆

Le jour du lancement des produits de beauté *Féline* était enfin arrivé. Louis Marso l'avait magnifiquement orchestré, le hall d'exposition était plein à craquer de reporters, de photographes, d'amis et de curieux.

La présence de Pierre avait attiré un bon nombre de journalistes sportifs qui espéraient pouvoir lui poser quelques questions, ou, en tout cas, à certaines personnes du milieu du hockey qui ne manqueraient pas de participer à l'événement.

C'était le cas de Lucien Boivin qui avait réussi à mettre la main sur Gilles Guilbeault.

«Gilles, demanda-t-il, quand est-ce que tu reprends le National en main?

— Quand on me le demandera, répondit Guilbeault.

— Tu veux dire que personne ne t'a fait d'offre?

— Lulu, fit Gilles avec impatience, je suis venu pour le lancement de Suzie, rien d'autre. C'est clair?

— C'est clair, capitula Lucien. De toute façon, il faut que j'y aille, Mercier veut voir les journalistes à son bureau. Je me demande qui il a échangé aujourd'hui.»

Le journaliste quitta Guilbeault et sa mauvaise humeur et s'approcha de Pierre.

«Puis? Ton dos? s'informa-t-il.

— Ça va mieux, répondit Pierre, optimiste. Je pense pouvoir revenir au jeu d'ici une dizaine de jours.»

Lucien s'excusa une nouvelle fois et quitta défnitivement le hall pour se rendre au Colisée, laissant Pierre qui, représentant la ligne masculine des produits *Félin*, avait fort à faire.

Un roulement de tambour retentit dans la salle. C'était le moment tant attendu. Des fils discrets soulevèrent d'épais rideaux de velours noir, découvrant ainsi d'énormes flacons de parfum signés *Félin* ou *Féline*.

L'assistance applaudit Louis et Suzie qui s'embrassaient pour célébrer l'événement, un peu trop pour ne pas attirer l'attention de Pierre qui, prenant sa sœur à part, lui demanda:

«Marc, lui? Où est-il?

— Marc? répondit Suzie, désinvolte. Tu ne le verras pas ici. C'est fini, lui et moi...»

Elle s'en retourna à sa fête.

☆

Quelques journalistes, interloqués, attendaient devant la porte du bureau de Jacques Mercier, dont la secrétaire ne parvenait pas à expliquer le retard. Lucien Boivin fit remarquer à Guy Drouin:

«Ce n'est pas dans ses habitudes, d'être en retard. Je me demande bien où il est passé.

— Et Vanessa? demanda Drouin. Où est-ce qu'elle est, elle?

— Elle ne couvre plus l'équipe, répondit brièvement Lucien sur un ton neutre. Hé, Guy, tu ne trouves pas ça bizarre que Mercier nous convoque à son bureau, cet après-midi? D'habitude, c'est nous qui lui courons après...

— Je ne sais pas. Il se trame tellement de choses ici.»

Finalement, au bout de trois quarts d'heure, ce qui était un record pour Jacques Mercier, celui-ci se présenta, en sueur, essoufflé et furieux, au rendez-vous qu'il avait donné à la presse.

«Il a l'air d'un gars qui a couru le marathon!» plaisanta Lucien à voix basse.

En fait, Boivin n'était pas loin de la réalité. Jacques Mercier, en sortant de chez lui, avait eu la désagréable surprise de trouver sa voiture en piètre état, complètement ravagée par le vandalisme dont elle avait été victime durant la nuit. Les chauffeurs de taxi de la ville s'étaient donné le mot pour lui refuser tout service et il avait dû se rendre au Colisée à pieds.

«J'ai une déclaration à faire, dit-il en commençant à empaqueter les souvenirs et effets personnels qui se trouvaient dans son bureau. Parfois, les meilleures intentions sont mal interprétées. Depuis quelques jours, je suis la cible de violentes critiques et on prétend que je suis en conflit d'intérêts.

La situation s'est empoisonnée et, pour le bien du National, je considère que je dois démissionner de mon poste.

«Félicitations, messieurs les journalistes, salua-t-il cyniquement. Après toutes ces années, vous aurez finalement eu ma peau. Vous n'avez qu'à trouver une autre tête de Turc, maintenant. Merci.»

Attaché-case à la main, il se dépêcha de quitter la pièce avant que les reporters ne soient remis du choc de la nouvelle.

☆

Pour la deuxième fois en moins d'une semaine, Joan Faulkner avait convoqué Linda Hébert et Michel Trépanier pour une réunion spéciale. Suffisamment spéciale pour justifier un accueil au champagne. L'éditeur et la directrice buvaient lentement leur vin en attendant poliment que leur employeur leur fît part de l'objet de la rencontre.

«J'arrive maintenant au but de cette réunion, déclara Faulkner. Je voulais que vous en soyez les premiers informés: le groupe Faulkbauer, que je contrôle, déposera demain une offre d'achat pour le National de Québec. Nous sommes prêts à payer vingt millions, soit la même somme que le groupe Davillos. Pas un sou de plus.

— Pas un sou de plus? répéta Linda, qui trouvait inhabituel que madame Faulkner accepte de prendre des risques inutiles.

— Il est assez évident que les gouverneurs préféreront un groupe canadien à un groupe européen, répondit-elle, confiante. Il n'est donc pas nécessaire de faire monter les enchères.

— Cela signifie que *Le Matin* va être propriétaire du National? en déduisit Linda.

— Effectivement. Mais il s'agit de deux corporations distinctes, et il y a des précédents. Au base-ball, par exemple. Le *Chicago Tribune* est propriétaire des Cubs de Chicago et, ce, directement, alors que pour nous, au moins, il s'agira d'une parenté indirecte sur le plan administratif.

— Le syndicat va exiger des garanties énormes, fit remarquer Linda. *Le Matin* doit garder son indépendance vis-à-vis du National.

— Le syndicat, c'est ton affaire, Linda.

— Au moins, se réjouit la directrice, nous sommes maintenant assurés que le National restera à Québec.

— Oui..., dit Faulkner, hésitante. Le National est sauvé.»

Suzie et Louis, épuisés par leur lancement, approchaient du petit aéroport privé où le jeune homme avait l'habitude de laisser son avion. Ils devaient se rendre à Chicoutimi le soir même pour y poursuivre la promotion de leur gamme.

«Fatiguée, Suzie? demanda Marso en immobilisant sa voiture dans le stationnement de l'aéroport.

— Crevée.

— Dommage que Pierre ne puisse pas venir avec nous à Chicoutimi.

— Louis, on ne pourrait pas y aller en voiture? demanda Suzie, inquiète. Il ne fait pas tellement beau.

— Laisse le pilote s'occuper de tout, assura-t-il avec confiance. Avec moi, il ne peut rien arriver.»

Ils se dirigèrent vers le petit avion et s'y installèrent tout en discutant.

«Ça a merveilleusement marché! répéta Suzie. Tout a été parfait. Si ça peut aller aussi bien à Montréal.

— Montréal, c'est dans trois jours, rappela Marso. Il faut d'abord penser à Chicoutimi. Nous sommes en retard.

— Combien de temps ton avion va-t-il prendre pour s'y rendre? demanda-t-elle.

— Une heure et quart, presque rien», répondit-il en faisant démarrer le moteur.

Ils décollèrent sans problème. Suzie se détendit et ils continuèrent à discuter durant une vingtaine de minutes.

Tout à coup, le temps devint réellement menaçant et le Cessna se mit à tanguer dangereusement.

«Es-tu certain que tout va bien aller? s'enquit une nouvelle fois Suzie, effrayée. Regarde les nuages noirs...

— Ça va brasser, mais il n'y a pas de risques», répéta-t-il, avec cependant de moins en moins d'assurance, comme le laissait voir son visage tendu et ses mains crispées.

Un voyant rouge s'aluma sur le tableau de bord.

«Voyons..., murmura-t-il en souriant à Suzie pour la rassurer.

— Louis, j'ai peur!» cria-t-elle en constatant que l'hélice de l'appareil tournait de moins en moins vite.

«Louis? appela-t-elle craintivement.

— Pas de panique, dit-il, couvert de sueur. Il suffit d'atterrir...»

La tâche s'annonçait ardue. L'avion piquait du nez vers les monts couverts de pins du parc des Laurentides.

CHAPITRE XI

La tempête faisait rage au-dessus de Québec depuis la fin de l'après-midi. Trente centimètres de neige s'étaient accumulés et cela continuait à tomber. Par ce temps, personne ne sortait, du moins en général.

Pierre, en effet, conduisait aussi vite qu'il pouvait. Ses pneus dérapaient constamment sur la chaussée glissante et il ne voyait rien au-delà de trente mètres. Patricia restait immobile, les mains jointes sur son ventre gonflé.

Ils finirent par arriver, non sans difficultés, à la maison de Gilles et de Maroussia et se dépêchèrent d'entrer. L'atmosphère était à la crise. La mère de Pierre pleurait dans les bras de Hugo, et son beau-père, en sueur, était en communication avec le quartier général de la police.

«Quelles sont les nouvelles? s'enquit Pierre en retirant son paletot.

— Aucune, répondit Maroussia en se ressaisissant un peu. Ça fait quatre heures qu'ils devraient être à Chicoutimi.»

Pierre, anxieux, s'assit à côté de sa mère et la serra contre lui. Pendant ce temps, Gilles parlait toujours au téléphone.

«Quand est-ce que nous pourrons avoir des nouvelles? demanda-t-il une nouvelle fois au policier.

— Je l'ignore, monsieur Guilbeault, répondit celui-ci.

— Mais, ils vont mourir gelés!

— Monsieur Guilbeault, je ne veux pas entretenir de faux espoirs, déclara l'officier, gravement mais avec franchise. Ils peuvent être morts à l'heure actuelle. Avec une visibilité nulle, leurs chances d'atterrir sans dommage sont très minces.

— Ce que je veux savoir, s'obstina Gilles, c'est ce que vous faites pour les retrouver.

— Présentement, nous ne pouvons qu'attendre la fin de la tempête...

— Il doit y avoir moyen de faire quelque chose, on ne peut pas rester à attendre... Ils sont peut-être blessés, il fait vingt sous zéro. Il faut les trouver!

— Nous faisons tout ce qui est humainement possible, assura l'officier.

— La météo dit quoi?

— On prévoit une éclaircie dans la nuit. On va pouvoir entreprendre les recherches demain matin, avec un hélicoptère et des motoneiges.

— Merci...», soupira Gilles, las de cette frustrante conversation. Il raccrocha et se tourna vers Pierre et Patricia, l'air abattu. «Pas de nouvelles, annonça-t-il. La tempête devrait finir cette nuit et ils vont commencer les recherches demain matin.

— Demain matin? répéta Pierre. As-tu vu le temps? Faut faire quelque chose...

— Tout le monde est prévenu, l'interrompit Gilles. On attend seulement la fin de la tempête...»

Gilles, impuissant face à la situation, se contenta de s'écraser dans un fauteuil. On ne remarqua pas immédiatement l'absence d'Hugo.

Le cadet des Lambert s'était éclipsé dans la cuisine dès que la ligne avait été libérée. Il composa nerveusement le numéro de Marie-France.

«Marie-France? C'est Hugo.

— Ah! Ça va? demanda-t-elle, surprise par son intonation triste et rauque.

— Mal. Très mal. C'est Suzie. Son avion s'est écrasé dans le parc. Je ne veux pas qu'elle meure. Je veux pas.

— Non, c'est pas vrai..., gémit Marie-France, le souffle coupé. Elle va bien aller, asssura-t-elle précipitamment en voyant son père entrer dans la pièce. Dis-toi qu'elle va bien aller, pense-le bien fort. Il faut que je raccroche.»

Elle raccrocha et, d'un coup d'œil, fit une rapide évaluation de l'humeur de son père. Celle-ci, contrairement à ce qu'elle avait été durant les dernières semaines, semblait raisonnablement joyeuse.

«Salut, ma chouette, dit Marc en arrivant près d'elle.

— Papa, assieds-toi...

— Pourquoi?

— Assieds-toi...

— Qu'est-ce qui se passe, Marie-France? demanda-t-il, soudainement inquiet.

— C'est Hugo qui vient de m'appeler. L'avion de Suzie s'est écrasé dans le parc des Laurentides.

— Quoi? hocqueta-t-il, hébété.

— C'est ce qu'il m'a dit, répondit-elle, angoissée. Qu'est-ce qu'on va faire? J'espère que Suzie n'est pas morte...

— Elle ne l'est pas, affirma Marc. Elle n'est pas morte, murmura-t-il pour lui-même. Mon Dieu, faites qu'elle soit vivante.»

Suzie était secouée, mais vivante. Marso avait réussi à poser le petit monomoteur dans une petite vallée sans arbres. L'épaisse couche de neige avait amorti le choc de l'atterrissage, pas assez, toutefois, pour que les passagers s'en tirent sans heurt. Tous deux avaient perdu conscience durant un long moment et la jambe de Louis s'était, à première vue, fracturée.

Le froid avait envahi la cabine et assaillait les deux passagers qui, serrés l'un contre l'autre, grelottaient sous d'insuffisantes couvertures de secours. La buée de leur respiration avait formé sur les vitres une couche de givre qui, en d'autres circonstances, eût été agréable à regarder. Suzie en fit fondre une partie avec sa main, juste assez pour jeter un coup d'œil à l'extérieur.

«Le soleil va bientôt se lever, constata-t-elle. Ta jambe te fait encore mal?

— Je ne la sens plus, fit-il lugubrement. Penses-tu qu'ils vont nous trouver?

— C'est toi le pilote, Louis.

— J'ai envoyé le signal, déclara-t-il, morbide, mais j'en connais des histoires d'atterrissages forcés qui se sont terminés par la mort des passagers.

— Pour l'instant, on n'en est pas là. Ça va se calmer, ils vont nous retrouver. C'est à nous de résister. Parle-moi d'autres choses, Louis. Parle-moi de toi, je ne te connais pas beaucoup, tu sais.

— Tu crois vraiment que c'est le moment? demanda-t-il, défaitiste.

— Tu préférerais qu'on parle de cercueils, de morts, de service funèbre!» s'écria-t-elle.

Marso se tut, gêné. Il grimaça sous la douleur qui traversa sa jambe comme il tentait de se déplacer.

«C'est bien ma chance, soupira-t-il. Tout seul avec toi... Beaucoup d'intimité... Peut-être la dernière nuit de notre vie... Et je ne peux même pas bouger.

— On ne mourra pas, assura Suzie. Je ne te laisserai pas mourir... Quand mon père est mort, raconta-t-elle doucement, personne ne me l'a dit. J'étais dans la voiture et tout le monde était silencieux. Je ne comprenais pas. Puis, maman me l'a dit. La seule chose à laquelle j'ai pensé, c'était que je n'avais pas eu le temps de lui dire que je l'aimais...

— Suzie, Suzie, murmura Marso en se serrant plus fort contre elle. Peux-tu me promettre une chose? Si on s'en sort, essayons au moins un bout de temps ensemble. Tu vas voir, je vais être gentil...

— Tu l'es déjà, gentil, assura-t-elle avec tendresse. Mais ce que tu me demandes, ça ne se commande pas. J'en aime un autre. C'est lui que je veux revoir... Louis, tu es un ami et je t'aime beaucoup. On va éteindre la lampe, il faut ménager nos piles.»

☆

«Nous sommes toujours sans nouvelles du Cessna disparu hier soir dans le parc des Laurentides avec, à son bord, Suzie Lambert et Louis Marso. Les conditions atmosphériques empêchent encore les recherches de commencer. On garde cependant bon espoir de les retrouver vivants. À Pierre Lambert et à toute sa famille, laissez-moi vous dire que les témoignages d'affection et les offres d'aide affluent de partout.»

Linda, occupée, sans grand enthousiasme, à préparer le petit déjeuner, éteignit la radio. Elle se tourna vers Frédéric.

«J'espère que Suzie Lambert est vivante, dit-elle. Ça va déjà assez mal pour le National...

— Le soleil de Californie va arranger tout cela, risqua Tanner, narquois. À San Francisco, le National va prendre des vitamines.»

Linda lui décocha un regard irrité.

«Tu penses que vous avez une chance contre la Faulkbauer Corporation et la toute puissante madame Faulkner?

— Ils offrent vingt millions, comme nous, expliqua Frédéric. C'est étrange, car nous avions calculé que, si le National restait à Québec, le déficit s'échelonnerait sur au moins dix ans. Elle ne ferait pas une bonne affaire.

— Mais elle garde le National à Québec...

— À offre égale, la Ligue nationale pense surtout à ses profits, continua-t-il. Le National plafonne à Québec alors que le marché de la Californie, avec ses gros réseaux de télévision, est beaucoup plus attrayant.

— Tu crois que vous avez une chance? Joan Faulkner ne fait pas une offre sans avoir toutes les cartes en main.

— Peut-être ne dit-elle pas tout..., suggéra Tanner.

— Qu'est-ce que tu veux dire?

— Je ne sais pas. Je vais me procurer une copie de leur offre d'achat.

— C'est faisable?

— Facile. Tous les gouverneurs en reçoivent une.»

☆

L'aube s'était levée et la tempête, calmée. Le soleil diffusait une étrange lumière par les vitres couvertes de givre. Les deux passagers sommeillaient.

Le silence complet qui régnait sur les collines fut imperceptiblement troublé par une légère vibration, qui augmenta peu à peu. Suzie, encore assoupie, l'entendit dans son sommeil. La vibration se transforma graduellement en un ronronnement familier qui eut bientôt raison de son engourdissement. Elle s'éveilla, le cœur battant.

«Louis! Louis! s'écria-t-elle, folle de joie. Un avion!»

Ne se souciant maintenant plus de la température, la jeune femme se jeta hors du cockpit et tomba dans la neige en riant et en faisant de grands gestes.

☆

Jacques Mercier, depuis sa démission, restait chez lui presque toute la journée. Il repensait aux circonstances qui l'avaient mené là. Avait-il quelque chose à se reprocher? Goldman lui avait offert plus de un million de dollars pour «nettoyer» le National. Tanner lui avait réservé un poste après la vente. Sa seule erreur avait été d'ignorer les projets de transfert de Tanner, mais elle avait été fatale.

Il ne lui en tenait pourtant pas rancune. Chacun avait agi honnêtement, en fonction de ses intérêts. Tanner, lui, s'en voulait un peu d'avoir entraîné son ami dans cette affaire. Ce jour-là, il vint trouver Mercier pour lui assurer son soutien en cas de coup dur.

«Je sais que c'est un peu trop tôt, commença-t-il, embarrassé, mais j'aimerais te garantir...

— Non, l'arrêta Jacques, devinant la suite. Même si le National devait être transféré à San Francisco, mes jours de directeur général sont finis.

— Tu veux redevenir entraîneur?

— Je veux d'abord retrouver une vie de famille normale. C'est ça, l'important. Ce que j'ai de mieux à faire, c'est de retourner en Suisse.

— Jacques, tu es un homme d'expérience et un ami, confia Frédéric. Il y aura toujours un poste pour toi, même si nous n'arrivons pas à acheter le National...»

Les deux hommes s'interrompirent et se retournèrent vers la porte qui venait de s'ouvrir. C'était Jimmy qui rentrait, accompagné d'une camarade.

«Hi, dad! Je te présente Marie-France. Bonjour, monsieur Tanner.

— Enchanté, fit la jeune fille en serrant la main de Jacques. J'ai beaucoup entendu parler de vous.

— En bien, j'espère, répondit-il en jetant un coup d'œil méfiant vers Jimmy.

— Mon père, annonça-t-elle brutalement, c'est Marc Gagnon!

— Marc Gagnon! répéta Mercier en haussant les sourcils.

— Viens, Marie-France, pria Jimmy qui s'amusait de la surprise de son père.

— C'est pour cela que tu ne voulais plus retourner en Suisse», le taquina Tanner, en constatant que la meilleure façon de s'attacher à un pays ne change pas avec l'âge.

C'était au tour de Guilbeault d'être convoqué par John Aylmer. Le président de la Ligue l'avait poliment invité dans un grand restaurant de Montréal pour lui faire, avait-il laissé entendre, une offre importante.

Gilles, méfiant, se doutait de la nature de cette offre. Il entra dans le restaurant. Aylmer se leva pour l'accueillir. Le président se montra très cordial et les deux hommes s'attablèrent.

«J'espère que nous pourrons nous entendre, souhaita vivement Aylmer.

— Nous entendre sur quoi? demanda Guilbeault.

— Le départ soudain de Jacques Mercier a pris tout le monde par surprise, attaqua Aylmer. On ne peut pas laisser le

National sans directeur général, c'est impensable. Nous avons besoin de toi, Gilles.

— Pour continuer la job de bras de Mercier? répondit froidement Guilbeault, nullement surpris. Vous voulez quelqu'un pour payer les factures et signer les chèques de paye? Je ne suis pas intéressé. D'ailleurs, avec des nouveaux propriétaires le 2 avril, pouvez-vous me garantir une job le lendemain?

— Je serai franc: non. La Ligue nationale est responsable du club jusqu'à sa vente. Après, les nouveaux proprétaires en feront ce qu'ils voudront.

— Vraiment pas intéressant, comme offre...

— Et si tu avais carte blanche pour diriger le club?

— Qu'est-ce que ça veut dire: carte blanche?

— La Ligue te laisserait diriger l'organisation comme tu l'entends. Elle ne ferait qu'entériner tes décisions.

— Jusqu'à la vente..., ajouta pensivement Gilles. Pouvez-vous me garantir que le National ne sera pas transféré à San Francisco?

— Ce n'est pas de mon ressort. C'est le vote des gouverneurs qui décidera du sort du National.

— Ouais..., grogna Guilbeault. Je vais accepter. Mais juste pour voir à ce que les joueurs et le public ne se fassent pas fourrer.»

Suzie s'était tirée indemne de l'atterrissage forcé, mais Louis avait subi quelques engelures et une fracture du tibia qui avaient nécessité quelques jours d'hospitalisation. Suzie lui rendait fréquemment visite et, ce jour-là, ils se promenaient en bavardant dans les couloirs de l'hôpital. Marso, toujours séduisant malgré sa démarche claudicante et ses béquilles, se fit saluer gentiment par une infirmière. C'était la troisième fois en un quart d'heure.

«Tu as l'air populaire.

— Il n'y a qu'avec toi que mon charme ne marche pas... soupira-t-il. Comment va la promotion?

— J'ai recommencé ce matin, mais tout le monde préfère me parler de notre accident plutôt que de nos parfums.

— C'est la meilleure publicité indirecte qu'on pouvait avoir, dit-il en ricanant. Comment ça va avec Marc?

— Je ne sais pas, répondit-elle en s'assombrissant. Dans l'excitation du retour, avec tous les gens qui nous entouraient, je l'ai vu juste un moment. Il avait l'air content, mais je l'ai perdu une minute après.

— Appelle-le! suggéra-t-il sans arrière-pensées.

— Il n'en est pas question!»

L'orgueil puéril de Suzie fit sourire Marso.

Le National était à l'exercice. Une partie de l'équipe, vêtue d'un chandail rouge, en affrontait une autre, en vert, pour un match simulé. Étienne Tremblay, dont la popularité n'avait pas augmenté auprès de ses coéquipiers, fit une montée vers le camp adverse et, négligeant de passer la rondelle à Roberge, qui pourtant était bien placé pour compter, lança au filet et rata sa cible.

Les autres joueurs le regardèrent avec irritation. Marc, furieux, patina à sa rencontre. Il le fixa droit dans les yeux.

«Tes petits solos, ça n'intéresse personne! hurla-t-il. Va prendre ta douche, tu as fini pour aujourd'hui. On va laisser la rondelle aux autres.»

Tremblay, intraitable, retourna au vestiaire en jurant. Gagnon, écœuré, préféra lui aussi s'en aller et demanda à son assistant de poursuivre l'entraînement.

Marc gagna son bureau et s'y enferma. Il se servit un café, le regarda refroidir, le goûta, le déclara imbuvable et le lança violemment dans la poubelle. Il s'écrasa dans son fauteuil et se mit à examiner quelques papiers. Au bout de quelques minutes, une partie de cette paperasse, soigneusement déchiquetée en minuscules morceaux, avait rejoint le café. On cogna à la porte. C'était Nounou.

«Marc, la réunion avec Guilbeault... Qu'est-ce qu'il y a? s'enquit-il en voyant l'air hagard de l'entraîneur.

— Ce qu'il y a? répéta Marc, découragé. Veux-tu une liste? Je commence à penser que cette équipe irait mieux sans moi. Je n'ai plus la tête à rien. Je pense juste à...

— À Suzie? devina le soigneur.

— Je l'ai perdue..., soupira Gagnon d'un air désespéré. Trop stupide, trop jaloux. Quand l'hélicoptère l'a ramenée, il y avait plein de gens autour d'elle... Elle était belle! Je n'ai pas été capable de me retrouver seul avec elle alors je suis parti. Je la voulais à moi... On est pas faits pour vivre ensemble, j'imagine.

— Tu dis n'importe quoi! J'ai plutôt l'impression que c'est le contraire, que vous êtes faits pour vivre ensemble. Mais il faut que quelqu'un fasse les premiers pas... à moins que tu ne préfères te retrouver tout seul. Autrement dit, Marc, conseilla-t-il sans ménagement, arrête de te lamenter et grouille-toi le cul!»

Marc, pris de court, releva la tête et, devant le sourire amusé de Nounou, dut s'avouer que celui-ci avait raison.

Le soigneur le laissa sur ces paroles, trop content de son effet pour risquer de le gâcher. Gagnon se mit lui aussi à sourire et, à son tour, quitta le bureau pour se rendre à la réunion spéciale qu'avait organisée Guilbeault pour marquer son retour à la direction.

Marc fut le dernier à entrer dans la salle de conférence. Tous les joueurs, attentifs, s'y étaient rendus dès la fin de l'exercice. Gilles, voyant que tous étaient présents, entama son discours.

«Si je vous ai réunis, ce n'est pas pour vous faire un speech de directeur général, mais pour faire le point. Nous sommes en mars. L'équipe est dans la cave du classement. On a un retard de six points qu'il faut absolument combler si nous voulons participer aux séries.

«Je vois la même équipe que l'an dernier, continua-t-il. Quelques absents, quelques nouveaux qui nous font honneur, même s'ils manquent de jugeote par moments. On est moins forts en défense, il va falloir travailler là-dessus.

«Oublions les rumeurs d'achat et concentrons-nous sur

le hockey et le plaisir qu'on peut y trouver. Je ne sais pas si vous pensez comme moi, mais s'il faut que je parte d'ici, j'aime autant le faire la tête haute que la queue entre les jambes, en train de brailler sur mon sort. On est des champions! Montrons au monde ce que c'est, des champions!»

Les joueurs approuvèrent joyeusement en sifflant, en applaudissant et en criant des mots d'encouragement.

☆

Linda et Frédéric, les traits tirés, les paupières lourdes, étudiaient de volumineux dossiers. Ils s'acharnaient, malgré l'heure tardive, à passer au peigne fin l'offre d'achat déposée par Joan Faulkner aux bureaux de la Ligue. Tanner, à bout de nerf, revérifiait sans cesse les calculs qui couvraient les pages du document. Buté, il finit par faire part de sa confusion à Linda.

«Il y a des choses que je ne comprends pas, répéta-t-il, épuisé. Leurs prévisions budgétaires sont irréelles. Ils ne peuvent pas éponger le déficit de l'achat du National en cinq ans... Et ils font référence à une annexe G qui n'est pas dans le dossier.

— Qu'est-ce que c'est que cet item? demanda Linda, intriguée.

— Toute la publicité, les réseaux de télévision et de radio.

— Montre-moi ça.

— Ici, tu as les prévisions budgétaires.»

Tanner remarqua aussitôt l'étonnement de Linda devant les colonnes de chiffres. Elle avait visiblement découvert quelque chose qui lui avait échappé.

«Vingt mille deux cent onze..., prononça-t-elle lentement. Ils multiplient tout par vingt mille. Le Colisée ne contient pas plus de seize mille spectateurs...

— Vingt mille deux cent onze..., répéta pensivement Frédéric.

— Regarde, dit-elle en lui tendant un document qu'elle

était allée chercher à l'instant dans sa bibliothèque. Il n'y a pas une enceinte dans la Ligue nationale qui contienne vingt mille personnes. À moins que...

— Un nouvel aréna? demanda Tanner.

— Certainement pas à Québec», assura Linda, triomphante.

Marc pénétra d'un pas décidé dans le hall d'entrée de l'école. Quelques étudiants se poussèrent du coude en reconnaissant l'ancien joueur étoile et actuel entraîneur du National. Gagnon, impatient, en aborda un et lui demanda: «Le bureau du directeur, monsieur Béliveau?»

L'étudiant lui pointa du doigt une porte. Marc s'en approcha, cogna. On l'invita à entrer.

«Monsieur Gagnon, asseyez-vous, pria Béliveau.

— Vous m'avez appelé pour Marie-France, fit Marc, inquiet. Qu'est-ce qui se passe?

— Ça ne va pas avec Marie-France, annonça le directeur avec regret. Ses notes ont énormément chuté et, maintenant, elle s'absente de plus en plus souvent...

— Absente? Elle vient tous les jours, c'est moi qui la dépose!

— Elle n'est pas ici, aujourd'hui, fit tristement Béliveau en lui tendant un dossier. Elle n'était pas là hier, ni avant-hier. Regardez le nombre d'absences accumulées depuis deux mois...»

Marc examina le rapport silencieusement, le regard sévère.

«Vous pouvez être sûr qu'elle va être là demain..., marmonna-t-il mécontent.

— S'est-il passé quelque chose, récemment, qui puisse expliquer son changement de comportement?

— Ça, ça va se régler entre moi et Marie-France, assura Marc. Tout ce que je peux vous dire, monsieur, c'est que je vais m'occuper de ses absences et de ses notes. Excusez-moi, je dois vous quitter. Je vous remercie de m'avoir appelé.»

☆

Jacques Mercier, pour échapper à l'ennui et à la solitude qui pesaient sur lui depuis sa démission, avait accepté une invitation de Peter Jerrings à assister à un match des Maple Leafs, à Toronto. Les deux hommes regardaient la partie, confortablement installés dans une loge. Le jeu était excitant, les Torontois, talentueux.

Après un beau but de son équipe, Jerrings demanda à Mercier:

«Alors, qu'en penses-tu?

— De quoi?

— Des Leafs. Pourquoi ne gagne-t-on pas plus souvent avec une si bonne équipe?

— Ce n'est pas vraiment de mes affaires, Peter... Mais, disons que tes Maple Leafs manquent de discipline, d'intensité. Dis-moi, pourquoi as-tu gardé Brian Harvey comme entraîneur au début de la saison?»

Peter Jerrings ne répondit pas. Il parut embarrassé, mais pas outre mesure.

«Je vais congédier Harvey dès la fin de la semaine, annonça-t-il.

— Bonne décision, approuva Mercier, sans pitié.

— Et je veux t'avoir pour entraîner les Maple Leafs de Toronto.

— J'ai quitté le hockey, dit Jacques, hésitant.

— Tu ne pourras jamais. Tu as ça dans le sang.

— Je ne sais pas. Je ne sais plus, bafouilla Mercier, confus.

— Les Leafs sont jeunes, renchérit Jerrings. C'est une équipe sur le point d'exploser, comme Edmonton il y a quelques années. C'est un grand challenge pour un homme comme toi.

— Peut-être...», admit Mercier, maintenant refermé sur lui-même, préférant demeurer imperturbable.

☆

Ce matin-là, à l'entraînement, la tension entre Tremblay et les vétérans de l'équipe atteignit son paroxysme. À l'issue d'un très simple exercice de sortie de zone bien exécuté par Templeton, Étienne vint, sans raison apparente, frapper le fier-à-bras, durement, par-derrière.

Mac tomba à la renverse. Un silence pesant se fit dans le Colisée. Templeton se leva, se secoua et, fou furieux, se jeta sur Tremblay. Il fallut Martin, Bradshaw et Roberge pour le maîtriser.

Pendant ce temps, Étienne, nullement satisfait, se mit à le provoquer davantage tout en patinant autour de lui.

«Allez! Arrive par en avant! ordonna Mac, enragé.

— Du calme, Mac, du calme..., conseilla Steve, lui-même irrité au plus haut point.

— Laissez-moi!

— Tu veux te battre? continua Tremblay, pétri d'arrogance. Eh! bien, tu ne me fais pas peur! Viens-t'en...»

Gagnon en avait assez vu. Il s'approcha de la recrue.

«E.T., arrête-moi ça, ordonna-t-il, étonnamment calme. Garde tes forces pour le Canadien. Toi, Mac, t'as assez pratiqué pour aujourd'hui. On se parlera tout à l'heure.

— Pourquoi moi? protesta Templeton, outré.

— Ça n'a rien à voir avec toi, Mac, assura Marc. C'est seulement que les jeunes ont besoin de travailler plus. Compris?»

Cette fois, ce fut au tour de Templeton de s'en retourner au vestiaire en jurant. Gagnon attendit qu'il eut quitté la patinoire, puis se rapprocha encore du provocateur, le regarda droit dans les yeux et lui dit: «E.T., un de ces jours, quelqu'un va te foutre une volée et tout le monde applaudira. C'est sans doute ça qu'il te faut!»

Dans les gradins, les quelques journalistes présents

étaient stupéfaits par le comportement de Tremblay. Le premier à commenter la scène fut Guy Drouin, à qui la face du Saguenéen ne revenait pas.

«Pourquoi est-ce qu'ils ne les laissent pas aller? lança-t-il à la ronde. Ça lui ferait du bien, à ce petit morveux, de se faire moucher.

— Il t'a impressionné, toi, Big Mac, dans ses dernières batailles? objecta Lucien.

— Pas vraiment. Pourquoi?

— Justement, c'est à cause de ça...

— Charrie pas, protesta Drouin, Mac est encore capable de prendre son homme...»

Frédéric traversa la salle de rédaction du *Matin* en coup de vent. Il se dirigea d'un pas pressé vers le bureau de Linda, où il entra sans s'annoncer en refermant la porte derrière lui.

«Alors? demanda-t-il avidement.

— Je viens d'avoir la confirmation du Conseil de la radio et de la télévision pour l'octroi de permis de diffusion, annonça-t-elle, exhultante. Le réseau Total TV, que possède Joan Faulkner, a fait une demande pour la retransmission des matches du National... à partir de Hamilton.

— Hamilton?

— Hamilton, dont le conseil municipal vient d'accorder un permis à la Faulkbauer Corporation pour la construction d'un aréna de vingt mille deux cent onze places. La pute est en train de déménager le National à Hamilton!

— Hamilton..., songea Tanner. D'un point de vue strictement financier, ça avantage mon groupe.

— Pourquoi?

— Hamilton sera directement en compétition avec Toronto. Ils ne pourront jamais générer autant de revenus que Davillos à San Francisco.

— Tu oublies que le hockey est beaucoup plus populaire en Ontario qu'en Californie, rappela Linda. Et puis, une forte rivalité entre Toronto et Hamilton pourrait s'avérer très payante en termes d'assistance et de cotes d'écoute. Si Faulkner n'était pas certaine de l'emporter, elle aurait fait une offre supérieure à la vôtre...

— Est-ce que ton journal va publier?

— Qu'on essaie seulement de m'en empêcher. J'ai déjà prévenu Michel Trépanier et je dois rencontrer Faulkner dans quelques minutes.

— Pas trop nerveuse?

— J'ai une de ces trouilles!»

Linda rassembla ses documents et se prépara à quitter le bureau. Tanner lui souhaita bonne chance et la laissa seule.

Elle se rendit à l'étage supérieur, celui de l'administration. Une secrétaire l'annonça. Elle entra dans l'immense et luxueux bureau de Joan Faulkner. Celle-ci l'accueillit de façon glaciale.

«Bonjour Linda. Tu voulais me voir? Sois brève, j'ai une migraine épouvantable.»

Linda déposa son document sous le nez de Faulkner.

«Qu'est-ce que c'est? demanda celle-ci avec impatience.

— Tout ce qui concerne le transfert du National à Hamilton.

— Oui. Et après? répondit Joan, imperturbable.

— Vous confirmez ces informations? Cela veut dire que vous m'avez poussée à démolir Jacques Mercier, un homme respecté, et une organisation solide pour le bien de vos petites combines.

— Je te croyais moins naïve, la réprimanda Joan, doucement, avec mépris. Le bien de la Faulkbauer Corporation est aussi le bien du *Matin*, ne l'oublie pas.

— *Le Matin*, rétorqua Linda, ce n'est pas une grosse corporation de Toronto. *Le Matin*, ce sont ses journalistes, ses lecteurs. C'est nous tous, les Québécois.

— Des mots, Linda, dit Faulkner en ricanant. *Le Matin*, c'est moi. Et *Le Matin* fait ce que je veux. Et je veux qu'il commence à préparer le terrain pour l'annonce qui sera faite d'ici un mois.

— Quoi?

— Expliquer aux gens que le National ne peut plus survivre à Québec, qu'il va prospérer à Hamilton et que, grâce à mon réseau de télévision, ses quatre-vingts matches seront diffusés dans la Vieille Capitale.

— Je dois devenir folle.

— Pas du tout, Linda, continua Joan, amusée. C'est même toi qui va expliquer au peuple que c'est lui qui sort gagnant de cette histoire. Au lieu de devoir payer pour aller au Colisée, son équipe lui sera offerte gratuitement, dans son salon.

— Et vous pensez que les gens vont se laisser berner de la sorte sans réagir? demanda Linda, incrédule. Je suis ici parce que mon patron, Michel Trépanier, m'a demandé de vous voir avant de publier cette information.

— Je l'interdis, ordonna Faulkner, irritée. Rien avant le 2 avril. Nous n'avons plus rien à nous dire.

— Je ne suis pas d'accord.

— Si jamais un mot de cette histoire est publié, menaça Joan, maintenant en colère, tu es congédiée. Et tu ne travailleras plus jamais comme journaliste, j'y veillerai personnellement. Je te connais, Linda, sans carrière, tu n'es rien. C'est pour ça que je t'ai choisie, déclara-t-elle, soudainement calmée. Tu me ressembles...»

Son regard devint vague pendant un instant, puis elle se ressaisit: «Je suis fatiguée et tu commences à m'agacer sérieusement. Ramasse ta paperasse et fous le camp.»

«Allô? Robert? C'est la Veuve.

— Oui, Champagne? Qu'est-ce qui se passe?

— Je l'ai vu. Son dealer vient d'arriver. Ils sont allés aux toilettes pour faire leur trafic.

— As-tu averti les autres?

— Oui, c'est fait.

— Parfait, j'arrive.»

Robert Martin raccrocha. Il enfila un manteau et s'apprêta à sortir. Sa femme, qui, jusque-là plongée dans ses livres, l'ignorait complètement, demanda:

«Tu sors?

— Pour la différence que ça fait, marmonna-t-il, cynique.

— Quoi, encore?

— Pierrette, il faudrait qu'on se parle, toi et moi.

— On se parle. On se parle souvent, répliqua-t-elle, d'humeur guère plus joyeuse que celle de son mari.

— Oui, pour se rappeler d'acheter du lait ou de signer les papiers scolaires des enfants.

— Robert, tu as tes affaires, j'ai mes études, répéta-t-elle. Nous sommes autonomes, tous les deux.

— Je sais: un couple moderne! On forme un couple moderne! Moi, je m'ennuie dans mon couple moderne.

— Laisse le temps faire les choses. Tu vas t'adapter.

— Tu pourrais te préoccuper un peu plus de moi, la réprimanda-t-il. Ça me donne quoi, de vivre ici?

— Je ne te comprends pas...

— Laisse faire!» s'exclama-t-il en claquant la porte.

L'air frais de la mi-mars le calma un peu. Il monta dans sa voiture et se mit en route vers *La Veuve Joyeuse*, où quelques-uns de ses coéquipiers l'attendaient. Ils avaient organisé une petite fête pour l'un d'entre eux.

Bradshaw, Mercure et Templeton l'accueillirent devant la porte du bar. Ils entrèrent sans se faire remarquer et marchèrent silencieusement vers Étienne Tremblay, qui conversait innocemment avec Gilles Champagne.

«Il paraît que tu as planté Templeton? dit le barman en faisant un clin d'œil discret à Mac qui écoutait.

— Ouais, approuva Étienne, anormalement fébrile et excité. Le gros, il s'est ramassé sur son gros cul. Et quand il s'est relevé, je lui ai dit de s'approcher, que j'attendais rien que ça pour continuer l'ouvrage.

— Ah oui? commenta Champagne, qui s'amusait comme un enfant. Mon Étienne, ça se peut que tu puisses dire tout ça directement au gros Mac. Regarde, il est juste en arrière de toi.»

Tremblay se retourna et les cinq hommes virent son visage se décomposer. Il tenta orgueilleusement de ne montrer aucune émotion en continuant à siroter sa bière. Martin prit la parole:

«E.T., on a décidé qu'on avait à te parler.

— J'ai pas fini ma bière.

— Tu viens quand même.»

Là-dessus, Bradshaw et Templeton, qui s'étaient placés l'un à sa gauche et l'autre à sa droite, le soulevèrent sans effort apparent. Tremblay joua le jeu et se laissa porter jusqu'à la voiture de Mercure où les autres lui firent prendre place, solidement encadré par les deux armoires à glace.

Personne ne lui dit où l'automobile se rendait. Arrivé sur place, Étienne constata avec inquiétude qu'il s'agissait d'un gymnase de boxe. Vide. Les cinq autres avaient visiblement loué la salle pour une occasion spéciale.

Templeton alla se changer pendant qu'on ordonnait à Tremblay de retirer sa chemise et qu'on lui enfilait des gants de boxe. Robert lui expliqua de quoi il retournait.

«Vois-tu, E.T., commença le capitaine, il faut qu'une recrue soit initiée. D'habitude, on rase le jeune des pieds à la tête, ou on le déguise en punk, ça dépend. Mais toi, tu as la tête dure et t'es fort comme un bœuf, alors ça te prend quelque chose de spécial.

— Jamais personne ne m'a mis knocked-out, bonhomme, s'obstina Tremblay.

— On le sait», répondit Martin avec un immense sourire.

Templeton, en survêtement de boxe, sortit du vestiaire, accompagné de Bradshaw et de Mercure. Mac portait des gants, lui aussi. Étienne préférait ne pas comprendre.

«C'est une farce? demanda-t-il avec moins d'assurance.

— C'est pas une farce. Les gars ont décidé que c'est ce soir que tu deviens un vrai membre du National.»

Étienne et Mac montèrent sur le ring. Champagne, qui avait accompagné le groupe, examina leurs gants. Il souffla à Tremblay: «Faut pas te gêner pour cogner. Mac a fait les Golden Gloves à Chicago.»

La vue de l'imposante morphologie de Templeton eut raison du calme de Tremblay. Il l'exhorta frénétiquement à venir se battre. Martin frappa le gong et le combat commença.

☆

«Marie-France!» hurla Marc depuis la cuisine.

La jeune fille, qui se doutait de la raison de ce réveil brutal — et très matinal —, s'habilla rapidement et descendit les escaliers à la course.

«J'arrive! Tu es bien pressé, ce matin, fit-elle remarquer, inquiète.

— Je veux seulement que tu arrives à temps.

— On a encore une heure..., dit-elle en s'asseyant devant son jus d'orange.

— Oui, mais nous allons voir monsieur Béliveau pour que tu lui expliques pourquoi tu ne vas plus à tes cours et pourquoi tu risques d'échouer dans toutes tes matières.»

Marie-France se sentit blêmir dangereusement. Elle adopta la seule attitude possible en pareille situation: elle fixa son verre sans détourner les yeux.

«Je ne suis pas content, Marie-France, continua son père. Pas content du tout. Il va falloir mettre les choses au point. Je suis d'accord: tu as passé une période difficile. Mais ton avortement, c'est du passé. Tu ne commenceras pas à t'en servir pour tout lâcher. La vie continue, tu vas à l'école et tu rentres à l'heure que je te dis! Ou alors...

— Ou quoi? interrompit Marie-France. Tu vas me mettre à la porte? Ça ne sera pas nécessaire! Je vais m'en aller!

— Tu ne feras pas la loi ici! cria Marc, fâché. Je ne suis pas contre toi. Je veux seulement que tu sois heureuse, mais, pour ça, il faut que je sache ce qui se passe, il faut que je comprenne... Pourquoi tu ne vas plus à tes cours? demanda-t-il, perplexe.

— J'ai pas envie. Je n'ai plus envie de rien, gémit-elle, au bord des larmes.

— Tu sais, pour avoir envie de quelque chose, il faut s'aider, expliqua-t-il sévèrement. Il faut vouloir avoir envie.

— Tout est toujours de ma faute, se plaignit-elle. Tu ne parles même plus à Suzie. C'est moi qui vous ai séparés.

— T'en fais pas avec ça, la rassura Marc, cynique, Suzie et moi sommes assez têtus pour le faire nous-mêmes. Tu vas t'enlever ça de la tête. Prépare-toi!

— J'ai pas besoin d'ordres!

— Sais-tu, Marie-France, confia son père, moins agressif, ce qui me fait le plus peur, c'est que tu me ressembles tellement...»

☆

Linda avait demandé à Michel Trépanier de venir la rejoindre à son bureau, en espérant que ses conseils pourraient disperser la confusion qui régnait dans son esprit. Elle lui expliqua nerveusement le dilemme devant lequel elle se trouvait. L'éditeur, fidèle à sa réserve habituelle, ne fit que lui répéter de vagues principes. Linda lui répondit par d'autres principes.

«*Le Matin* appartient à ses lecteurs, exposa-t-elle. Notre raison d'être, c'est l'information. Sacrifier cette raison d'être, c'est renier ce que nous sommes.

— Je sais, admit tristement Trépanier. C'est difficile à avaler.

— Si le syndicat apprenait ce qui se passe..., murmura-t-elle, effarée.

— Le problème ne se pose pas, tu fais partie des cadres de cette entreprise, lui rappela-t-il. Dans cette affaire, tu dois être solidaire du clan patronal. Si jamais un journaliste syndiqué découvrait l'histoire, alors, on verrait. Mais ton devoir est de te taire.

— Et toi?

— Je suis dans le même bateau. Je suis désolé. Rien ne sera publié sur le transfert du National à Hamilton, déclara-t-il.

— Le cœur me lève...

— Moi aussi, parfois, fit-il pensivement. J'ai du travail. Je te laisse.»

Linda, encore une fois, se retrouva seule, sans avoir trouvé le réconfort espéré. Découragée, elle décida de passer la journée à travailler sur d'autres dossiers. Sans grand enthousiasme, elle se mit à l'œuvre.

Quelques heures plus tard, elle reçut la visite inattendue de son ancien supérieur, Ben Belley. Le rédacteur des pages sportives, cordialement détestable de coutume, semblait embarrassé devant la mine morose de Linda.

«Es-tu occupée? demanda-t-il poliment.

— Non, pas vraiment, soupira-t-elle.

— Linda... Michel m'a parlé de l'histoire du National à Hamilton.

— Ah bon! Je suppose qu'un homme d'aussi bonne compagnie que la tienne comprend ma situation, répliqua-t-elle, ironique.

— Justement. Tu me déçois, Linda, répondit sans ménagement Belley, dont le naturel revenait au galop.

— Pardon? fit-elle, déconcertée.

— Tu me déçois, Linda Hébert. Je t'ai connue avec plus de tripes. Tu sais comme moi que cette nouvelle doit sortir. Et si elle sortait ailleurs que dans *Le Matin*, je ne te le pardonnerais jamais.

— Ben Belley, répondit-elle sur le même ton, je n'ai pas besoin d'une leçon de morale.

— Ne me dis pas que c'est à la toute fin que je vais avoir la preuve que je me suis trompé, dit-il, mordant. Il y a treize ans, quand le poste s'est libéré, j'aurais dû engager un homme!»

☆

Les joueurs n'avaient pas encore revêtu leur équipement. La séance n'allait pas débuter avant une heure mais tous, sauf Étienne Tremblay, étaient présents. Robert Martin et Pierre Lambert, debout, appuyés à la table centrale du vestiaire, présidaient cette réunion spéciale. Le capitaine commença:

«Nous sommes à quatre points de la quatrième place de

la division. C'est encore le temps de rattraper Hartford et de se classer pour les séries. Mais il faut se réveiller! D'accord? demanda-t-il à la ronde.

— D'accord? répéta Pierre plus énergiquement en voyant que la réponse tardait à venir.

— D'accord! s'écrièrent en chœur les joueurs.

— On avait un problème avec E. T., continua Robert. Le problème est réglé, annonça-t-il avec un drôle de sourire. Il ne savait pas qu'il y avait une réunion, cet avant-midi. Quand il va arriver, je veux qu'il sente qu'il fait partie de l'équipe.

— E.T., poursuivit Pierre, c'est une tête forte. Mais il faut des gars de même dans une équipe gagnante. Je n'ai pas joué depuis un mois, alors je ne me sens pas trop le droit de parler, mais je me dis que, tous ensemble, on peut sauver notre saison. Pas vrai?

— Ouais! répondit l'équipe.

— Les vieux comme moi, reprit Martin, enthousiaste, on va donner tout ce qui nous reste, mais ce sont vous, les jeunes, E.T., Danny, René, qui allez nous faire gagner.»

La porte s'ouvrit. Étienne Tremblay, la mine pitoyable, fit un pas à l'intérieur du vestiaire, mais s'arrêta en constatant que tout le monde était déjà arrivé. Il avait le visage éraflé et enflé, l'œil gauche tuméfié. Une éclisse soutenait son nez informe, pourtant droit et fier quelques jours plus tôt. Templeton et ceux qui avaient assisté à l'«initiation» du jeune homme ne purent réprimer un sourire. Le reste de l'équipe, bien qu'au courant, fit semblant de ne rien voir.

Tremblay, honteux, hésita à pénétrer dans la salle. Pierre, conciliant, vint le prendre par l'épaule en lui lançant, avec un air entendu: «Ta voiture doit être dans un bel état!»

Étienne le regarda de son œil valide, sans trop comprendre, puis, avec quelques secondes de retard, répondit: «Peut-être, mais tu devrais voir l'autobus!»

Toute l'équipe éclata de rire et Templeton invita amicalement le jeune homme à venir s'asseoir entre lui et Bradshaw.

«T'es un dur à cuire, assura Mac en lui tapant dans le dos, on va bien s'amuser, ensemble.»

Tremblay esquissa un sourire gêné, puis se mit à rire avec les autres.

☆

Gilles fut réveillé par la sonnerie du téléphone. Complètement hagard, il décrocha machinalement le combiné:

«Oui...

— Gilles? fit une voix qu'il connaissait. Ici Jacques Lacasse, excuse-moi d'appeler si tôt...

— C'est quoi, la farce? marmonna Guilbeault.

— As-tu lu *Le Matin*? demanda le journaliste, surexcité.

— Non. Mon camelot ne devrait pas se lever avant une heure, répondit Gilles, acerbe.

— Linda Hébert titre: «Après San Francisco, Québec perd le National pour Hamilton».

— Quoi? demanda Guilbeault, tout à coup bien réveillé.

— Elle explique que, si l'offre d'achat de Joan Faulkner est acceptée, le National déménagera à Hamilton dès l'an prochain!

— Es-tu sérieux? Rappelle-moi vers huit heures, quand j'aurai lu l'article.»

Pierre apprit la nouvelle peu de temps après, en prenant son journal sur le pas de la porte. Il lisait l'article de Linda quand Patricia, à qui ses sept mois et demi de grossesse donnaient cette douce beauté propre aux femmes enceintes, vint l'embrasser dans le cou. Pierre posa amoureusement sa tête sur son ventre.

«Comment vont mes deux amours? demanda-t-il.

— J'ai bien dormi, répondit-elle, mais Bon Dieu qu'il peut bouger, ce bébé-là! Quelles sont les nouvelles?

— Mauvaises..., dit-il en s'assombrissant. Le National déménagerait à Hamilton. Il n'y a plus moyen de croire qui que ce soit dans cette histoire.

— Pierre, j'aimerais que notre bébé vienne au monde ici, à Québec.

— Pas de problème pour ça, assura-t-il.

— Je n'ai pas le goût d'aller vivre à Hamilton. Je voudrais élever notre enfant ici, chez nous.

— Moi aussi, c'est ce que je veux. Il y a autre chose, Patricia. Voudrais-tu qu'on se marie avant d'avoir le bébé?

— Bien... Ça serait super, mais on n'est pas obligés. Je t'aime, tu m'aimes, on n'a pas besoin d'un contrat...»

Ils restèrent enlacés un long moment, puis Patricia se souvint de quelque chose.

«Sais-tu qui m'a appelé, l'autre jour? demanda-t-elle, mécontente.

— Non?

— Une certaine Vanessa Faulkner. Elle voulait avoir une entrevue avec moi.

— Tu as refusé, j'espère!

— Non. J'ai accepté. T'en fais pas, je lui prépare une entrevue choc.»

«Ç'a été une bonne pratique, se réjouit Gagnon après une séance d'entraînement particulièrement énergique. Ça va faire du bien.

— L'esprit d'équipe est revenu, approuva Pierre. On va s'en sortir. Sacrifice! si je pouvais revenir au jeu...

— Qu'est-ce que dit le docteur? s'inquiéta Marc.

— Toujours la même chose: physio, repos. C'est censé guérir avec le temps.

— Il ne faudrait pas que tu fasses comme Michael Bossy. Il a passé un an sans jouer.

— Il y a des fois où je me sentirais prêt à retourner sur la glace... Bon, je vous laisse, dit-il alors que Guilbeault entrait dans le bureau de Gagnon.

— Non, tu peux rester, proposa Gilles. Marc, as-tu regardé le calendrier?

— Ouais, répondit l'entraîneur, visiblement anxieux. Si on ne gagne pas les prochaines parties, on est faits comme des rats...

— Qu'est-ce qui se passe avec la vente du club? s'enquit Pierre. Est-ce qu'on déménage en Californie ou en Ontario?

— Je ne le sais pas, et je ne veux pas le savoir, dit Guilbeault en se rembrunissant.

— Moi, ça me fait chier! s'exclama Lambert. Je me sens comme une marionnette que tout le monde manipule. Sais-tu ce qu'on devrait faire? Acheter le club!

— Minute! l'arrêta Marc, on ne fait pas tous ton salaire!

— Tu peux bien parler, protesta Pierre, quand tu as pris ta retraite, les profits du National ont augmenté de quinze pour cent!

— Ouais, approuva Gilles, illuminé. Acheter le National, être son propre patron...»

Michel Trépanier, profondément dégoûté de lui-même, relut une dernière fois le document qu'il venait de rédiger à la demande, féroce et autoritaire, de Joan Faulkner. Il ne s'était d'ailleurs pas encore tout à fait remis de l'épouvantable colère de son employeur.

Sa secrétaire le prévint de l'arrivée de Linda. Il accueillit sa collègue avec gentillesse, comme pour se faire pardonner l'inévitable.

«Tu dois te douter de la raison de ma convocation, demanda-t-il tristement.

— Je m'y attendais, répondit Linda, fataliste.

— Voici ta lettre de démission, dit-il en lui tendant le document. Je veillerai personnellement à ce que tu touches six mois de salaire.

— Une lettre de démission, pour avoir fait mon métier, murmura-t-elle, désabusée. Vous n'avez pas honte?

— J'ai honte, admit-il, impuissant, mais je n'ai pas le choix.

— Ce journal, c'était toute ma vie.

— Pourquoi as-tu fait ça?

— Je n'aurais jamais pu travailler dans un journal qui fraudait ses lecteurs.»

Elle prit la lettre et, comme tout journaliste, chercha un stylo sans en trouver un. Trépanier, trop peiné pour parler, lui tendit une magnifique plume en or. Elle lui sourit tristement. Le visage crispé, elle griffonna sa signature et quitta immédiatement le bureau.

Elle prit l'ascenseur et l'immobilisa entre deux étages. Seule dans la cabine, elle put reprendre son souffle et se calmer. Elle descendit à l'étage inférieur, celui de la rédaction, qu'elle traversa sans détour jusqu'à son bureau.

Elle prit la grande mallette qu'elle avait apportée le matin même, prête au pire, et y déposa des documents, des souvenirs, des effets personnels. Toute une carrière journalistique dans une valise bon marché. Une photo d'elle devant le Kremlin, une plaque commémorative du prix Jules-Fournier, une rondelle que lui avait offerte Marc Gagnon des siècles auparavant, avant que la guerre froide ne fût déclarée entre eux.

Marie, sa secrétaire, l'observait furtivement, sans dire un mot. Quelqu'un s'éclaircit la gorge pour attirer son attention.

«Ben? dit-elle en escamotant les larmes qui perlaient au coin de ses yeux.

— Tu ne te bats pas plus que ça? demanda Belley, déçu.

— Non, répondit-elle en hochant la tête. Je vais me battre ailleurs.

— Linda, tu ne peux pas faire ça. *Le Matin*, c'est ta vie. Tu vas être malheureuse comme les pierres.

— Je fais partie des patrons, maintenant. Personne ne va pleurer le départ de Linda Hébert.

— Tu n'as vraiment pas les couilles que je te donnais...

— Benoît, ton truc, ça fait dix ans que je le connais. Je jouais le jeu parce que, dans le fond, je t'aimais bien.»

Belley, incapable de supporter ce genre de scène, préféra fuir en silence. Linda boucla sa valise et fit quelques pas hors de son bureau.

Tous ses anciens collègues, sans vouloir le laisser paraître, l'observaient du coin de l'œil. Seule Luce Gagné, la présidente du syndicat, osa la regarder franchement et lui sourire. Linda, qui ressentait plus que tout autre chose le besoin de parler à quelqu'un, fit un pas dans sa direction.

Le téléphone de Luce se mit à sonner à cet instant et celle-ci fit signe à Linda d'attendre. Cette dernière, en voyant l'air absorbé et lointain de sa camarade, comprit que, cette fois, tout était bien fini.

☆

«Vous devez être Vanessa Faulkner», dit Patricia, faussement cordiale, en ouvrant la porte à une superbe blonde, trop jolie, trop resplendissante et trop souriante pour ne pas être une salope. «Entrez donc.»

Vanessa passa devant Patricia sans lui accorder le moindre regard. Elle observa d'un air hautain l'intérieur de la maison, puis daigna s'adresser à son hôtesse.

«Pierre n'est pas là?

— Il est à l'entraînement.

— Dommage...

— Installez-vous, proposa Patricia en se forçant à sourire. Nous allons avoir moins de temps que je ne le pensais, alors... sans vous presser...

— Vous attendez l'enfant pour quand? demanda Vanessa en regardant son ventre.

— La mi-mai, probablement.

— Un garçon ou une fille?

— On le saura quand il arrivera.

— J'imagine. Ça ne vous intéresserait pas de savoir?

— Pouvons-nous parler d'autres choses que de ma grossesse? pria Patricia, impatiente, puis, se reprenant: Après tout, vous n'êtes pas ici pour moi, mais parce que je vis avec Pierre Lambert.

— Pierre est une vedette. Partout où il va, les gens le reconnaissent.

— Vous savez, on s'habitue. D'ailleurs, les gens sont conscients que l'on ne veut pas être dérangés. Ce qui est dur, ce sont les autres, raconta Patricia, les malades, ceux qui ne lâchent pas.

— Ah!» fit Vanessa, mal à l'aise. Elle dut se rendre compte que Patricia n'était pas la victime facile qu'elle s'était imaginée. Elle se fit plus prudente et se mit à poser des questions moins insidieuses et plus objectives.

La conversation prit un tour moins agressif. Mais Vanessa ne put maîtriser bien longtemps son tempérament vindicatif. Alors que Patricia lui disait: «Pierre est un hypersensible. Il peut faire des colères terribles mais être le plus doux des hommes», elle se sentit obligée de faire remarquer: «C'est aussi un homme très séduisant. Ça ne vous dérange pas que ce beau garçon, riche et célèbre, soit attendu partout par des nuées de jolies filles?

— Certaines filles se croient irrésistibles, répondit calmement Patricia, et à cause de ça, elles n'ont aucun scrupule, elles se permettent tout. Ce sont les plus dangereuses, en tout cas les plus désagréables. Généralement, elles s'humilient en supplications et en sollicitations. Un homme comme Pierre les excite, parce qu'elles ne peuvent pas l'avoir, déclara-t-elle, glaciale.

— Oui, admit Vanessa en serrant les mâchoires. Mais, dans le quotidien, avec tous ces voyages, est-ce que vous ne vous sentez pas comme la femme de service?»

Cette fois, Vanessa fit mouche. Le visage de Patricia se décomposa, mais elle se reprit aussitôt en buvant un peu d'eau pour justifier son silence.

Elle se durcit et se mit à répondre aux insinuations de Vanessa par des sous-entendus encore plus cinglants. Finalement, au bout d'une demi-heure, Patricia s'amusait ferme pendant que la jeune Faulkner transpirait à grosses gouttes.

«On a parlé d'à peu près tous les sujets, déclara Patricia lorsque Vanessa eut l'air suffisamment piteux et paniqué à son goût.

— Oui, on a tout couvert, capitula la journaliste.

— Sauf une chose: Pierre me dit tout.

— Je vois, comprit Vanessa. C'est pourquoi vous avez accepté l'entrevue.

— Je voulais vous voir. Avez-vous l'intention de laisser Pierre tranquille?

— Vous n'êtes pas la femme pour lui, lança Vanessa, provocatrice.

— Parce que vous l'êtes? s'exclama Patricia, à bout. Vous n'avez rien à lui offrir! Vous avez la maturité d'une jeune adolescente. Vous croyez que votre argent vous rend intéressante et que personne n'est assez bon, ni assez bien pour vous. Ah! il y a bien des moments où vous devenez obsédée par un homme que vous ne pouvez pas avoir, continua-t-elle, impitoyable. Pierre est l'élu, pour l'instant; mais dès qu'il vous dirait oui, ce serait déjà fini pour vous. Parce que c'est la seule chose qui vous passionne: la possession!»

Vanessa s'était levée, aussitôt suivie de Patricia qui était décidée à ne pas lâcher prise.

«Posséder, pour le seul plaisir d'avoir, sans égard pour les autres. Il n'y a personne d'autre qui compte, mademoiselle Faulkner, seulement vous. Je vous conseille de consulter un psychiatre: vous êtes malade!»

À ce mot, Vanessa, qui n'avait pas osé répliquer, gifla son interlocutrice, faiblement. Patricia, malgré son ventre encombrant, lui expédia une formidable droite. La journaliste, sonnée, se frotta douloureusement le menton sous l'œil presque apitoyé de Patricia.

«Laissez Pierre tranquille. Et sortez d'ici, ordonna-t-elle.

— Vous ne comprenez rien à ce qui se passe, répliqua Vanessa en pleurnichant, alors que Patricia lui ouvrait la porte, J'aime Pierre!

— Dites-le-lui vous-même. Il arrive.»

La voiture de Pierre s'arrêta. Celui-ci en descendit, se dirigea vers Patricia et l'enlaça tendrement. Puis, se rendant compte de la présence de Vanessa, il demanda, visiblement contrarié:

«Qu'est-ce qui se passe?

— Je viens de finir d'expliquer à mademoiselle Faulkner à quel point on s'aime et combien nous sommes heureux ensemble... et surtout, de nous foutre la paix.

— Si tu n'as pas encore compris que tu n'avais rien à faire ici, c'est que tu es sérieusement malade. Débarrasse, je ne veux plus te voir!

— Elle croit qu'elle est la fille qu'il te faut, l'informa Patricia sur un ton blasé.

— Va-t'en d'ici ou j'appelle la police, menaça Pierre, fatigué.

— Vous pensez que je suis folle! Vous n'avez rien compris! Pierre...

— Vas-tu t'en aller!» répéta Pierre, exacerbé.

Hystérique, Vanessa sembla toutefois comprendre le mot d'ordre. Folle de rage, elle se précipita dans la rue pour gagner sa voiture. Une jeep tourna le coin à toute vitesse et la heurta de plein fouet. Au bout d'une trentaine de secondes, Pierre et Patricia sortirent de leur stupeur et se précipitèrent vers le corps inerte de Vanessa.

CHAPITRE XII

Assis dans le corridor du bloc opératoire, Pierre, épuisé, observait la dame qui s'avançait vers lui. Blonde, entre deux âges. On devinait qu'elle avait été jolie dans sa jeunesse, mais ses rides montraient qu'elle avait plus souvent serré les mâchoires et froncé les sourcils que souri. Elle regarda Pierre de ses yeux gris acier et, avec son accent britannique distingué, se présenta:

«Je suis Joan Faulkner. Il y a des nouvelles?

— Rien pour le moment..., répondit Pierre.

— Qu'est-il arrivé?

— Elle sortait de chez moi. Elle a traversé sans regarder.

— Que faisait-elle chez vous?

— Une entrevue avec ma femme.

— Elle a traversé sans regarder? Vous l'avez vue?

— Oui, je revenais quand elle est sortie.

— Vous lui avez parlé?

— Oui...

— Comment était-elle? Nerveuse? Irritée? On ne traverse pas une rue sans regarder...»

Un chirurgien sortit de la salle d'opération, visiblement fatigué. Sans plus s'occuper de Pierre, Joan s'approcha du médecin.

«Je suis Joan Faulkner, la mère de Vanessa. Comment va-t-elle?

— Son état s'est stabilisé, elle est hors de danger.

— Je peux la voir? demanda Joan, soulagée.

— Madame Faulkner..., fit gravement le médecin en

l'entraînant à l'écart, Vanessa a eu un terrible accident. Le bassin et des vertèbres ont été fracturés... et la moelle épinière est atteinte. Elle ne marchera probablement plus jamais.»

Joan se raidit. Pierre avait entendu et était abasourdi.

«Je peux la voir.

— Juste une minute.»

Elle passa devant le médecin, puis devant Pierre, en l'ignorant complètement.

☆

Guilbeault, inquiet, s'installa devant son téléviseur. Au générique d'une émission d'affaires publiques succédèrent des images de la dernière conquête de la coupe Stanley par le National, qui remontait à quelques années déjà. Puis l'animateur apparut, accompagné de Linda Hébert.

«Notre invitée, Linda Hébert, a dû remettre sa démission ce matin du poste de directrice de l'information au journal *Le Matin*. Madame Hébert, vous avez publié une nouvelle très importante qui contrecarrait un projet du groupe Faulkbauer de Toronto, également propriétaire du *Matin,* qui tenterait, semble-t-il, d'acheter le National de Québec pour le déménager à Hamilton. Si on y regarde de près, madame Hébert, vous ne pensez pas que ce n'est qu'une histoire strictement privée?

— Vous trouvez? demanda Linda. Qui est propriétaire du Colisée de Québec? La Ville. Et qui donc a injecté des millions de dollars pour l'agrandissement de l'édifice? Les gouvernements provincial et municipal. Tout ça pour accueillir le National. Des dizaines de millions payés par les contribuables, vous et moi. Et comment peut-on évaluer ce que représente le National pour les citoyens de Québec?

— Le National, si je comprends bien, résuma l'animateur, est une institution dans la Vieille Capitale. Au même titre que *Le Matin,* d'ailleurs?

— Oui. *Le Matin* est un journal que j'aimais profondément. Mais, en tant que journaliste, que notre quotidien se fasse le complice des intérêts financiers de ses propriétaires était inadmissible pour moi. Et je me demande comment le maire de la ville, les conseillers, les députés et tous nos leaders politiques qui doivent entretenir de bonnes relations avec le journal pourront dénoncer les propriétaires d'une entreprise qui se prépare à les voler, à les déposséder de leur seule et unique équipe de sport professionnel?

— Mais, objecta l'animateur, peut-on empêcher les propriétaires du National de tirer de meilleurs bénéfices ailleurs qu'à Québec?

— Pourquoi pas? Il doit bien y avoir des Québécois quelque part qui seraient intéressés à acheter cette équipe. Pourquoi faudrait-il absolument que le National appartienne à des intérêts étrangers?»

Gilles, qui, jusque-là, avait regardé calmement l'émission, fut pris d'une excitation soudaine et sauta sur le téléphone.

«Patricia? C'est Gilles. Dis à Pierre de se préparer, je passe le prendre demain matin à sept heures...»

Il raccrocha, satisfait, réfléchit quelques secondes et composa un autre numéro.

☆

Gilles arrêta sa voiture devant la résidence de Pierre. Dans la lumière orange de l'aurore, il remarqua les longues traces de dérapage devant la maison. La nouvelle de l'accident de la veille lui revint à l'esprit.

Pierre sortit et vint le rejoindre.

«J'ai su pour la jeune journaliste, dit Gilles. Comment va-t-elle?

— Mal, répondit Pierre, encore à moitié endormi. Je n'ai pas eu une bien bonne nuit, alors, si tu veux, on va parler d'autre chose. Sept heures, tu ne trouves pas ça un peu tôt pour une pratique?»

Gilles ne répondit pas immédiatement. La voiture de Marc tourna le coin et vint se stationner derrière la sienne.

«Salut Gilles, salut Pierre. Il paraît que Vanessa Faulkner a eu un accident? Qu'est-ce qui s'est passé?»

Pierre, las d'entendre cette question, soupira. Avant qu'il n'ait eu le temps de répondre, une troisième voiture arriva dans la rue. Linda Hébert, à la grande surprise de Gagnon, en descendit.

«Qu'est-ce qu'elle fait ici? demanda celui-ci, agressif.

— Je l'ai appelée, répondit calmement Guilbeault. Pierre, on peut s'installer dans ta salle à manger?

— Bien sûr.»

Ils entrèrent dans la maison, s'assirent. Marc, Linda et Pierre attendaient nerveusement que Gilles prenne la parole. Celui-ci respira un bon coup et commença par s'adresser à Linda.

«Tu as été parfaite hier soir, à la télé, la félicita-t-il. Et tu as raison, il y a des Québécois intéressés à acheter le National de Québec.

— Ouais? Qui donc?» demanda Marc, sceptique.

Pour toute réponse, Gilles leur jeta un long regard accompagné d'un sourire en coin. Au bout d'un moment de silence, Pierre sourit à son tour et murmura:

«Nous autres...

— Nous autres! répéta Guilbeault, enthousiaste.

— Acheter le club? fit Marc, étonné.

— Oui. C'est la seule façon d'être certain de garder notre équipe de hockey.

— Tu parles d'au moins vingt et un millions de dollars, précisa Linda, parce que Faulkbauer et Davillos offrent chacun vingt millions.

— Ouais, approuva Marc. As-tu ça, toi, vingt et un millions?

— Pas moi, mais les banques, oui, répondit Gilles.

— Gilles, objecta Pierre, les banques ne prêteront jamais vingt et un millions pour acheter un club de hockey. Ça va nous prendre du comptant, une couple de millions...

— Je le sais, admit Gilles, j'y ai pensé... À nous trois, on pourrait mettre le premier million, sur endossement personnel.

— Je pourrais savoir ce que j'ai à faire là-dedans? demanda Linda, intriguée.

— On a besoin de toi, Linda. Tu connais bien le dossier et le monde des communications. Tu sais comment fonctionnent les relations publiques... Et aussi, on a besoin de quelqu'un pour coordonner tout ça.

— Il y a une dernier détail. Vous avez parlé de vous trois. Je veux que ce soit nous quatre.

— Nous quatre? répéta Marc, peu enthousiaste.

— Oui. Je suis libre et après treize ans de métier, j'ai de quoi investir ma part. Je vous demande seulement un peu de discrétion, la bataille va être dure.»

Le silence s'installa de nouveau. Pierre fut encore le premier à le briser.

«Moi, ça me va, dit-il en souriant.

— Moi aussi..., fit Gilles.

— Pas de problème...», soupira Marc avec un brin de réticence.

Michel Trépanier, mal à l'aise, entra dans le bureau de Joan Faulkner. C'était bien la première fois qu'il la voyait ébranlée. Elle resta immobile, ne réagit pas en le voyant, bien qu'il fût juste devant elle.

«Des nouvelles de votre fille? demanda-t-il enfin.

— Elle va s'en tirer. Mais dans l'état où elle va se trouver, je me demande si... Mais vous n'êtes pas ici pour me parler de ma fille! ajouta-t-elle en sursautant comme si elle venait de refaire surface. Que voulez-vous?

— Madame Faulkner, le départ de Linda Hébert et l'affaire du National..., commença-t-il, embarrassé, ont été très mal reçus par les journalistes qui y voient une ingérence dans...

— Monsieur Trépanier, coupa-t-elle sèchement, j'entretenais beaucoup d'espoirs pour ma fille, je pensais qu'elle me remplacerait un jour. C'était ma dernière illusion. Maintenant, il me reste la Faulkbauer Corporation et je ne laisserai personne me dicter ma conduite, personne ne m'arrêtera! Vous êtes avec ou contre moi. Vous direz à vos journalistes que je n'ai rien à faire de leurs scrupules, que je vais acheter le National et que je vais le transférer là où j'en ai envie. Maintenant, sortez!»

☆

Marc, un peu contre son gré, s'était laissé entraîné par Marie-France dans un grand magasin du centre-ville de Québec. Sa fille avait décidé, quasi unilatéralement, qu'elle aurait une nouvelle veste pour le printemps. Péniblement, il la suivait dans les allées bourrées de clients et de flâneurs.

«Marie-France, fit-il remarquer, grognon, les vestes de cuir ne seraient pas plutôt par là?

— Je veux voir les nouveaux souliers», répondit-elle, avec un sourire curieusement malicieux.

Marc, à bout de patience, allait protester lorsqu'il se rendit compte qu'il se trouvait juste devant un kiosque de démonstration des produits *Félin* avec, comme démonstratrice, nulle autre que la conceptrice de la ligne, Suzie Lambert. Marie-France pouffa de rire et s'esquiva discrètement.

Marc soupira, résigné. Il décida de jouer le jeu et s'approcha du kiosque en feignant d'ignorer Suzie. Il prit un flacon de parfum et l'examina nonchalamment.

«Si j'ai bien compris, fit-il, vous achetez ça et ça va plaire à la fille de vos rêves...

— Ça dépend qui elle est..., répondit Suzie en souriant, sans le regarder.

— C'est une jolie fille, avec un caractère épouvantable... Une tigresse. Mais je l'aime...

— Achetez-lui notre parfum et appelez-la, je suis certaine qu'elle ne refusera pas une invitation.»

Là-dessus, Suzie s'éloigna. Marc observa une dernière fois la belle indifférente et s'en alla rejoindre sa fille.

☆

Guilbeault discutait avec son homologue du Canadien de Montréal, dans le bureau de celui-ci. Ronald Courteau était séduit par son projet d'achat du National mais demeurait sceptique quant à ses chances de réussite.

«Et tu penses pouvoir trouver les vingt et un millions? demanda-t-il, dubitatif.

— J'en suis certain, affirma Gilles.

— Il n'y a pas une banque qui va prêter vingt et un millions dans le petit marché de Québec. Tu le sais aussi bien que moi.

— Je vais trouver l'argent, s'obstina Guilbeault. Ce dont j'ai besoin, c'est l'appui du Canadien à la réunion des gouverneurs.

— C'est quoi, l'appui du Canadien? Appui à quoi?

— Ce n'est pas compliqué. Si on trouve l'argent, si on a deux millions en fonds de roulement déposés en garantie, si on a le bail du Colisée, allez-vous voter pour nous le 2 avril?

— Si vous remplissez toutes ces conditions, nous allons appuyer la vente à ton groupe, mais ne te fais pas d'illusions; si vous offrez vingt et un millions, Joan Faulkner va aussitôt en mettre vingt-deux. D'ailleurs, à la dernière réunion des gouverneurs, il était évident que John Aylmer poussait la candidature de Joan Faulkner, et pas celle de Tanner. Il y allait même pas mal fort pour madame Faulkner!

— Tu es sûr de ce que tu avances? demanda Guilbeault, alerté.

— Il nous a informés que le groupe Davillos voulait transférer la franchise à San Francisco, mais il ne nous a jamais dit que Faulkner voulait faire la même chose à Hamilton. Je l'ai appris par les journaux, comme toi.

— Ouais..., murmura Guilbeault, merci du tuyau.

— Écoute, Gilles, confia Courteau, on aime ça, vous haïr. C'est bon pour nous de vous avoir dans les jambes tout le temps. Nous allons être de votre côté, je t'en donne ma parole.»

Les deux hommes se serrèrent la main, complices.

☆

Pierre, en tenue de ville, pénétra dans le vestiaire. Les joueurs étaient déjà en uniforme. Le climat était tendu. Pierre pensa aux belles années du National, quand l'équipe était survoltée avant un match. Robert Martin le salua sombrement.

«Salut, le Chat...

— C'est ce soir que tu nous reviens? demanda Nounou.

— Blague pas avec ça, je suis déjà assez malheureux de ne pas jouer... Salut, Danny, dit-il en apercevant Ross.

— Salut, Pierre.»

Lambert entraîna la recrue à l'écart. Il prit un ton étrangement sérieux.

«Il nous reste douze parties à jouer, nous sommes toujours à quatre points des Whalers. On peut se qualifier, mais pour ça, confia-t-il, il faut que tu te décides.

— À quoi? demanda Danny, surpris.

— Le Kid, tu peux parler un peu, ça ne ferait pas de tort...

— Est-ce que c'est à moi de parler?

— Moi, quand je suis arrivé ici, il a fallu que je brasse la cabane après un bout de temps.»

Pierre se tut, comme le reste de l'équipe. Marc Gagnon venait d'entrer, l'air agité. Il prit aussitôt la parole:

«Écoutez-moi bien! Il y a des choses qui se préparent mais je ne peux pas vous en parler. Tout ce que je peux vous dire, c'est que c'est essentiel que l'on donne un grand coup. Il faut qu'on gagne, qu'on travaille comme des défoncés!»

Sans attendre de réaction, il ressortit du vestiaire en coup de vent. Les joueurs se regardèrent, interloqués. René Roberge, boudeur, rechigna:

«C'est bien beau de travailler comme des défoncés...

— Roberge! coupa Danny, ferme-la!

— *Oh! Danny boy...*, chantonna Roberge, moqueur.

— Le Kid, dit Martin. C'est pas le moment de faire du bruit, tout le monde veut gagner, ici.

— Bob, laisse parler Danny, intervint Pierre.

— Moi aussi, c'est mon équipe, expliqua celui-ci, enthousiaste, pas seulement la vôtre! Je trouve que vous avez la mémoire courte: vous l'avez, les vétérans, votre bague de la coupe Stanley. J'aimerais bien avoir la mienne!

— Moi aussi! approuva Étienne Tremblay.

— Le National, j'ai toujours pensé que c'était une équipe de champions!» déclara fièrement Danny pour terminer.

Les joueurs approuvèrent en criant. Pierre lança un coup d'œil entendu à Robert Martin, qui le lui rendit discrètement.

Le National joua une belle partie ce soir-là. Il menait par 2 à 0 en deuxième période grâce à un but et à une passe de Danny Ross, à qui la réaction de l'équipe à ses encouragements avait donné de l'assurance.

Dans sa loge, Guilbeault jubilait. À Linda Hébert, qui l'accompagnait, il confia:

«Si ça continue, on va faire plus que se qualifier!

— J'espère, répondit-elle prudemment.

— Linda, demanda-t-il, soudainement songeur, je voudrais que tu vérifies quelque chose. Je me demande si John Aylmer ne mangerait pas dans la main de Faulkner.

— Pourquoi?

— Je me suis toujours demandé pourquoi Aylmer avait bloqué la vente de Lambert à Toronto. Et là, Ronald Courteau du Canadien m'a laissé entendre qu'il avait poussé la proposition de Joan Faulkner. Si Aylmer est contre nous en partant, ça serait bon de le savoir...»

Linda lui promit qu'elle allait tâcher d'en savoir plus et tous deux se concentrèrent de nouveau sur le match. Étienne Tremblay marqua un autre but.

Guilbeault se remit à croire à l'impossible.

Le lendemain, Gilles rencontra un directeur de banque pour l'entretenir de son projet. Conrad Benoît l'écouta calmement jusqu'à ce que Guilbeault lui présentât un montant concret. Le directeur, abasourdi, lui demanda, la lèvre pendante:

«Pardon? j'ai bien entendu?

— Oui, je veux emprunter vingt et un millions pour acheter le National de Québec.

— Vingt et un millions!

— Exactement. Si les Ontariens et les Suisses trouvent que le National vaut vingt millions, je ne vois pas pourquoi il n'en vaudrait pas vingt et un pour des Québécois.

— C'est une opération complexe. Avez-vous la concession?

— Non. On ne peut pas l'avoir sans la garantie de financement.

— Et je ne vois pas comment on peut garantir le financement sans la concession, résuma le banquier. Savez-vous ce que représentent les intérêts de vingt et un millions, même pendant un mois?

— Oui, je le sais. Le prix de ma maison.

— Pour être franc avec vous, monsieur Guilbeault, confia Benoît, aucune banque ne vous prêterait plus de la moitié du prix demandé par monsieur Goldman et la Ligue nationale. Il vous faudrait sans doute un dépôt plus élevé qu'un million de dollars. Et même dans ces conditions, il vous resterait encore dix millions de dollars à trouver.

— Les gouvernements? suggéra Guilbeault en désespoir de cause.

— Pour une équipe de hockey?

— Une équipe de hockey, le National? s'écria Guilbeault. Trois coupes Stanley, quinze mille personnes tous les samedis soirs qui viennent se détendre, oublier leurs problèmes! Une équipe de hockey? Une institution, oui! Votre banque voudrait que la ville de Québec perde ça?»

Guilbeault, découragé, se leva pour sortir. Conrad Benoît, conciliant, lui demanda d'attendre un instant et sortit d'un tiroir deux carnets aux couleurs du National.

«Ce sont mes billets de saison, expliqua-t-il. Je n'ai pas raté un seul match du National depuis les sept dernières années. C'est seulement une question de finance... Si vous me demandiez mille dollars, je vous les prêterais personnellement... Mais il y a des choses que je ne peux pas faire, que pas une banque ne va faire. Comprenez-moi...

— Vous me prêteriez mille dollars? répéta Guilbeault, cherchant du réconfort. Pourquoi?

— Parce que Conrad Benoît veut, lui aussi, garder son équipe de hockey dans sa ville!»

☆

Pierre et Linda attendaient que Guilbeault leur fît le compte rendu de sa tournée. Celui-ci avait l'air abattu, ce qui n'était pas pour encourager ses associés.

«Ça va être dur, annonça-t-il sombrement. J'ai fait les trois plus grandes banques de Québec, à un million près, on m'a fait partout la même réponse.

— Personne ne veut nous prêter plus de dix millions? demanda Linda.

— Non, c'est frustrant. Le pire, c'est que tous ces gérants de banque seraient prêts à mettre leur propre argent.»

Pierre se leva brusquement en se frappant les mains, illuminé.

«Leur propre argent, c'est ça, la solution! Qu'on s'adresse au public, qu'on crée une coopérative! Il nous manque dix millions? C'est quoi, dix millions?

— Dix mille fois mille, répondit Gilles. Il n'y a rien là!

— Dix mille, c'est un peu moins que le nombre de billets de saison du National, n'est-ce pas? avança Linda.

— C'est ça, fit Pierre. Pourquoi on ne vendrait pas des parts de mille dollars aux détenteurs de billets de saison? Ou aux partisans en général? Ça serait incroyable! Le peuple serait propriétaire du National!

— Génial, commenta Linda.

— Le National serait à nous.»

☆

Suzie se lova amoureusement contre Marc. Celui-ci s'étira pour prendre sa montre sur la table de chevet et grimaça en lisant l'heure.

«Il faut vraiment que tu partes? demanda Suzie.

— Oui. Je dois rencontrer mon comptable pour savoir combien je vaux. Je mets ma maison en garantie.

— C'est sérieux, votre affaire?

— Très sérieux. Si le National est vendu, je ne vais pas à San Francisco ni à Hamilton, je prends ma retraite comme entraîneur.

— Parfait! tu vas avoir plus de temps pour moi.

— Tiens, blagua-t-il, je n'avais pas pensé à ça... Je devrais peut-être rester coach...»

Elle lui assena un solide coup d'oreiller. En représailles, Marc retarda son départ d'un bon quart d'heure.

☆

Joan Faulkner était furieuse. Elle s'était rendue au bureau de John Aylmer pour lui faire savoir ce qu'elle pensait des événements des derniers jours. Le président de la Ligue tentait d'apaiser du mieux qu'il pouvait la colère de sa complice.

«Comment se fait-il que des documents confidentiels soient sortis de votre bureau? demanda-t-elle. Qui est à l'origine de cette fuite?

— Je réponds des gens qui travaillent avec moi! se défendit Aylmer. Et je n'ai communiqué l'annexe sur le transfert du National à personne, pas même aux gouverneurs. La fuite vient peut-être de votre côté.

— De mon côté! répéta-t-elle, sarcastique.

— Il y a autre chose, prévint-il. Gilles Guilbeault est en train de tâter le terrain chez les gouverneurs de la Ligue. Il veut former un groupe pour acheter le National.

— Quoi?

— Le délai expire le 2 avril, la rassura Aylmer. Ils n'arriveront jamais à trouver un financement aussi énorme dans un temps aussi court.

— Probablement. Mais, ce qui m'inquiète, c'est qu'à présent que l'on sait pour Hamilton, il y aura du monde pour vouloir en savoir plus, des gens qui ont à cœur que le National reste à Québec. Des gens qui pourraient aller fouiller pour apprendre à qui appartiennent, entre autres, les terrains sur lesquels je vais construire mon aréna.

— Personne ne peut remonter jusqu'à moi.

— Il ne faudrait surtout pas...»

Johanne et Lucien, épuisés après une journée habituelle, c'est-à-dire infernale, prenaient une pause bien méritée. Lulu venait de terminer son article, pendant que Jojo couchait les jumeaux.

On sonna à la porte juste à ce moment. Jojo, en maugréant, alla ouvrir. La fatigue fit place à la surprise lorsqu'elle se trouva devant Linda. Heureuse de la voir après plusieurs jours sans nouvelles, elle lui sauta au cou.

«Linda! Comme je suis contente! Comment va ma grande sœur?

— Pas trop mal, finalement. Lulu, je vais avoir besoin de toi.

— N'importe quoi! répondit Lucien.

— Je pars pour Toronto, et ensuite pour Hamilton.

— Toronto? Pourquoi faire?

— Lucien, confia-t-elle, on se prépare à amasser vingt et un millions pour acheter le National. Et si Joan Faulkner a été capable de camoufler toute une annexe de son offre d'achat, j'ai l'impression que ça vaut la peine d'aller y voir de plus proche dans toutes ses histoires.

— As-tu quelque chose de précis?

— Pas vraiment. Mais il vaut mieux avoir toutes les informations possibles de notre côté. Ce qui me fait le plus peur, c'est qu'elle attende que nous ayons amassé vingt et un millions pour en ajouter un ou deux de plus. Il faut avoir le plus de cartes possible en main pour la dernière partie.

— Quel rapport avec moi? demanda Lulu.

— Joan Faulkner est en train de bâtir un aréna. Ça veut dire qu'elle préparait le transfert du National depuis longtemps. Pour commencer les travaux de construction, il faut qu'elle soit drôlement sûre du résultat. J'aurai peut-être besoin d'un coup de main.

— Tu n'as qu'à m'appeler, et je fais mes valises.»

☆

Gilles, sans répit, continuait son travail de rassemblement. Il avait fait venir Marie-Anne Savard pour qu'elle prenne en charge l'aspect légal de l'opération. Elle compilait tous les dossiers nécessaires pour les présenter aux autorités. Guilbeault, de son bureau, téléphona à sa secrétaire pour lui donner de nouvelles instructions.

«Marie? Dis à monsieur Benoît de la banque que je vais revenir au Colisée dans une heure. Je dois parler à Marc Gagnon à l'aéroport, et rejoins-moi Pierre Lambert, je veux qu'il soit là, aussi. Ah oui!... Maître Savard va être avec moi à la réunion. Ça va? Au revoir.»

Il raccrocha, satisfait.

«Je suis heureuse, Gilles. C'est le plus grand défi de ma carrière.

— Ça va jouer dur, répondit-il. Ce matin, on donne un autre grand coup. On va demander aux joueurs s'ils veulent s'impliquer, s'ils veulent mettre de l'argent, eux aussi... Penses-tu que nous allons pouvoir rencontrer le ministre des Petites et Moyennes Entreprises?»

Avant que Marie-Anne n'ait pu répondre, une voix dans l'interphone annonça l'arrivée d'une vieille connaissance du National: le procureur Marcel Allaire. L'avocate, contrairement à Guilbeault, ne sembla pas surprise. Le procureur entra dans le bureau et annonça:

«Le ministre des P.M.E. nous reçoit vendredi.»

Son regard rencontra celui, interrogateur, de Gilles. Il se sentit obligé de fournir quelques explications.

«Monsieur Guilbeault, dit-il, nous avons eu nos différends dans le passé mais, lorsque l'on a annoncé que le National allait être déménagé, j'ai vu des larmes dans les yeux de mon petit garçon. Alors, vous avez mon support complet et entier, si vous le voulez...

— Maître Allaire nous a obtenu le rendez-vous avec le ministre, ajouta Marie-Anne.

— Avec plaisir, maître Allaire!» s'exclama Guilbeault, agréablement surpris par cette aide inattendue.

L'avion nolisé par le National volait vers Chicago. Tous les joueurs et les journalistes étaient présents, sauf, fait inhabituel, Lucien Boivin. Marc Gagnon, l'air préoccupé, s'approcha des sièges occupés par les hockeyeurs.

«Les gars, annonça-t-il à la ronde, en arrivant à Chicago, serrez tout de suite vos valises et tenez-vous prêts, on va avoir une réunion spéciale.

— À propos de la partie? demanda Denis Mercure.

— Non. À propos de quelque chose de plus important.

— Tu peux en parler, Marc, plaisanta Guy Drouin. On n'en parlera à personne, tu nous connais.

— Justement, je vous connais!» rétorqua-t-il. Il resta un instant silencieux, semblant réfléchir intensément. À son expression, tout le monde devina qu'il venait de prendre une décision importante. «Bon! Vous voulez une histoire? Je vais vous en donner toute une!» Il s'avança, déterminé, dans l'allée, pour que tout le monde l'entende. «On le sait tous, moi compris, qu'on a eu une saison pourrie. Le National s'est fait charrier de San Francisco à Hamilton sans qu'on ait eu à dire un mot.

— C'est vrai! C'est écœurant! approuvèrent les joueurs.

— Eh bien, c'est fini! On va dire notre mot. Gilles Guilbeault, Pierre Lambert, moi et un autre associé essayons d'acheter le National.

— Pardon? s'exclama Martin. Acheter le National, toi, le Chat et Guilbeault?

— Ouais! On n'a pas vingt et un millions à mettre, mais on a du chien dans le corps. Mais, là, on a besoin de vous. D'abord, il faut se mettre à gagner, sacrament! C'est devenu gênant de se promener dans la rue! Ensuite, quand je vous aurai expliqué notre plan, je vous dirai ce qu'on attend de vous, les joueurs du National...»

Un silence impressionnant s'installa dans l'avion et tous écoutèrent attentivement les explications de Gagnon. Il leur parla des banques qui prêteraient seulement une dizaine de millions, de leur projet de financement populaire et des complications qui s'ensuivraient. Finalement, il conclut son exposé.

«Voilà, dit-il, c'est comme ça qu'on peut financer le projet.

— Ouais, approuva Martin après un court moment de réflexion. Ça peut marcher. Dryden, Stapleton et Backstrom ont fait la même chose à Chicago — justement — avec les Cougars de l'Association mondiale.

— Mais nous, on a bien plus.

— Quoi donc?

— On a un nom, le National, une clientèle, une organisation, des contrats de diffusion et, surtout, des vedettes, des plombiers, des joueurs. On a Lambert, Ross, Tremblay, Bob... et toi aussi, Nounou! On a une équipe.

— Et nous, demanda Martin. Qu'est-ce qu'on fait là-dedans?

— Vous, on vous offre un siège au conseil d'administration, avec Guilbeault, Lambert, notre associé et moi. Nous serions cinq. Nous voudrions qu'en groupe vous mettiez le même montant que nous: deux cent mille dollars. Comme ça, nous aurions notre premier million. Ça en ferait dix mille par joueur, qu'il pourrait récupérer en quittant l'équipe.»

Les joueurs ne réagirent pas immédiatement. Ils se consultèrent à voix basse, puis Robert Martin annonça leur décision: «On va se réunir en arrivant à Chicago. On va te donner notre réponse ce soir.»

Marc accepta ce compromis. Guy Drouin se leva, dépassé par les événements:

«Mais nous, on fait quoi?

— Vous écrivez tout ce que vous savez! encouragea Marc. On part pour la guerre.»

Loin, très loin des problèmes du National, Jacques Mercier, qui en était pourtant partiellement à l'origine, avait rejoint sa femme à Fribourg pour lui faire part de ses projets. Il avait fait le point et décidé de repartir à neuf. Allongé confortablement devant un feu de cheminée, il lui faisait le bilan de ses réflexions.

«À vrai dire, Judy, je ne suis pas très fier de ce qui s'est passé à Québec. Je me suis trompé.

— Jacques, lui rappela sa femme, tu étais de bonne foi... et Frédéric Tanner aussi.

— Je le sais. Mais j'ai l'impression que, sans le vouloir, j'ai trahi les gens de Québec.

— Ne pense plus à ça, fit doucement Judy. L'important, c'est que tu sois ici, maintenant, avec moi et ton fils...

— Justement, dit-il, mal à l'aise. On vient de m'offrir un poste d'entraîneur à Toronto.

— Jacques, non..., gémit-elle, dépitée.

— Judy, expliqua-t-il, passionné, j'aime le hockey. J'ai ça dans le sang. Et cette fois, c'est quelque chose que je connais bien... Coach... Seul avec les joueurs... L'offre de Jerrings me tente.

— Moi qui croyais que tu revenais, dit sa femme en se raidissant.

— Judy, continua-t-il, réaliste, je n'ai pas de place dans ta carrière. Et je ne resterai pas à la maison à t'attendre.

— Tu es venu en Suisse pour me dire que tu repartais?

— Oui.

— Tu as le goût d'un dernier défi?

— Oui, un dernier défi. Retrouver les sensations d'une vraie partie, derrière le banc, dans le feu de l'action, pas dans un bureau. C'est pas là que ça se passe. Je veux savoir si je l'ai encore! Ça me donne deux mois. Après, on reparlera de tout ça. Je vais savoir.»

Judy n'insista pas. Elle se contenta de se laisser enlacer par son mari, en essayant de ne plus penser à son départ imminent.

☆

Guilbeault et Lambert avaient invité, chez ce dernier, Conrad Benoît pour lui présenter officiellement leur projet. Accompagnés de Patricia, qui commençait son dernier mois de grossesse, ils regardaient, nerveux, le banquier qui examinait les chiffres devant eux. Personne ne parlait. Après une demi-heure d'anxieuse attente, Benoît arriva enfin à la dernière page du dossier.

«Vous voyez bien que ça fonctionne! affirma Pierre.

— Ça fonctionne si le Colisée est plein à chaque match, admit Benoît. Mais si vous avez une mauvaise saison, si vous jouez devant des gradins vides, comme c'est déjà arrivé ailleurs, si toi, Pierre, tu ne peux pas revenir au jeu, vous vous y prenez comment pour rembourser la dette?

— Un instant, l'arrêta Guilbeault, ça ne peut pas toujours aller au pire.

— Il faut prévoir le pire. Si tout se passe comme vous l'espérez, vous allez avoir les économies de dix mille Québécois. Encore faut-il que vous alliez les chercher, ces dix millions dans le public. Et si vous y parvenez, chacun se croira l'unique propriétaire du National. La pression va être terrible.»

Ils demeurèrent silencieux un instant, puis Pierre lança, désinvolte: «Ça ne peut pas être pire que le Garden de Boston un soir de finale!»

Tous éclatèrent de rire et l'atmosphère s'allégea immédiatement. Conrad Benoît passa à un autre sujet.

«Et l'implication des joueurs? Quelles sont les nouvelles?

— J'attends un coup de fil de Marc Gagnon ce soir», répondit Gilles, optimiste.

☆

Comme cela se produisait de plus en plus souvent, Joan Faulkner se trouvait dans le bureau de John Aylmer et celui-ci essuyait encore une fois les foudres de la dame d'affaires. Ils regardaient les informations sur le téléviseur du bureau. Le commentateur annonça le projet du groupe de Guilbeault d'acheter le National, ce qui eut pour effet de décupler la mauvaise humeur de Joan.

«C'est incroyable! hurla-t-elle. Ils sont complètement fous! Est-ce qu'ils croient que je vais les laisser faire?

— Ils ne sont pas très dangereux.

— Justement! Pourquoi ne pas les bloquer au conseil des gouverneurs?

— Si je les bloquais alors qu'ils font une offre légitime, on pourrait douter de mon impartialité.

— Je prends des risques énormes, lui rappela-t-elle. Votre part du contrat, c'est de donner une équipe pour mon aréna la saison prochaine.

— Vous vous inquiétez trop.

— Et vous, pas assez!

— Ils n'arriveront jamais à amasser vingt millions pour le 2 avril...»

Il avait dit cela d'un ton qui se voulait rassurant sans l'être vraiment.

Allan Goldman, qui croyait qu'on l'avait oublié depuis des mois, eut le plaisir de recevoir la visite de Guilbeault qui, inlassablement, poursuivait sa tâche. L'homme d'affaires avait considérablement maigri, mais semblait plus serein, plus calme. Gilles lui exposa les détails de son projet et lui demanda avidement son avis:

«Est-ce qu'on a des chances sérieuses?

— Des chances sérieuses? Oui, répondit Goldman, du moment que vous avez l'argent, votre dossier peut être bon. Vous avez l'appui de Montréal, c'est important. Mais si la

Faulkbauer Corporation décide de renchérir, c'est moi qui vais directement en profiter.

— Ouais, je comprends. Toi, ça te fait plus d'argent dans tes poches.

— Tu sais, Gilles, fit Allan, songeur, il en a coulé, de l'argent, dans mes poches. Ça me tue de perdre le National.

— Es-tu toujours dans les Joueurs Anonymes?

— Ouais. Trois rencontres par semaine. Je prends ça un jour à la fois. Je me sens mieux...

— Allan, je voudrais que tu tâtes le terrain auprès des autres gouverneurs, voir quelles sont nos chances... qui est contre nous...

— Je suis avec toi, Gilles, assura Goldman, à cent pour cent. Je vais faire le tour des propriétaires.

— Merci, Allan, dit Guilbeault du fond du cœur.

— Gilles, nous sommes encore amis? demanda Goldman avec une sincérité que Gilles ne lui connaissait pas. C'est important pour moi.

— Bien sûr», affirma Guilbeault, ému.

Il le quitta sur ces mots, content de constater que son ami avait peut-être gagné quelque chose dans sa mésaventure.

Gilles se rendit ensuite au bureau de Conrad Benoît, fort du chèque de deux cent mille dollars signé par Robert Martin au nom des joueurs du National. Le banquier l'accueillit avec un large sourire.

«Félicitations pour votre belle victoire d'hier soir, fit Benoît. Cinq à un au Spectrum de Philadelphie, c'est quelque chose.

— Le National est une bonne équipe, répondit Gilles, catégorique. Si on peut régler nos problèmes de propriétaires, on va faire des miracles... Alors? demanda-t-il après une courte hésitation.

— Bonnes nouvelles. J'ai consulté le siège social de la banque, nous pouvons vous garantir dix millions dès que vous en aurez fournis onze.

— Et la marge de crédit, qui va la garantir?

— Nous n'avions pas parlé d'une marge de crédit.

— J'en parle. Il ne faudrait pas me prendre pour un niaiseux. Je vous emmène onze millions de dollars, ce n'est pas la charité que vous nous faites!

— C'est vrai, ce n'est pas la charité... mais c'est quand même un risque que prend la banque.

— Un risque? Quel risque? Bah! sans importance... Avez-vous acheté votre part de mille dollars?

— Tout de suite, monsieur Guilbeault! s'exclama Benoît en sortant son carnet de chèques. Je crois en votre organisation.»

Gilles s'empara du chèque, donna son reçu au banquier et prit poliment congé. Il avait fort à faire ce jour-là et on enregistrait des messages publicitaires de leur organisation au Colisée où il se rendit aussitôt.

Des caméras étaient installées dans le vestiaire et on se préparait à filmer Pierre. Sur un moniteur défilaient quelques images des moments mémorables de l'histoire du National pendant qu'un régisseur, le bras levé, comptait les dernières secondes avant le tournage.

«Trois... Deux... Un... Vas-y, Pierre! ordonna-t-il en baissant le bras.

— Le National a remporté trois fois la coupe Stanley dans sa glorieuse histoire, commença-t-il avec aisance. Le National a contribué à faire connaître le nom de Québec dans le monde entier. Le National fait partie de notre vie de citoyen. Vous pouvez sauver le National, vous pouvez surtout devenir l'un des propriétaires de votre équipe de hockey. C'est simple: achetez une part du National en renouvelant votre billet de saison. N'attendez pas d'avoir perdu votre équipe, aidez-nous.»

Le régisseur parut satisfait. Le réalisateur s'avança et déclara que la prestation de Pierre avait été excellente. Guilbeault, qui voyait avec enthousiasme se mettre en branle la machine promotionnelle, fit signe à Lambert de venir le rejoindre.

«Tous les commerciaux sont prêts, lui annonça celui-ci. Quand est-ce qu'on peut lancer la campagne?

— Dès que le ministre des P.M.E. aura fini d'examiner les dossiers. Trois ou quatre jours. Une autre nouvelle: j'ai rencontré Conrad Benoît et ses collègues. Ils embarquent!

☆

Vanessa s'éveilla, curieusement engourdie. Elle ne pouvait voir que le plafond. Elle tenta sans succès de tourner la tête. Des gens entrèrent dans la pièce. Des infirmiers. Ils firent basculer le lit, auquel elle était attachée, de façon à ce qu'elle pût voir ses visiteurs. Sa mère était là et la fixait avec un regard que Vanessa n'avait jamais vu dans ses yeux. Joan s'efforça de sourire et embrassa sa fille sur le front.

«Ma chérie, annonça-t-elle en feignant la gaieté, j'ai de bonnes nouvelles. Il y a deux spécialistes de la clinique Mayo qui arrivent cet après-midi. Ce sont les meilleurs au monde.

— Maman? Je ne marcherai plus, hein?

— Ma chérie...

— Je ne sens plus mes jambes, maman, déclara Vanessa d'une voix lugubrement indifférente. Est-ce qu'ils m'ont coupé les jambes?

— Mais non, ma chérie, non. Je ne les laisserai pas te faire du mal. Tu sais bien que je ne laisserai personne te faire du mal.

— Je ne sens plus mes jambes, maman», répéta tristement Vanessa.

Cette fois, son ton montrait qu'elle prenait conscience de ce qui lui arrivait.

☆

Les joueurs, détendus et enchantés par leur triomphe de la veille, se chamaillaient et se bousculaient en montant dans l'autobus qui allait les amener de Philadelphie à New York. Près de la porte, Gagnon et Martin prenaient leur présence en les félicitant et en les encourageant.

«Beau match, Étienne, toi aussi, Danny, leur dit Marc.

— Je suis certain qu'on peut rejoindre les Whalers, affirma Ross, enthousiaste. On a encore le temps si on ne perd plus.

— Oui, mais ils ont battu Toronto, hier soir, ça veut dire qu'on est encore à quatre points d'eux. Il va falloir battre les Maple Leafs nous aussi si on veut se classer», répondit Gagnon, prudent. Il regarda, songeur, la recrue monter dans l'autobus, puis demanda au capitaine son avis: «Bob, penses-tu qu'on va revoir Lambert cette année?

— Je commence à en douter..., répondit Martin à regret.

— Si Pierre ne peut pas revenir, tu sais qui va nous traîner dans les séries? Danny Ross. Et s'il continue à bien se tenir, Étienne Tremblay.

— Ouais..., approuva Robert.

— Tu peux pas savoir! fit Marc, souriant, en s'étirant et en faisant quelques pas. Je me sens dix ans plus jeune!

— Il y a dix ans, rappelle-toi comment tu étais! s'exclama Martin en se souvenant du tombeur qu'était Gagnon à l'époque.

— T'inquiète pas, le rassura-t-il. Juste un feeling qui me traverse le corps...» Il songea à Suzie, à quel point il l'aimait, puis, par association, se souvint de la difficile situation de Robert et de sa femme. «Et toi, Bob, comment ça va avec Pierrette?

— Tu sais, je vais bientôt prendre ma retraite. Peut-être que, si je suis là plus souvent, on va se retrouver. Je l'aime encore... Mais c'est dur.»

Marc, compréhensif, lui tapota l'épaule et lui fit signe de monter. La crise que traversait son ami, il l'avait déjà vécue au cours de son mariage et ne la souhaitait à personne, d'autant plus qu'elle n'avait pris fin qu'avec la mort de sa femme.

☆

Linda avait finalement requis les services de Lucien. Tous deux se trouvaient au palais de justice de Toronto et fouillaient les archives de la province, à la recherche d'un indice sur la provenance des terrains de Joan Faulkner. La tâche était longue, ardue, et semblait ne mener nulle part. Lulu, effaré devant le nombre de fichiers, d'index, de registres à consulter, s'exclama:

«C'est un travail de moine que tu me demandes là!

— Lulu, cesse de te lamenter! répondit Linda, aussi découragée que lui.

— Je ne suis pas un spécialiste en finances. C'est bien Faulkner qui a acheté les terrains, mais tu devrais voir le paquet de transactions qui mènent aux anciens propriétaires.

— C'est là qu'il faut chercher, affirma-t-elle. Je le sens. Je te laisse, je vais au Conseil de radio-télédiffusion.»

Lucien passa ainsi l'après-midi, puis une partie de la soirée, à consulter dossier sur dossier. Chaque raison sociale invoquée semblait être la propriété d'une autre compagnie, elle-même contrôlée par un consortium composé d'autres compagnies anonymes.

Il découvrit enfin le nom du propriétaire original des terres, ainsi que certains détails révélateurs. Il finissait de compiler ses documents pour Linda quand celle-ci vint le retrouver, les mains vides.

«As-tu trouvé quelque chose? Je reviens du CRTC. Rien d'irrégulier du côté de la télé ou de la radio.

— J'ai enfin trouvé à qui Faulkner avait acheté ses terrains, annonca Lucien, satisfait. D'une compagnie qui s'appelle MPA Development Corporation. Regarde, ils les ont achetés d'un fermier de Hamilton, Jim Sloan.

— Un fermier..., répéta Linda en fronçant les sourcils.

— Quelqu'un s'est fait baiser là-dedans, soupçonna Lucien. Sloan a eu quatre cent cinquante mille pour ses terres et Development Corporation les a revendues trois millions à Faulkner. Ça n'a pas de sens.

— Je pense qu'on tient quelque chose de sérieux, mon Lulu, fit Linda, ragaillardie. Tu t'en vas rendre visite à monsieur Sloan; moi, je m'occupe d'en savoir plus sur la Development Corporation.

☆

«Ne vous inquiétez pas, monsieur Guilbeault, répéta Marcel Allaire. Je suis sûr que tout va très bien se passer.»

Gilles remercia le procureur pour ses encouragements, mais ne put calmer sa nervosité. Tous deux attendaient dans la vaste antichambre du bureau du ministre, dont la décision déterminerait les chances de réussite du projet de Guilbeault.

Un secrétaire les invita à rentrer dans le bureau du ministre. Allaire donna une légère poussée à Gilles qui se montrait hésitant. L'homme les accueillit avec un large sourire qui détendit l'atmosphère.

«Bonjour, monsieur Guilbeault. J'ai de bonnes nouvelles pour vous. Vous le savez, la Ligue nationale ne permettrait pas à une équipe de devenir une propriété publique cotée à la Bourse. Le conseil du Trésor va donc adopter cet après-midi un règlement vous permettant de former une société en commandite sans attendre les délais légaux. Le gouvernement va administrer et garantir l'argent de ceux qui voudront investir dans cette société en attendant que votre groupe obtienne la concession.

— Quand pourrons-nous lancer notre campagne de financement? demanda Guilbeault, pour qui cette question était primordiale.

— Si tout se passe normalement, dans une heure à peine, monsieur Guilbeault. Vos documents sont déjà prêts. Considérez ceci comme notre participation à l'aventure...»

Gilles, exhultant, se leva d'un bond et serra vivement la main du ministre, puis celle du procureur en se confondant en remerciements.

«Vous ne le regretterez pas, monsieur le ministre! Si c'est possible, tous nos actionnaires voteront pour vous.

— Je ne vous en demande pas tant. Ramenez-nous la coupe Stanley, ça ferait notre bonheur.

— Le nôtre, aussi! Je peux donner un coup de fil?»

Il voulait prévenir sans plus tarder Marie-Anne qui l'attendait aux studios de Radio-Canada.

«Marie-Anne? Ça passe! J'arrive!»

☆

«N'oublie pas, Gilles, lui rappela nerveusement Marie-Anne, l'argent des Québécois qui voudront investir dans leur équipe sera déposé dans un trust administré et garanti par le gouvernement tant que la concession ne sera pas obtenue.

— Je sais, je sais, Marie-Anne, répondit Gilles alors qu'un technicien installait un micro sur le revers de son veston.

— Autre point: il faut se servir des chiffres fournis par le maire de Québec. Les retombées économiques engendrées par le National sont importantes et...

— Marie-Anne! la coupa-t-il impatiemment, tu n'as pas besoin de me rappeler ce que je dois dire...»

Le régisseur fit signe à l'avocate de quitter le plateau. Les caméras se placèrent et l'une d'entre elles prit Guilbeault et l'animateur en plan américain. Un moniteur montra le générique de l'émission. Gilles ajusta une dernière fois sa cravate et Normand Harvey commença l'entrevue.

«Aujourd'hui, à l'émission, nous accueillons monsieur Gilles Guilbeault, directeur général du National de Québec. Monsieur Guilbeault, vous annonciez cet après-midi même que votre groupe lançait une vaste campagne de financement pour recueillir dix millions de dollars chez les partisans du National...

— Excusez-moi, corrigea Gilles, mais ce sont tous les citoyens du Québec que nous visons. Tous ceux qui veulent sauver et conserver une institution et une industrie importantes pour la capitale.

— Les premiers rapports indiquent qu'on répond avec un certain enthousiasme à votre appel.

— Nous avons vendu cent cinquante-six parts de deux à cinq heures, sans publicité. Ce n'est quand même pas mal.

— Et la Ligue nationale? Et monsieur Goldman?

— Allan Goldman est un Québécois de cœur. S'il vend le National, c'est pour des raisons personnelles. Nous espérons pouvoir offrir vingt et un millions. Je suis certain que la Ligue nationale sera heureuse de voir toute une population investir dans son équipe.

— Et vous espérez que la Faulkbauer Corporation et le

groupe Davillos, représenté par monsieur Tanner, vont abandonner la lutte?

— Écoutez, la Faulkbauer et Davillos sont des entreprises milliardaires. Le National n'est qu'une goutte dans leur océan, alors que, pour nous, c'est notre vie! Et puis, c'est difficile d'aller contre toute une population...»

Une partie de cette population, par le biais des ondes, suivait avec intérêt les propos de Guilbeault. Parmi cet auditoire, se trouvaient cependant quelques mécontents, dont Joan Faulkner qui trouvait que ce cirque ridicule devenait dangereux. Elle prit aussitôt contact avec John Aylmer pour l'informer de la réplique qu'elle préparait.

«John? Si ces imbéciles arrivent avec vingt et un millions, j'en mettrai aussitôt vingt-deux. Et s'ils en mettent vingt-deux, ça sera vingt-trois!»

Fulminante, elle raccrocha et regarda le téléviseur où Guilbeault continuait d'exprimer sa confiance envers la population.

«Nous sommes prêts, nous allons redonner leur équipe aux gens de Québec. On sent un vent d'enthousiasme qui balaie la ville!»

CHAPITRE XIII

Jusqu'à présent la campagne de financement avait beaucoup de succès. La population réagissait avec un certain engouement à l'appel de Guilbeault qui continuait d'utiliser tous les moyens pour attirer les fonds des Québécois. Un de ces moyens était la très écoutée ligne ouverte de Jacques Lacasse.

«Vous avez déjà amassé six millions, rappela Lacasse, votre campagne bat son plein. Le fait que le groupe Davillos, contrairement à la Faulkbauer, ait retiré son offre sous les pressions populaires vous aidera-t-il?

— Oui, dit Guilbeault, parce que, maintenant, on va se battre à un contre un. Nous avons déjà la confirmation de six mille trois cents détenteurs de billets de saison. Ces gens peuvent ajouter cinq cents dollars en allant renouveler leur billet et endosser pour cinq cents autres. Ça nous fait déjà six millions trois cent mille comme base de financement. Et il s'organise des cellules un peu partout; je pense, par exemple, à des employés d'un restaurant de Chicoutimi qui ont acheté cinq actions en groupe. On devrait atteindre les sept millions d'ici quelques jours, mais ce n'est pas une raison pour lâcher!

— Surtout pas, approuva l'animateur. Nous allons répondre à un appel. Bonjour, Gilles Guilbeault vous écoute, monsieur.

— Monsieur Guilbeault, fit l'auditeur d'un ton sarcastique, vous êtes un rêveur! Pensez-vous vraiment que des Canadiens français sont capables d'acheter une équipe de hockey? Ça va finir comme les caisses d'entraide, votre histoire.

Vous feriez bien mieux de botter le cul de votre beau-fils, de l'envoyer sur la glace et de vous classer pour les séries!

— Bon..., commenta froidement Guilbeault. Il nous reste sept parties. Nous avons gagné quatre de nos cinq derniers matches, ce n'est pas si mal. Quant à Pierre Lambert, il rencontre le médecin aujourd'hui.

— Et que répondez-vous à la première remarque de monsieur? demanda Lacasse.

— Voyez-vous, monsieur, expliqua Gilles, quand on marche toute sa vie plié en deux devant les autres, on finit immanquablement par se faire grimper sur le dos. Nous, on a décidé de se tenir droit. Si ça ne vous tente pas de devenir propriétaire de votre équipe, c'est votre affaire. Mais il y a presque sept mille de vos compatriotes qui ont décidé de se tenir droit, eux aussi. Moi, je les respecte.»

L'auditeur ne trouva rien à répondre et l'émission se poursuivit sur le même ton dynamique et confiant.

☆

Lulu roulait en banlieue d'Hamilton dans une voiture louée. Il avait déniché la nouvelle adresse du mystérieux monsieur Sloan et, à la demande de Linda, allait y faire un brin d'enquête. C'était une ferme, calme, bien entretenue. Il engagea la voiture sur le chemin de terre battue qui menait à la maison, s'arrêta non loin de celle-ci. Personne n'en sortit. Un chien enchaîné se mit à aboyer, bloquant l'accès à la résidence.

«Beau chien, beau chien, murmura Lucien, peu confiant. Va te trouver un os...»

Les jappements de l'animal finirent par attirer l'occupant de la maison. Un homme d'une soixantaine d'années, énergique mais peu sociable, vint s'appuyer au cadre de la porte, pipe au bec, l'air hostile.

«Monsieur Sloan? Lucien Boivin du *Matin,* dit-il dans son anglais hésitant. J'ai téléphoné hier.»

Un moment, Sloan continua de le fixer en silence, laissant son chien faire la conversation.

«Ouais, complimenta Lulu, belle propriété... beau chien...
— La ferme! ordonna Sloan au chien qui aboyait toujours.
— Comme je vous le disais au téléphone, reprit Lucien, soulagé, vous avez vendu votre ancienne propriété à la MPA Corporation. Les connaissiez-vous, ces gens-là?
— Vous êtes journaliste? demanda sèchement le fermier.
— Oui, je fais un article sur la spéculation immobilière dans la région.
— Je ne suis pas spéculateur.
— Ça, je le sais... Mais, quand vous avez vendu vos terres, saviez-vous qu'on allait y construire un aréna?
— Pourquoi voulez-vous le savoir?
— Je suis allé au cadastre, la MPA vous a donné quatre cent cinquante mille pour vos terrains...
— C'était des terres agricoles. J'ai été chanceux de les vendre à ce prix-là.
— Monsieur Sloan, continua Lucien, la MPA a revendu vos terres à la Faulkbauer Corporation pour trois millions de dollars...»

Cette information sembla le laisser indifférent. Encore une fois, la seule réaction vint du chien qui se remit à japper de plus belle. Sloan répondit bêtement:

«Impossible. Ce sont des terres agricoles.
— On a dû changer le zonage parce que...»

Lucien ne se donna pas la peine de poursuivre son explication. Sloan avait déjà disparu et l'observait probablement par le coin d'une fenêtre. Lulu, découragé, baissa les bras et remonta dans la voiture.

La vie avait repris chez Marc. Celui-ci lisait avec satisfaction les manchettes qui annonçaient que le cap des sept millions avait été franchi. Suzie le tira de sa lecture.

«Marc! As-tu un séchoir à cheveux? demanda-t-elle du haut de l'escalier, une serviette sur la tête.

— Dans la salle de bains..., répondit-il sans en être trop sûr.

— Troisième tiroir au fond, intervint Marie-France en sortant de sa chambre.

— Il va falloir commencer à mettre de l'ordre ici..., annonça Suzie, moqueuse.

— Pas de dispute, ce matin, s'il te plaît!» s'exclama Marc en riant.

On sonna à la porte. Marie-France, qui semblait attendre quelqu'un, alla ouvrir.

«Bonjour, Marie-France! salua gaiement Hugo.

— Qu'est-ce qu'il...? commença Marc, méfiant.

— On va reconduire Jimmy, expliqua Marie-France. Suzie me prête son auto.

— Ouais... Le bonheur des uns fait le bonheur des autres...»

Il les regarda sortir, tentant de réprimer son appréhension face à tout ce qui était de sexe masculin et se trouvait à moins de dix mètres de sa fille. Suzie détourna son attention par un sifflement aguicheur.

«Marc... Tu viens m'aider à attacher ma robe?

— J'arrive!»

Marc ne broncha pas lorsqu'il entendit sa voiture démarrer dans la rue.

Marie-France et Hugo se rendirent à la résidence, maintenant pratiquement vide, de Jacques Mercier où Jimmy, malheureux, les attendait patiemment.

Les trois jeunes, mal à l'aise, ne dirent presque rien du trajet. Arrivés au terminus, Marie-France et Hugo accompagnèrent leur ami jusqu'au quai de l'autobus pour Toronto. La jeune fille se décida alors à briser la glace.

«On va aller te voir à Toronto, cet été, moi et Hugo, promit-elle.

— On va se revoir avant. Je vais revenir avec mon père pour la dernière partie.

— Tu sais, moi, le hockey...

— On est pas obligés d'y aller...»

Marie-France sourit sans conviction, puis prit timidement la main d'Hugo. Jimmy, pris de court, les observa qui baissaient les yeux, gênés. Il y eut un silence tendu qui prit fin avec l'arrivée de l'autobus.

«Bon, il faut que j'y aille!» déclara Jimmy, refermé sur lui-même. Ses amis l'aidèrent à ranger ses valises dans la soute, lui souhaitèrent un bon voyage et le regardèrent monter dans l'autobus.

Hugo et Marie-France retournèrent lentement à la voiture, main dans la main, tête contre épaule.

C'était le test décisif pour Pierre. Le docteur Bergeron, en présence de Guilbeault, examinait une dernière fois son dos afin de décider s'il pouvait ou non retourner au jeu.

«Tout a l'air correct, décréta le médecin, hésitant. Mais avec le dos, on ne sait jamais. Mon opinion, c'est qu'il faudrait attendre encore. Un retour au jeu prématuré, une mauvaise mise en échec, et ça pourrait être la fin de ta carrière.

— L'équipe a besoin de moi, dit Pierre. Je vais aller à la pratique, et je verrai. Mais j'ai décidé: il faut que je joue. Si j'attends à l'an prochain, j'aurai trop de pression sur les épaules, tout le monde va me surveiller pour voir si je l'ai perdu.

— Gilles? demanda Bergeron.

— S'il y a une chance sur un million, on va la prendre. On a besoin de lui, doc.

— Et tu te crois capable de prendre les coups d'une partie de hockey? demanda Bergeron, sceptique, à Pierre.

— Il faut que je revienne aider les gars. C'est le mois le plus important de l'histoire du National et je ne suis pas là pour faire ma part.

— Tu es partout, à la télévision, à la radio.

— Ce n'est pas la même chose, doc, et tu le sais, expliqua Guilbeault.

— Je veux au moins recommencer à patiner avec l'équipe, exigea Pierre.

— D'accord. Mais pas de mise en échec et pas de lancer frappé, c'est une torsion très violente.

— Promis! fit Pierre, radieux. Je n'irai pas dans les coins!»

☆

Jacques Mercier avait fait son entrée dans le vestiaire des Maple Leafs. Comme à Québec, à Fribourg et pour équipe-Europe, il tenait à montrer qui était le maître dans l'équipe, se faisant immédiatement détester par une bonne partie des joueurs. C'était ce qu'il voulait et il l'avait.

L'un de ses joueurs, Paul Couture, n'avait pas besoin de démonstration. Il avait connu les années de gloire de Mercier à Québec et avait déjà pris en grippe l'entraîneur. Celui-ci le savait, s'en foutait et ne se gênait pas pour tenter de pousser le vétéran à la retraite.

Lors d'un match intra-équipe, alors que le «Curé», devenu effectivement trop vieux pour suivre le rythme des plus jeunes, s'était facilement fait déjouer par un joueur du groupe adverse, l'entraîneur, sautant sur l'occasion pour lui exprimer clairement ses intentions, arrêta le jeu d'un coup de sifflet.

Couture, devinant ce qui allait se passer, préféra ne rien dire. Frank Ross, compatissant, s'approcha de lui.

«Ça va, Paul? demanda-t-il.

— Ça va aller, assura le vétéran en observant Mercier qui, le regard dur, patinait vers lui.

— *Come on!* lança Mercier à la ronde. Je veux que ça bouge! Et toi, Couture, veux-tu te retrouver dans les gradins? Faut-il que j'annonce ta retraite avant les séries? Grouille-toi le cul!»

L'entraîneur s'éloigna. Ross tenta de remonter le moral de Couture.

«T'en fais pas, il essaie juste de montrer qui est le boss, dit-il.

— Je sais, j'ai joué sept ans pour lui», rappela Paul.

La séance d'entraînement se poursuivit longtemps. Mercier fit patiner ses joueurs jusqu'à épuisement complet. Finalement, tous rentrèrent au vestiaire. Ils attendirent un peu avant de retirer leur équipement, trop occupés à reprendre leur souffle.

Jacques vint les rejoindre et s'en prit de nouveau au «Curé».

«Quand on n'est plus bon à rien, il faut être assez honnête pour accrocher ses patins, dire merci et foutre le camp! Tu ne l'as plus, Couture, accroche ton chandail. T'es fini. Même chez toi, tu ne l'as plus...

— C'est assez, Jacques, avertit Couture, à bout, en se levant. Je connais les rumeurs qui circulent sur mon compte, et ça n'a rien à voir avec mon jeu.

— Pourquoi penses-tu qu'on t'a échangé? demanda Mercier, insidieux.

— Parce que tu ne regardes pas les hommes, tu regardes seulement le pointage.

— Tu as été échangé parce que tu n'es plus un gagnant. Tu es fini.

— Qu'est-ce que tu veux, Jacques? demanda Paul en ricanant, cynique. Mon temps est fini. Mais ton temps est fini, toi aussi. La peur, ça ne marche plus, Jacques. Tu ne fais plus peur à personne...»

Les deux hommes demeurèrent face à face un instant, puis Jacques quitta la pièce, troublé par les regards hostiles qui pesaient sur lui.

«Salut, les gars!» s'écria joyeusement Pierre en entrant dans le vestiaire. Il se dirigea vers son casier sous les bonjours allègres du reste de l'équipe.

«Salut, le Chat! répondit Martin. Finies, les vacances.

— Ouais, bien drôle...

— Content de te voir, Pierre, dit Denis. Manquait plus que toi.

— *Welcome back, Tom Cat!* s'exclama Templeton.

— Pierre, ils vont enfin cesser de dire que je dois prendre ta place, fit Danny.

— À vous voir jouer depuis trois semaines, répondit Pierre en désignant aussi Étienne, je me demande si je suis assez bon pour la quatrième ligne... Mais ça ne fait rien, ça m'a tellement manqué que je serais prêt à être l'assistant de Nounou.

— Et puis? demanda le soigneur, offusqué. Qu'est-ce qu'il y a de honteux à être mon adjoint? Je suis content de te revoir, mon chaton!

— Maintenant que Lambert est revenu, déclara René Roberge, ça va être notre tour de prendre des vacances.

— Des vacances? répéta Pierre, mécontent. Faut penser aux séries. Après, on va aller chercher la Coupe, pour faire ravaler aux chialeux tout ce qu'ils ont dit en mal de nous.

— Pierre?

— Quoi, Nounou?

— Toi, tu vas être un des quatre grands propriétaires du National...

— C'est vrai ça! s'exclamèrent quelques joueurs.

— Va-t-il falloir t'appeler «monsieur Lambert»? demanda Nounou.

— Minute..., répondit Pierre, nullement pris de court. Toi, Nounou, combien tu as mis dans le National?

— Mille piastres.

— Dans ce cas-là, tu ferais mieux de surveiller ton investissement et de ramasser les bâtons qui traînent, c'est ton argent.

— Autrement dit, s'indigna Nounou après une hésitation, parce que je suis propriétaire, il va falloir que je travaille encore plus fort... C'est drôle, j'ai l'impression de toujours me faire fourrer dans vos histoires.»

Pierre éclata de rire et simula une prise de tête sur Nounou pendant que Roberge faisait mine de lui botter le derrière.

☆

Lucien et Linda continuaient leur enquête. Ils marchaient dans un vieux quartier de Toronto où s'alignaient des boutiques et des bâtiments décrépis.

«Ouais..., commenta Lucien, la MPA, ça n'a pas l'air d'être une multinationale.

— Treize zéro un, Church street, marmonna Linda. C'est bien ici.»

Pénétrant dans l'édifice, ils se retrouvèrent dans un large corridor poussiéreux où traînaient quelques boîtes vides. Sur chacune des nombreuses portes qui se succédaient dans le couloir étaient marquées des inscriptions que Linda et Lulu lisaient en avançant lentement. Ils trouvèrent enfin ce qu'ils cherchaient: «MPA Development Corporation».

«Ouais..., répéta Lucien. Et ce sont eux qui ont payé trois millions et qui ont fait modifier le zonage agricole à Hamilton?»

Pour toute réponse, Linda cogna à la porte pour en avoir le cœur net. L'endroit semblait bel et bien désaffecté. On ne voyait rien d'autre par la vitre sale que des stores baissés qui laissaient passer de minces filets de lumière.

«Qu'est-ce qu'on fait, maintenant? demanda Lucien.

— Nous allons au ministère des Corporations. Il faut absolument trouver qui forme la MPA Corporation.»

Lucien laissa échapper un immense soupir, résolu à suivre Linda dans les méandres de la bureaucratie.

Ils prirent un taxi qui les conduisit au centre-ville où se trouvait l'immense tour à bureaux du gouvernement. Après une série d'ascenseurs, d'escaliers mécaniques, d'erreurs dans les numéros de locaux, ils se retrouvèrent enfin au ministère en question.

Linda demanda à consulter le dossier de la MPA et Lucien profita de ce délai pour donner un coup de fil, à frais virés, chez lui à Québec. Jojo lui apprit qu'un des bébés venait de faire ses premiers pas, ce qui mit le journaliste dans un état de frénésie complète.

Le fonctionnaire responsable finit par se présenter avec le dossier tant attendu. Oubliant l'attitude exaspérante de Lucien, Linda ouvrit le cartable avec avidité. En grosses lettres rouges, barrant le texte du document, était écrit: *«abandon of charter»*. Elle parcourut les pages des yeux, puis, frustrée, s'écria en anglais.

«Il n'y a rien là-dedans!

— Non, admit le fonctionnaire. Ils ont demandé leur charte...

— J'ai bien vu! s'exclama Linda, hors d'elle. Mais que dit la procédure? Il faut bien signer des papiers quand on dissout une compagnie! Il doit bien y avoir quelque part une résolution des actionnaires qui l'autorise.

— Les abandons de chartes, fit le fonctionnaire, indifférent, c'est au huitième.»

Linda contint son impatience et ordonna à Lucien de la suivre.

«Viens-t'en, Lulu, on n'est pas à la bonne place...

— C'est ça, je t'embrasse! dit Lucien, encore au téléphone.

— Lucien...», grogna Linda.

Il raccrocha et la suivit dans un autre couloir.

«Et puis? demanda-t-il.

— La compagnie n'existe plus. Il faut aller voir aux abandons de charte.

— Est-ce qu'on va rester encore longtemps ici? se plaignit-il, pressé de rentrer chez lui.

— On va rester tant qu'on n'aura pas trouvé!

— Julie a marché, aujourd'hui, raconta-t-il, heureux. Un pas, puis elle est retombée sur le derrière. Hop!

— Ça va te coûter une fortune en interurbains...

— Tu n'as jamais besoin d'appeler personne? Tu ne donnes jamais de coups de fil à Tanner?

— Frédéric, murmura Linda alors qu'ils arrivaient devant l'ascenseur.

— Tu le trouves de ton goût, le Fred, hein? Avoue!

— Fous-moi la paix, veux-tu?» le somma-t-elle sans parvenir à s'empêcher de sourire.

Au huitième étage, ils reprirent la même procédure avec un autre fonctionnaire et se retrouvèrent devant une pile de documents similaire à la précédente. Ils recommencèrent à déchiffrer les obscures notes administratives qui parcouraient les pages des dossiers. Au bout d'un quart d'heure, découragée, Linda déclara:

«Je ne trouve rien, moi, dans ce fouillis. Toi?

— Moi non plus, répondit tristement Lucien. Il va falloir se concentrer sur le zonage agricole. Ça s'est fait à travers le ministère de l'Agriculture.

— Continue à fouiller, conseilla Linda. Je n'ai pas l'impression que nous allons pouvoir débarquer dans le bureau du ministre Richard Prentiss pour lui demander pourquoi le zonage a été modifié à Hamilton...

— Mary MacPherson..., marmonna Lucien, retrouvant soudainement son énergie.

— Qui?

— Mary MacPherson. C'est elle qui a signé le certificat de dissolution, avec une autre personne, John... attends, je n'arrive pas à lire...

— Fais voir!» ordonna Linda, surexcitée. Il y eut un silence durant lequel son visage prit une expression de triomphe total. «John Aylmer! s'exclama-t-elle.

— Le président de la Ligue nationale? fit Lucien, ébahi.

— Lulu, tu connais un journaliste politique à Toronto?

— Euh... Oui, il y a Gerry Leblanc.

— Téléphone-lui immédiatement et demande-lui où on peut le rencontrer.

— À tes ordres!»

Les joueurs étaient prêts à affronter les Flyers. Chaque victoire comptait, maintenant, et chaque défaite risquait de mettre fin au rêve du National. La tension régnait dans le vestiaire, mais c'était une saine tension. Gagnon le sentait dans l'attitude de son équipe, qui se préparait en portant attention aux moindres détails.

Marc fut tiré de ses pensées par Guilbeault qui, les traits tirés, les yeux rouges, vint le rejoindre et le prit à part.

«Puis? demanda Marc, inquiet. Ça n'a pas l'air d'aller trop fort.

— Ça plafonne, confia Gilles, à bout. Il manque deux millions. Il faut aller chez ceux que le hockey n'intéresse pas particulièrement. Jusqu'à maintenant, on avait marché sur l'enthousiasme de nos supporteurs mais, là... on est mal pris.

— Le match de ce soir va t'amener du monde, assura Marc.

— Je l'espère, soupira Guilbeault. Sans ça, on est cuits...

— Bon, je te souhaite bonne chance. Il faut que j'y aille, on se verra après le match.»

Marc retourna au vestiaire. La tension était à son comble. Tous les joueurs l'observaient, attendant seulement un mot de sa part.

«Les gars, dit-il simplement, ce soir, ou on gagne contre les Flyers, ou on ne participe pas aux séries. Vous savez comment les gens oublient vite le hockey...»

Il n'eut pas besoin d'en ajouter. Les joueurs avaient compris le message. Tous se dirigèrent calmement vers la glace.

Ce match fut sans doute le plus difficile qu'ait livré le National au cours de cette saison. Les deux équipes jouèrent une partie parfaite jusqu'à la cinquante-septième minute. Aucun but n'avait été compté, d'un côté ou de l'autre.

Ce fut à ce moment que Templeton perdit son calme. Un des joueurs des Flyers vint plaquer durement Danny contre la bande, ce qui mit Mac hors de lui. Le policier du National s'en prit à l'adversaire et le frappa sauvagement jusqu'à ce que celui-ci se retrouve sur la glace, assommé.

Exultant, Templeton l'abandonna et, en se rendant au banc des pénalités, fit avec son bâton un geste de provocation à l'intention de tous les joueurs des Flyers.

Comme démonstration de force, cela avait été convaincant, mais peu avantageux pour le National. Avec trois minutes à jouer et un pointage de 0 à 0, Mac venait de placer son équipe en désavantage numérique. La foule hua impitoyablement son comportement.

Les Flyers conservèrent un long moment la rondelle dans

la zone du National, obligeant son gardien à effectuer plusieurs arrêts spectaculaires et désespérés.

Finalement, Danny Ross soulagea les défenseurs de son équipe en interceptant la rondelle. Il fit une passe précise à Pierre Lambert qui monta seul jusqu'au filet adverse. Il ralentit, feinta, compta.

Les spectateurs se levèrent d'un bond, explosant en un tonnerre d'applaudissements. Marc, derrière le banc, poussa un long soupir de soulagement.

«Ça devient très difficile, dit John Aylmer, embarrassé. Personne ne pouvait prévoir que la population de Québec s'en mêlerait.

— Je viens de parler à Herbert Cash, de Vancouver, répondit Joan Faulkner, plus sereine. Nous avons plus que la majorité des gouverneurs en notre faveur. Tout ce qui pourrait les sauver, maintenant, c'est qu'ils offrent plus que nous au vote.

— Ils ont déjà neuf millions d'amassés...

— Avec leur prêt de dix millions, il leur manque encore deux millions. Et même s'ils les trouvaient, ils ignorent qu'il leur faudra un million supplémentaire le jour du vote. C'est gagné, mon cher, rien ne peut plus nous arrêter.»

Linda et Lucien avaient obtenu leur rendez-vous avec Gerry Leblanc, le chroniqueur politique du *Toronto Star*. Tous trois marchaient dans un corridor menant à la salle des microfilms du quotidien torontois. L'Ontarien, piqué dans sa curiosité, tentait d'arracher les vers du nez à ses collègues québécois.

«Lucien, je te l'ai dit hier soir, rappela Leblanc, je veux bien te renseigner à propos de Prentiss, mais mets-moi aussi dans le coup!

— Que savez-vous sur Richard Prentiss? demanda Linda.

— Richard Prentiss est un jeune premier de la politique en Ontario. Il est marié à Mary MacPherson, des acieries MacPherson. En l'espace de trois ans, il est devenu celui dont tout le monde parle... Nous y voici.

— Qui le finance?» continua-t-elle, insatiable.

Sans répondre à sa question, Gerry les fit entrer dans un local où se trouvait un appareil de visionnement de microfilm couplé à un ordinateur et à un photocopieur. Il leur en expliqua le fonctionnement.

«Vous tapez le nom de la personne et la catégorie dans laquelle vous la classez. Vous appuyez ici pour faire défiler les articles et là pour en faire une copie. Exemple: Richard Prentiss, politique... Comme vous ne voulez rien me dire, dit-il sur un ton courtois mais réprobateur, je vous laisse vous débrouiller.

— Pour Joan Faulkner, quelle est la référence? Politique? Finances? Journaux?

— Essayez «télévision». À cause du réseau Total TV... Vous allez probablement y retrouver Richard Prentiss, c'est elle qui a financé sa campagne sur sa chaîne télé.»

Linda entra les coordonnées de Joan Faulkner. Les articles se mirent à défiler à toute vitesse sur l'écran, lui laissant juste le temps de lire les titres.

«Qu'est-ce que tu cherches? demanda Lucien.

— Tout ce que je peux trouver.»

La jeune femme tapa d'autres informations, les images continuèrent de se succéder. Subitement, elle arrêta tout, revint en arrière, fit une photo-impression.

Lucien se pencha sur la copie. Il y vit une photo montrant Joan Faulkner, Mary MacPherson, Richard Prentiss et John Aylmer à la même table. L'article titrait: «FUND RAISING FOR TOTAL TV».

☆

Jacques invita Jimmy à entrer dans leur nouvelle maison. L'adolescent le fit sans joie. Mercier observa son fils s'avancer dans la vaste demeure encore vide, sans sourire, sans faire de commentaires.

«Comme tu vois, ce n'est pas l'espace qui va manquer...», fit remarquer le père, conciliant.

Jimmy ne dit rien et se dirigea vers une fenêtre. Il regarda distraitement à l'extérieur.

«Jimmy, arrête de faire la tête, supplia son père, exaspéré. Tu boudes depuis que tu es arrivé à Toronto.»

Le jeune homme demeura impénétrable.

«Bon, fit Mercier, énervé. Sors-le ce que tu as sur le cœur!

— Dad, ça fait un an que je me fais trimballer entre deux valises et j'en ai marre, expliqua Jimmy. Pour combien de temps es-tu à Toronto? Si ça ne marche pas, j'imagine que tu vas repartir... Je n'ai plus d'amis nulle part. Ici je ne connais personne. Au moins, à Québec, il y avait Marie-France. Je ne veux pas vivre à Toronto. J'aime mieux retourner en Suisse.

— On ne va pas recommencer! s'exclama Mercier, mécontent. Tu veux aller en Suisse? Ta mère s'en vient. Tu vas aller vivre seul à Fribourg? Reviens donc sur terre. On est à Toronto pour rester, que ça te plaise ou non. Je ne veux plus entendre un mot là-dessus. Tu vas faire un grand garçon de toi et être raisonnable.

— O.K...» soupira Jimmy avant de retomber dans son mutisme.

☆

Le groupe, à la demande de Linda, s'était réuni pour la première fois depuis quelques semaines. Celle-ci expliqua à Gilles, à Pierre et à Marc ce qu'elle avait découvert à Toronto. Ils semblèrent oublier leur problème de financement en apprenant la nouvelle. Linda proposa un plan...

«Maintenant, conclut-elle, tout ce qui nous reste à faire, c'est de faire paraître la nouvelle dans les journaux. John

Aylmer ne restera pas longtemps président de la Ligue nationale et Joan Faulkner va devoir retirer son offre.

— Le National est sauvé! fit Pierre, réjoui.

— N'oubliez pas qu'il nous reste encore presque deux millions à trouver..., intervint Gilles, réaliste.

— Débarrassons-nous d'abord de Joan Faulkner, nous verrons après, rétorqua Linda.

— Justement, c'est l'après qui m'inquiète, expliqua Guilbeault. Ah! On va avoir un beau scandale... John Aylmer va démissionner. Ça peut retarder la vente du National... mais il va être toujours à vendre si on n'arrive pas à compléter le financement. Alors, qu'est-ce qui empêchera quelqu'un d'autre de nous acheter en offrant plus? Ou même, qu'est-ce qui empêchera Faulkner de vendre tous ses intérêts à une compagnie bidon qui fera une offre à son tour, et, dans deux ou trois ans, de racheter cette compagnie et de devenir, quand même, propriétaire du National?

— D'accord, admit Linda, mais, si on ne fait rien, ça va être pire. Je ne te comprends pas, Gilles, on ne peut pas rester assis sur une information comme celle-là!

— Je n'ai pas dit qu'on resterait assis dessus, précisa Guilbeault. Ce qui est important, c'est de savoir quand l'utiliser.

— Je comprends..., approuva Linda.

— Vous pourriez peut-être nous expliquer? demandèrent Marc et Pierre qui n'avaient pas tout à fait saisi le raisonnement sinueux de Gilles.

— Ce qu'il faut, déclara-t-il, c'est trouver le reste de l'argent. Nous devons être à la réunion des gouverneurs le 2 avril.

— Et si on ne trouve pas le financement? demanda Marc.

— Si on ne le trouve pas, on peut bien battre des pieds et des mains mais, tôt ou tard, le National va se retrouver ailleurs qu'à Québec..., fit-il tristement. Quelqu'un a une idée géniale?»

☆

Lulu rentra chez lui, épuisé par le train de vie que lui avait fait mener Linda au cours des derniers jours. Sur le canapé, Jojo dormait avec l'un des jumeaux dans les bras. Lucien décida que le bébé avait assez profité de sa mère, le mit au lit et vint prendre sa place dans le giron de Johanne. Elle s'éveilla doucement.

«Je me suis ennuyé de toi, déclara gentiment Lulu.

— Bonsoir, mon mari, je t'attendais... Je n'aime pas ça quand tu pars.

— Je suis là, soupira Lucien, exténué. Tu n'as pas eu trop de problèmes, toute seule?

— Mon Lulu, j'ai beaucoup réfléchi, annonça Johanne. Je sais que ce n'est pas très moderne de penser comme ça...

— Quoi donc?

— Toi et les jumeaux, vous me manquez. C'est bien beau, une job de recherchiste à Radio-Canada, mais je n'arrive plus. Je ne me suis pas mariée pour cesser de voir mon mari et mes enfants.

— C'est vrai ce que tu dis? demanda Lucien, nullement contrarié. Tu le penses vraiment?

— Tu ne m'aimerais pas moins si je restais un peu à la maison?

— Penses-tu! Je fais un salaire qui peut facilement nous faire vivre tous les deux. Tu le sais que je t'aime, Jojo, tu choisis ce que tu veux.

— Dans ce cas, dit-elle en se nichant contre lui, j'ai le goût de rester. Des jumeaux, je n'en aurai plus jamais, je veux les voir grandir...»

Pierre se brossait tranquillement les dents dans la salle de bains quand il entendit Patricia crier son nom à deux reprises. Il se rendit précipitamment dans la chambre à coucher. La jeune femme se tenait le ventre à deux mains, l'air étonnée.

«Pierre, je pense que..., annonça-t-elle.

— J'appelle le docteur! cria-t-il, encore plus nerveux qu'elle. Où est le numéro? Où est le numéro?

— Dans le tiroir.

— Quel tiroir?

— La table de nuit.

Pierre vida le tiroir sur le sol, éparpilla son contenu à la recherche du numéro du médecin. Patricia, amusée, l'observait. Ses douleurs avaient cessé.

«On y va directement!» décida-t-il brusquement en enfilant un chandail à l'envers.

Patricia se mit à rire.

«Pierre! C'est fini. Ce n'est pas pour ce soir... Viens ici.»

Il obéit, soulagé, et vint appuyer sa tête contre le ventre de Patricia.

«Il va être normal, hein, Pierre? demanda-t-elle, inquiète. S'il n'était pas normal...

— Arrête ça, coupa-t-il. Il va être normal, et beau, en plus. Sa mère est trop belle pour qu'il ne soit pas normal...»

Frédéric Tanner n'avait pas dit son dernier mot. Il était de retour à Québec avec une série de consignes du groupe Davillos. Son avion était arrivé dans l'après-midi. Fatigué par le voyage, il se rendit directement à l'hôtel. Il traversa le hall et entra dans l'ascenseur. Au moment où les portes allaient se refermer, quelqu'un les fit se rouvrir.

«Linda!» s'exclama-t-il, agréablement surpris.

Les deux amoureux s'enlacèrent et montèrent sans tarder à la chambre de Frédéric.

«Je me suis ennuyée de toi, confia Linda. Il va falloir que tu m'emmènes dans tous tes voyages.

— Linda, tu m'aimes? demanda Tanner.

— À ma grande surprise, oui!

— Quels sont tes plans si le National n'arrive pas à compléter son financement?

— Comme ton groupe se retire, il ne reste plus que la Faulkbauer et nous. Il nous faut cet argent.

— Et si Davillos vous le prêtait?

— Quoi?

— En échange de votre support publicitaire pour rétablir l'image de nos produits dans l'Est du Canada..., proposa-t-il. C'est-à-dire, les droits exclusifs de se servir du National.

— Tu es sérieux?

— Oui. Dix ans d'exclusivité, rien de moins.»

Elle ne répondit rien, se contentant de se précipiter sur le téléphone.

«Gilles? Nous avons les deux millions!»

☆

«Monsieur Guilbeault est ici», annonça la secrétaire. John Aylmer ajusta sa cravate, fit un sourire compatissant et repensa au mot de sympathie qu'il avait préparé pour remonter le moral du directeur du National.

«Faites-le entrer, ordonna-t-il.

— John..., salua Guilbeault.

— Gilles, fit cordialement Aylmer, laisse-moi te féliciter, vous avez fait un travail fantastique, toi et ton groupe. C'est malheureux que pour quelques millions...

— John Aylmer, coupa sèchement Guilbeault, je suis ici pour déposer mon chèque certifié de vingt et un millions. À moins que la Ligue n'ait d'autres exigences, ça complète le dossier. Nous nous verrons demain à Montréal, au conseil des gouverneurs... Bonne chance..., souhaita-t-il, cynique, avant de quitter la pièce.

— Comment: bonne chance?» demanda Aylmer, subitement inquiet.

Gilles n'était déjà plus là. John appuya sur le bouton de l'interphone.

«Rejoignez-moi Joan Faulkner», ordonna-t-il. Après un court délai, il obtint la communication. «Joan? Aylmer. Guilbeault vient de passer. Ils ont trouvé l'argent! Il avait même l'air de se douter de quelque chose.

— Je ne vois pas ce qui vous inquiète, le rassura Faulkner, condescendante. Tout marche selon nos plans. Le groupe de Tanner s'est retiré et celui de Guilbeault sera incapable de renchérir sur le million additionnel que je vais déposer à la dernière minute. Et, s'il le faut, je suis prête à déposer un autre million. À six heures demain soir, le National sera à moi.»

☆

Jacques Mercier venait, lui aussi, d'arriver à Québec. Il y venait pour la première fois en tant qu'entraîneur des Maple Leafs.

Les deux équipes allaient jouer leur dernier match de la saison, match qui serait primordial pour le National. Les Whalers avaient complété leur calendrier avec un point de priorité, ce qui signifiait que la troupe de Marc Gagnon devait en mériter deux, c'est-à-dire l'emporter, pour les devancer. Un match nul ne suffirait pas car, en cas d'égalité au classement, on départagerait deux équipes par leurs fiches offensive et défensive, toutes deux supérieures dans le cas d'Hartford.

Les journalistes avaient tous analysé cette situation critique et s'approchèrent avidement du nouvel entraîneur torontois.

«Jacques, content de revenir à Québec? demanda Lucien.

— Disons que je suis de meilleure humeur que quand j'en suis parti..., blagua Mercier, plus aimable que de coutume.

— Vous êtes déjà assurés d'une place dans les séries, rappela Drouin. Pour toi, la partie de demain soir ne veut rien dire. Mais le National doit absolument gagner pour se rendre en séries...

— C'est quoi la question? fit Jacques, impatient.

— Bien... Vas-tu donner congé à quelques-uns de tes meilleurs joueurs? demanda-t-il, posant ainsi la question qui brûlait les lèvres de tous.

— Tu me connais, Drouin. Tu veux savoir si je vais donner une chance au National? Jamais. On va tout donner pour gagner le match.

— Qu'est-ce que tu penses du plan de Guilbeault pour

garder la franchise à Québec? demanda Simon à brûle-pourpoint.

— Je lui souhaite bonne chance. La place du National, c'est à Québec. Maintenant, vous allez laisser mes gars tranquilles, on a une grosse partie à jouer demain.»

Il quitta le groupe de journalistes, les laissant perplexes.

«Finalement, remarqua Lucien, on ne saura jamais si c'est un écœurant ou un gars correct...

— Disons que c'est un écœurant correct», proposa Drouin.

Le compromis sembla satisfaire le groupe.

Paul et Maryse Couture prenaient un dernier café, chez eux, avant le match. Leur situation s'était améliorée et chacun semblait prêt à reprendre la vie commune.

«Tu sais, avoua Maryse, tu me manques vraiment.

— Tu me manques encore plus, répondit Paul. Tu ne peux pas savoir le bien que ça me fait d'être ici avec toi et les enfants.

— On aimerait que tu reviennes avec nous. As-tu encore vraiment le goût de jouer?

— Tu devances ce que je voulais te dire, annonça-t-il. Je termine la saison et je prends ma retraite. Je n'ai plus de plaisir à jouer. Le hockey, c'est fini.

— Ça tombe très bien, dit-elle, j'avais justement des projets pour nous deux. On a beaucoup de retard à rattraper...

— Toi, tu vas bien?

— Tu veux savoir si je t'aime? devina-t-elle. Oui. Très, très fort. Je suis contente que tu reviennes à la maison, j'ai horreur de dormir seule...»

Pendant ce temps, à Montréal, la réunion allait bientôt commencer. Les vingt gouverneurs en poste n'attendaient plus que les propositions de vote pour décider à qui irait le National. Tout ce monde discutait dans le lobby de l'hôtel où se situait le conseil.

Seules deux femmes se trouvaient parmi cette multitude de gentlemen en complet: Joan Faulkner et Linda Hébert, accompagnée de Guilbeault.

Ronald Courteau, du Canadien, vint rejoindre son homologue québécois qui se tenait en retrait.

«Bonne chance, Gilles, souhaita-t-il sincèrement. Ça va être difficile. Tous les clubs de l'Ouest vont favoriser le transfert à Hamilton. Et les clubs de l'Est, eux, demandent pas mieux qu'à être débarrassés du National dans leur division... Ça s'annonce mal...

— Je sais que Hartford va voter contre nous, expliqua Gilles. Vous, Montréal, Boston et toute la division Norris allez voter pour nous, ça nous fait sept voix... Ce sont New York, Washington, Philadelphie qui me font peur.

— Il est temps d'agir», annonça brusquement Linda.

Elle laissa Courteau et Gilles et se dirigea vers John Aylmer, qui avait pris soin de ne pas s'afficher avec Joan Faulkner.

«J'aimerais vous parler seule à seul pendant quelques minutes, lui dit-elle.

— Madame Hébert, répondit-il, la réunion est sur le point de commencer.

— J'ai ici quelques documents qui pourraient vous intéresser. Vous connaissez Richard Prentiss, le ministre de l'Agriculture?

— Euh... vaguement, mentit Aylmer, mal à l'aise.

— Pourtant, continua Linda, impitoyable, c'est lui qui a fait changer le zonage à Hamilton après que la MPA Development Corporation ait acheté des terres d'un certain monsieur Sloan...

— C'est ridicule! coupa-t-il, pris de panique. À quoi rime tout cela?

— Vous connaissez Mary MacPherson? Vous étiez les seuls actionnaires de la MPA lorsqu'elle a revendu à Joan Faulkner les terrains rezonés par son mari, Richard Prentiss.

— *Stop that!*

— Non, je n'arrêterai pas, menaça Linda. Si je ne vous en parle pas, j'en parlerai aux gouverneurs... Est-ce cela que vous préférez? Je veux vous voir, vous et Joan Faulkner, en privé, et tout de suite.»

Aylmer bafouilla et dut se résoudre à aller prévenir Joan, charmeuse, qui discutait affaires avec quelques gouverneurs. Les deux se retournèrent discrètement vers Linda pendant que le président expliquait à Faulkner la situation. Ils la rejoignirent finalement, prêts à négocier.

«Venez, proposa Aylmer, il y a une pièce ici, nous allons être tranquilles.»

Tous trois s'assirent autour d'une table à café, complètement isolés du reste de la réunion. Linda attaqua.

«Ce que je sais peut faire démissionner un ministre, déclara-t-elle. Vous, monsieur Aylmer, ne resterez pas longtemps président de la Ligue. La vente du National sera évidemment annulée et l'on va probablement former une commission d'enquête pour vérifier si vous, madame Faulkner, n'avez pas porter atteinte à la liberté de presse... le ministre de l'Agriculture, Richard Prentiss, a profité d'une publicité énorme sur votre réseau de télévision...»

À bout de nerfs, John Aylmer bondit sur ses pieds et éclata:

«Assez! hurla-t-il. Que voulez-vous? *Tell me: what do you want?*

— C'est simple: que la Faulkbauer Corporation retire son offre.

— Vous êtes folle, siffla Joan, méprisante. Si vous êtes si sûre de vos faits, pourquoi n'avez-vous rien publié?

— Parce que je ne veux pas que vos sales combines éclaboussent la Ligue nationale.

— Donc, vous ne parlerez pas si la Faulkbauer se retire? demanda Aylmer, déjà prêt à abandonner.

— C'est du chantage, protesta Joan. Si nous cédons maintenant, rien ne l'empêchera d'utiliser ces informations plus tard...

— Je n'y aurais aucun intérêt, expliqua Linda. Tout ce que je veux, c'est que le National demeure à Québec.

— D'accord! fit Aylmer, en sueur.

— Il n'en est pas question! s'exclama Joan. La Faulkbauer Corporation ne retirera pas son offre.

— Alors vous vous expliquerez devant les gouverneurs et devant les tribunaux...», conclut Linda en quittant le petit bureau.

«Faites retarder la réunion, ordonna Faulkner. Il faut trouver un moyen de la contrer.

— Mais, je ne peux pas...

— Vous êtes le président de la Ligue nationale. Débrouillez-vous!»

Aylmer obéit et trouva un prétexte pour imposer un délai au début de la rencontre. Les gouverneurs protestèrent mais n'eurent d'autres choix que de s'en accommoder.

Et, pendant ce temps, Gilles et Linda, qui n'avaient pas accès à la salle de conférence, attendaient impatiemment la suite des événements. Ils ignoraient si la réunion avait commencé ou si Joan Faulkner avait cédé. Un quart d'heure s'écoula, puis un autre, puis, finalement, un secrétaire vint apporter une note à Linda.

«C'est de qui? demanda Gilles, mort d'angoisse.

— De Joan Faulkner. Elle veut me voir seule à seule.»

Guilbeault l'observa nerveusement alors qu'elle se dirigeait vers le petit bureau où elle avait présenté son ultimatum. Joan Faulkner l'y attendait, accompagnée d'Aylmer, visiblement dans le même état que Gilles.

«Linda, commença Joan, je serai brève. La Faulkbauer Corporation va perdre des millions si nous retirons notre offre. Je t'offre dix pour cent du club si vous nous laissez tenter notre chance au vote des gouverneurs.

— Et si vous perdez malgré tout?

— Je serai franche: nous ne perdrons pas. Je me suis déjà assurée de la majorité des votes.

— Vous avez décidé d'acheter mon silence, en somme.

— Tu n'as qu'à signer ici. Il est évident que tu reviens au

Matin, mais comme éditrice et rédactrice en chef. Penses-y bien, Linda. Jamais dans ta vie ne se représentera une occasion pareille. C'est ta première chance réelle de devenir riche et puissante. Tout ce que tu as toujours voulu est à portée de ta main...»

☆

Les joueurs enfilaient leur équipement pour l'ultime match de la saison. Nounou, dans un coin, une paire d'écouteurs sur les oreilles, attendait patiemment que la radio l'informe sur l'issue du vote des gouverneurs de la Ligue nationale.

«On n'a pas encore eu de nouvelles, dit-il à Denis Mercure, assis près de lui. À la radio, on dit que Québec a de bonnes chances.

— Je sais qu'on pourrait gagner sa vie ailleurs, fit Denis, songeur, mais j'aimerais ça, que ça marche. Pour une fois, ça ne serait pas des gros millionnaires qui feraient rouler une équipe de hockey.

— Pour vous, ce n'est pas si mal, se plaignit le soigneur, mais moi, je ne suis pas sûr de trouver du travail ailleurs...

— On va faire l'impossible pour gagner ce soir, dit Robert Martin d'un ton rassurant. Après, on verra bien, mon Nounou.

— Les gars, hurla Danny Ross en entrant dans le vestiaire, Mercier, on lui fait la tête!

— Vous, les vieux, renchérit Tremblay, laissez-nous faire, les jeunes, on va vous sortir du trou!»

L'équipe se fit moins turbulente quand Gagnon, livide et tremblant, fit son entrée. L'entraîneur commença à parler tout en marchant de long en large.

«Les gars, dit-il, si on perd, c'est peut-être notre dernière partie à Québec. Mais si on gagne, on revient la semaine prochaine, et peut-être celle d'après, et peut-être l'autre aussi... On ne sait jamais, on a tout ce qu'il faut ici pour aller chercher la coupe Stanley. Les gens, les fans, vous-mêmes, tout le monde a mis de son argent pour essayer de sauver notre franchise, notre équipe. On va tout donner, tout! D'accord?

— Ouais!» hurlèrent les joueurs en chœur en se levant, puis en se dirigeant vers la glace. Marc, satisfait, se pencha vers Nounou et demanda:

«Et puis? Pas de nouvelles?

— Non, rien...

— Ça s'annonce mal. On devait l'apprendre avant la partie, dans un sens comme dans l'autre...»

Un taxi menait Gilles et Linda à l'aéroport de Dorval. Tous deux restaient silencieux, ils n'avaient pas encore complètement digéré la décision du conseil. Guilbeault fut le premier à parler.

«Pince-moi, je dois rêver..., murmura-t-il, ébahi.

— Non, tu ne rêves pas, Gilles, répondit Linda. C'est la franchise!

— Veux-tu être la vice-présidente? plaisanta-t-il, laissant enfin paraître son allégresse.

— La présidente, tu veux dire!

— Je croyais..., bégaya-t-il.

— Mais non, dit-elle en riant. Je ne veux ni la présidence ni la vice-présidence... J'ai eu trop de plaisir au cours des trois dernières semaines. Je suis une journaliste, j'ai ça dans le sang.»

Linda sortit de son sac quatre grandes enveloppes qu'elle se mit à adresser et affranchir. Gilles, la voyant faire, intervint.

«Ce sont des copies du dossier? demanda-t-il, sur ses gardes.

— Oui. Une pour Radio-Canada, une pour Gerry Leblanc, une pour la *Gazette* et l'autre pour la *Presse*! Joan Faulkner ne s'en tirera pas, je te le garantis.

— Linda, conseilla Gilles, on a obtenu ce qu'on voulait. C'est assez.

— Si tu penses que je vais les laisser s'en tirer à si bon compte..., répondit-elle, agressive.

— Linda, si tu exposes l'affaire, nous allons nous-mêmes

être accusés d'avoir influencé la décision des gouverneurs, de chantage, d'avoir manipulé des informations... et puis...

— Je suis journaliste, se défendit Linda. La vérité...

— Tu as fait un marché avec Joan Faulkner. Respecte-le. Ça ne te fera pas mourir et ça va nous éviter un paquet d'ennuis. Pour une fois, Linda, laisse faire la vérité...»

Elle hésita, visiblement tourmentée, puis lui remit les enveloppes à contrecœur.

«Vite, maintenant, il faut se rendre au Colisée...» rappela-t-il.

☆

Mercier, de son côté, avait soigneusement préparé ce qu'il allait dire à sa troupe. Comme à l'habitude, il entra dans le vestiaire sans regarder aucun de ses joueurs et parla d'une voix forte sans même réclamer le silence.

«Je vais vous dire pourquoi il faut gagner ce soir, commença-t-il brusquement. Il faut gagner parce que, au hockey, il y a des matches qui sont des points tournants. Tout le monde a les yeux braqués sur vous ce soir. N'oubliez pas que le National a fait la pluie et le beau temps dans la Ligue pendant des années. Là, ils se débattent. Leur franchise est menacée. Si on gagne ce soir, on les expulse des séries et on passe un message à toutes les autres équipes de la Ligue: Toronto s'en vient! Quand une équipe est sur son déclin, il lui faut un successeur et, ce soir, tout le monde va savoir que c'est Toronto qui est sur sa montée! Allez-y.»

Les Maple Leafs se rendirent sur la patinoire pour la période d'échauffement. Mercier se plaça furtivement derrière le banc de son équipe, peu pressé de voir la réaction de la foule.

Elle ne le déçut pas. On le hua copieusement et on lui cria des slogans peu flatteurs. Certains spectateurs avaient même préparé des banderoles injurieuses à son égard. Jacques demeura calme, garda un visage impassible et attendit le début de la rencontre.

Son discours avait fait effet: ses joueurs firent tomber

l'enthousiasme de l'assistance dès les premières minutes de la partie en marquant un but.

Un deuxième but vers la moitié de la période enfonça plus encore les spectateurs dans le désespoir. Marc conserva son sang-froid malgré tout. Il avait résolu, à cause de l'état de son dos, de ne faire jouer Pierre qu'en situation d'urgence, ce qui s'avérait maintenant être le cas.

Il fit signe à Lambert de sauter sur la glace. Celui-ci, déterminé, s'empara de la rondelle et, dans une de ses plus belles montées à l'emporte-pièce, compta un but magnifique.

La foule reprit espoir et applaudit à tout rompre. Mais au bout d'un moment, le silence s'installa de nouveau. Pierre avait heurté la bande de plein fouet et tardait à se relever. Il se remit péniblement sur ses jambes et patina lentement vers le banc.

«Ça va, Pierre? demanda Nounou, inquiet.

— Oui, oui..., répondit le 13 sans conviction.

— Beau but, Pierre! félicita Gagnon.

— Marc, se résigna Lambert, je ne suis plus capable de continuer. J'ai trop mal.»

Gagnon allait répondre quand Toronto revint à la charge et reporta son avance à deux buts. L'entraîneur du National grimaça, se frotta les yeux longuement, puis dit:

«Ça va aller, Pierre. Tu as fait ta part. Va te faire examiner.»

Tristement, furieusement, Lambert retourna au vestiaire, se déshabilla et accompagna le docteur Bergeron à l'infirmerie du Colisée. Le médecin lui administra un calmant et observa sommairement son dos.

«Dans deux minutes, tu ne sentiras plus rien, dit-il.

— C'est injuste! s'écria Pierre, en rage. Je ne veux pas lâcher! Je ne veux pas!

— Pierre, ordonna Bergeron, je t'interdis de retourner au jeu.

— Je suis capable, avec des calmants...

— C'est fini pour toi. Tu ne joueras plus cette saison.

— Doc, demanda Pierre, suppliant, si on se rend loin dans les séries, est-ce qu'il y a de l'espoir?

— On ne sait jamais, mon gars, le dos, on ne peut pas savoir... Mais ça s'annonce mal.»

Pierre, résigné, retourna au vestiaire, prit une douche rapide et commença à se rhabiller. C'est à ce moment que Nounou arriva, pris de panique.

«Pierre! C'est ta femme! Elle est à l'hôpital! Elle va accoucher!

— Patricia..!» murmura Pierre, surpris. Il n'attendait pas la naissance du petit avant trois semaines. Il quitta le Colisée aussi vite que son dos meurtri le lui permettait et sauta dans sa voiture.

Pendant ce temps, la première période prenait fin sur une triste note. Toronto menait toujours par 3 à 1. La foule, déçue, n'encourageait pratiquement plus son équipe. Les Maple Leafs, eux, entrèrent au vestiaire la tête haute, considérant déjà la victoire comme acquise.

Les joueurs torontois discutaient joyeusement, parfaitement détendus. Frank Ross et Paul Couture échangeaient quelques plaisanteries. Mercier s'en aperçut en entrant dans l'antichambre et décida d'agir contre un laisser-aller éventuel.

«Ça va faire! hurla-t-il brusquement. Contre qui pensez-vous que vous jouez? Toi, Couture, au lieu de niaiser, t'aurais peut-être mieux fait de surveiller Lambert! Toi, Ross, ton petit frère, embrasse-le donc devant tout le monde, tu le laisses faire ce qu'il veut sur la glace.»

Mercier reprit son souffle, furieux. Il n'avait pas obtenu l'attention voulue. Les joueurs continuaient de discuter entre eux.

«Ross! reprit-il. Je te parle! Un gars qui n'est même pas capable de sortir la rondelle de sa zone sans mouiller ses culottes! Ross, à ta place, je fermerais ma gueule et j'écouterais!

— Ouais, ouais..., répondit Frank, indifférent.

— Quoi? *Sit down!* ordonna Mercier. *Sit down!*

— Calisse-nous donc la paix! fit Ross sans obéir. Le match, on va le gagner pour nous, pas pour toi. Tu peux crever, on s'en fout!

— Écrase, Ross, t'as pas assez de cicatrices sur le corps

pour avoir le droit de parler...»

Frank continua de le fixer froidement. Ses coéquipiers l'imitèrent et se levèrent un à un. Le regard de Mercier s'emplit de panique. Il chercha des yeux un support quelconque, tenta d'en trouver un chez Paul Couture.

«Le Curé, tu le sais, toi, ce que ça prend pour gagner...

— Oui, je le sais, mais je ne suis pas sûr d'avoir envie de le faire pour toi. Je ne veux plus jouer pour un despote.»

Jacques Mercier n'avait jamais rencontré une telle résistance auparavant. Surpris, il tenta de ne pas voir les sourires en coin qui se dessinaient sur les visages et leur tourna le dos dignement. Il sortit lentement du vestiaire.

☆

Un silence de mort régnait dans le vestiaire du National. Marc désespérait de trouver un moyen de motiver ses joueurs. Il faisait les cent pas en consultant sa montre. Nounou vint le prévenir que Gilles Guilbeault le demandait au téléphone. Gagnon, qui n'attendait que cet appel, se précipita sur le récepteur.

«Gilles? Qu'est-ce que vous faites, bon sang! On perd 3 à 1 et Pierre vient de se blesser pour le reste de la saison.

— Pas grave: on a la concession! Ne l'annonce pas tout de suite et essaie de retarder le début de la deuxième période. Quinze minutes. On s'en vient avec une maudite grosse nouvelle!»

Ils raccrochèrent. Marc, surexcité, accrocha Nounou au passage.

«Y a-t-il moyen de retarder la deuxième période? demanda-t-il. Je ne sais pas, moi, la nettoyeuse à glace qui tombe en panne, la porte du banc qui ne s'ouvre plus...

— Mais voyons, Marc! s'exclama le soigneur, étonné.

— Trouve quelque chose, Nounou! implora Gagnon.

— Ouais... fit Nounou en réfléchissant intensément. La Grande Noirceur...»

Il descendit au sous-sol, où se trouvait le centre du réseau électrique du Colisée. Il examina un moment les rangées de disjoncteurs, en choisit un et l'abaissa.

Au-dessus de la glace, l'éclairage, à la grande surprise de l'assistance, venait de baisser considérablement. Marc se retint de sourire pour ne pas attirer l'attention.

L'arbitre et les juges de ligne se consultèrent et décidèrent de reporter le début de la période jusqu'à ce que le problème fût réglé. Le temps d'appeler un électricien et de rétablir le courant, Gilles et Linda étaient arrivés au Colisée.

Ils se ruèrent vers la console de l'annonceur.

«Une seconde! s'écria Guilbeault. Je dois lire ça au centre de la patinoire.

— Je peux difficilement..., hésita l'employé.

— Tu vas faire ce que je te dis!»

L'annonceur obtempéra. Après tout, c'était un ordre du patron.

Gilles sauta sur la glace, feuillet et micro en main. Il avança de quelques pas, s'éclaircit la gorge et s'adressa à la foule.

«Mesdames et messieurs, déclara-t-il, j'ai un communiqué spécial à vous lire. À sept heures, ce soir, la Ligue nationale de hockey a accepté la proposition conduite par Marc Gagnon, Pierre Lambert, Linda Hébert et moi-même, Gilles Guilbeault. Vous avez gagné, nous avons gagné! Le National est devenu la propriété de la population de Québec. Vous tous, ici, joueurs comme partisans, êtes les propriétaires de votre équipe. Nous vous remercions de votre appui et, tous ensemble, nous tenterons d'aller chercher la coupe Stanley...»

Il ne put continuer son discours devant l'explosion de joie qui emplit le Colisée. Sa voix fut complètement enterrée sous le déluge d'applaudissements qui suivit. Les gens hurlaient, dansaient, sifflaient pendant que les joueurs, déchaînés, se jetaient les uns sur les autres en se félicitant. C'est dans cet incroyable tapage, qui ne devait jamais complètement s'apaiser, que commença la deuxième période.

Jacques Mercier, bafoué par ses joueurs, ne put réprimer la vague de fureur qui anima le National à partir de ce moment.

L'écart fut d'abord réduit à un point par un but de Danny Ross.

Puis comblé par Étienne Tremblay.

Ensuite, Danny revint à la charge et donna une avance d'un point au National. La deuxième période se termina dans le délire le plus complet.

Mercier, brisé, n'osa même pas pénétrer dans le vestiaire de son équipe. Il s'enferma dans un bureau adjacent. Jimmy, qui, des gradins, avait vu que son père n'allait pas bien, vint le rejoindre.

«Dad, fit le jeune homme, inquiet. Ça ne va pas?»

Mercier secoua la tête tristement.

«Parle-moi, dad, je ne t'ai jamais vu comme ça.

— Je ne l'ai plus, Jimmy, dit son père, la voix cassée. J'ai perdu la touche. Je pouvais entrer dans la chambre des joueurs, sentir ce qui se passait dans leur tête et trouver quoi dire pour qu'ils en sortent changés, gonflés, enragés... Je l'ai perdue...

— Papa, si tu n'avais pas été là, je n'aurais jamais plus marché de ma vie...

— Tu ne comprends pas, Jimmy... Je ne l'ai plus... C'est affreux... Je l'ai perdue... La volonté de gagner. Je ne veux même plus entrer dans un vestiaire, ça m'écœure...

— *«One more step»*, rappela Jimmy. Souviens-toi, papa: *«one more step»*, un pas de plus, puis un autre, et j'ai réussi à marcher... Pour moi, tu seras toujours un gagnant... Je t'aime, dad...»

La voix de l'adolescent s'érailla, puis s'éteignit. Jacques prit son fils par les épaules et le serra contre lui. Fort. Très fort.

La sirène annonça le début de la troisième période. Mercier retourna derrière le banc, serein. Il ne pouvait plus empêcher le triomphe du National, mais il pouvait maintenant l'accepter.

«Non, Pierre! Ne me laisse pas!» hurla Patricia, folle de

douleur, allongée sur la table d'opération. Pierre tenta de résister à l'infirmière qui l'escortait en dehors de la salle.

«Laissez-moi! protesta-t-il. Je veux rester, elle a besoin de moi.

— Il y a des complications, c'est important que vous sortiez, le chirurgien sera plus à l'aise», expliqua l'infirmière, compréhensive.

Pierre obéit. À l'extérieur, ce fut pire. Il dut supporter les cris de Patricia sans pouvoir lui tenir la main, lui dire qu'il l'aimait et que tout irait bien. L'accouchement fut relativement court, mais pénible.

Au bout d'une demi-heure, un long vagissement se fit entendre. Pierre bondit et fonça dans la pièce dès qu'on lui eut ouvert la porte. Patricia s'y trouvait, couverte de sueur, livide, avec un tout petit bébé dans les bras. L'enfant, le visage plissé et écarlate, criait aussi fort que ses minuscules poumons le lui permettaient.

Le médecin opérant prit soigneusement le petit garçon, le lava, l'examina pendant quelques minutes, l'enveloppa dans une couverture et le rendit tendrement à sa mère.

Pierre, émerveillé, contempla un long moment Patricia tenant leur bébé. Elle leva les yeux vers lui et le lui tendit. Il le prit dans ses bras, le berça.

«Il est parfaitement normal», annonça le chirurgien, satisfait. Comme les heureux parents ne l'écoutaient déjà plus, il préféra les laisser seuls.

FIN